3

en acción

curso de español

Elena Verdía (Coordinadora)

Mercedes Fontecha

Javier Fruns

Felipe Martín

Nuria Vaquero

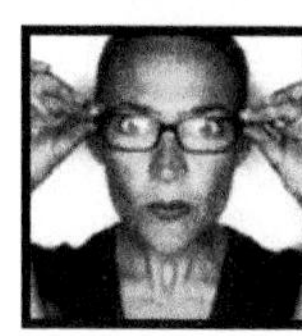

Queremos dedicar este libro a: Luis Barreira, Emi Cabañas (in memoriam). Juan Fruns, Teresa Giménez, Evaristo Gonzales, Pilar Ibarra, Pablo y Javier López, Josefina Lleó, Julián Martín Baquero, Adrián, Elba y Jorge de Tomás, Inés, Selma y Remy Verdía.

Agradecimientos:
Eva García (unidad 11), María Gil Bürmann (anejo gramática), Manuela Gil-Toresano (unidad 10 y revistas), Marisa González Blasco (unidad 9), Beki Gutiérrez (revistas), Marisa Lomo (anejo de léxico), Carolina Osinaga (sección Portfolio) y Rocío Santamaría (tablas de verbos). Matthew Brereton, Christian Höchtl, Angelika Ulrich, Fatima Maryam Kazalbash, Magdalena Castro (grabaciones).

Luis Berrutti, Fredy González, Koldo Lasa, Rasha Shekheldin y Wagner Veillard.

Maite Cabello, Marisa González, Elena Mingo y Miguel Ormaechea.

Traductores del léxico:
Kimberly Perdue, Salvatore Bartolotta, Hans Schafgans, Magdalena Castro.

Grabaciones:
Crab ediciones musicales S.A.

Directora editorial:
Raquel Varela

Equipo editorial:
Edición: AGL Servicios Editoriales S.L.; Susana Gómez, Carmen Llanos Tato
Corrección: Cándido Tejerina
Diseño y puesta en página: DC Visual
Ilustraciones: Humberto Santana y DC Visual
Cubierta: Marcelo Spotti
Fotografía: Santi Burgos, CD Form S.L., Age fotostock y COVER

ISBN: 978-84-96942-80-6
Depósito Legal: M-218-2011
Impreso por: RODONA Industria Gráfica, S.L.

ÍNDICE 1

UNIDAD 1 NUEVAS CARAS

- Hacer un *collage* con información importante sobre los compañeros de la clase
- Escribir un diario de aprendizaje
- Hacer un test para conocer y hablar de nuestros estilos de aprendizaje

Comunicación
Hablar de la impresión que nos produce una persona
Expresar acuerdo y desacuerdo
Hablar de nuestro pasado, presente o futuro
Reaccionar ante lo que nos cuentan
Expresar ideas y opiniones
Valorar hechos y opiniones
Suavizar una crítica negativa

Sistema de la lengua
Recursos para expresar acuerdo y desacuerdo: *no tengo muy claro que* + subjuntivo; *estoy contigo/tienes razón en que…*
Adjetivos para describir carácter, ideas y opiniones
Recursos para reaccionar ante lo que nos cuentan
Recursos para hablar de impresiones: *lo encuentro, parece, resulta, aparenta ser, me da la impresión de que, lo que, lo de*
Hablar de hechos y opiniones: *es un poco/no es muy* + adjetivo negativo

Cultura e intercultura
Temas de actualidad
El fútbol
La televisión
El matrimonio entre homosexuales
La prohibición de fumar
Las relaciones entre profesores y alumnos

Textos
Instrucciones de cuestionarios
Tests psicológicos
Artículos de revistas sobre las apariencias
Conversación sobre temas de actualidad
Conversaciones sobre recuerdos
Conversación sobre el carácter
Blog con opiniones personales
Blog sobre aprendizaje
Artículo científico sobre procesos de aprendizaje

UNIDAD 2 PEQUEÑAS GRANDES HISTORIAS

- Elaborar un anecdotario de toda la clase
- Escribir un relato breve
- Conocer y hablar de los juegos de la infancia en distintos países

Comunicación
Contar historias y anécdotas
Hablar de personajes
Describir en pasado
Hablar de algo de lo que no se está seguro
Hablar de distintas etapas de la vida
Hablar de acontecimientos pasados y del momento de un cambio
Relatar un acontecimiento anterior a otro
Expresar gustos y sentimientos del pasado y referirse a impresiones

Sistema de la lengua
Alternancia imperfecto-indefinido
Recursos para expresar la anterioridad con el pluscuamperfecto
Nociones temporales: *durante, cuando era...*
Recursos para expresar inseguridad: *debió de ser, tiene pinta de haber sido...*
Conectores: *pues resulta que, entonces, de repente, al final, total que...*
Pretérito imperfecto de subjuntivo
Marcadores de cambio: *fue en X cuando, a partir de entonces, al encontrarse...*
Tipos de relatos e historias policiacas
Adjetivos para describir un relato
Juegos infantiles

Cultura e intercultura
Personajes del siglo XX
Hábitos de lectura
Historias impactantes
Microrrelatos
Cuentos
Juegos infantiles de distintas culturas

Textos
Títulos de obras y películas
Microrrelatos y extractos de cuentos
Biografías de personajes del siglo XX
Programas radiofónicos sobre anécdotas e historias
Programas sobre los sentimientos
Anécdotas
Tertulia sobre historias impactantes
Artículo informativo sobre juegos infantiles

UNIDAD 3 ESCAPADAS

- Elaborar un cuaderno con los sitios preferidos de la clase
- Diseñar un plan para combatir el estrés
- Seleccionar ideas para adaptarse a la vida en un país extranjero

Comunicación
Hablar de costumbres y de actividades no rutinarias
Describir un lugar conocido o desconocido
Dar consejos y hacer sugerencias
Expresar preocupación
Hablar de sentimientos de ahora y de antes
Expresar la causa de algo
Hablar de lo que se echa de menos en un viaje

Sistema de la lengua
Léxico relacionado con lugares y paisajes
Frases de relativo con preposición: *en/a/de/...* + *el/la/los/las* + *que...*
Recursos para hablar de trastornos de salud
Vocabulario relacionado con actividades de tiempo libre y de ocio
Vocabulario relacionado con el estrés
Adjetivos para describir lugares
Comparativos de igualdad: *igual de, tan como, tantos/as como*
Conectores causales: *a causa de, debido a, por culpa de...*
Conoces algo que + indicativo/subjuntivo
Recursos para aconsejar: *tendrías que/deberías/sería bueno que/lo mejor sería que* + imperfecto de subjuntivo
Presente e imperfecto de subjuntivo

Cultura e intercultura
Actividades de tiempo libre
Los ritmos de vida y el estrés
La inmigración y el síndrome de Ulises
Diferencias entre culturas

Textos
Guía sobre restaurantes
Entrevista periodística
Artículos sobre el estrés
Grabaciones en contestadores de servicios de asistencia social
Conversación sobre formas de desconectar de la rutina
Entrevista radiofónica sobre la adaptación a un país extranjero
Texto divulgativo sobre el síndrome de Ulises

UNIDAD 4 A TRABAJAR

- Hablar de nuestras aptitudes para determinados trabajos
- Diseñar la página web de una empresa
- Hablar de las condiciones laborales en distintos países

Comunicación
Hablar de las cosas que se pueden hacer para tener éxito
Hablar de lo que se haría en situaciones hipotéticas
Hablar de cualidades y puntos débiles
Hablar de la experiencia profesional y la formación académica
Dar consejos
Expresar deseos referidos al presente o al futuro
Hablar de aficiones y sueños
Hablar de condiciones laborales

Sistema de la lengua
Vocabulario relacionado con hábitos de aprendizaje
Recursos para hablar de cualidades
Hipótesis: *si* + imperfecto de subjuntivo + condicional
Busco a alguien que + subjuntivo
Marcadores del discurso para referirse a algo, hablar de consecuencias, ejemplificar o reformular
Vocabulario relacionado con las aficiones
Recursos para expresar deseos: *Me gustaría (que)/Me habría gustado (que)* + infinitivo/subjuntivo
Uso del condicional para expresar deseos
Vocabulario relacionado con el trabajo
Vocabulario relacionado con las entrevistas de trabajo

Cultura e intercultura
Cualidades y defectos en relación con el trabajo según las culturas
Currículum vítae europeo
Condiciones laborales valoradas
Iniciativas emprendedoras
Conciliación entre vida familiar y empleo

Textos
Test psicológico sobre hábitos
Currículum vítae europeo
Anuncios de trabajo
Conversaciones con consejos
Entrevistas de trabajo
Páginas web de servicios a domicilio
Entrevista radiofónica a emprendedores
Artículo sobre iniciativas profesionales
Artículos sobre condiciones laborales
Lista de medidas de conciliación de la vida familiar y profesional

UNIDAD DE REPASO (MÓDULO A)

Preparación para el Portfolio
Sección *Pasaporte* y *Biografía*:
- Reflexión sobre las experiencias en el aprendizaje de lenguas
- Reflexión sobre los sentimientos relacionados con las situaciones de aprendizaje

Sección *Dossier*: selección de los trabajos que deseas incluir en tu dossier

Revista
- Bebe, rompiendo moldes
- Banco del tiempo
- Los viejos héroes nunca mueren
- Paradores, una escapada especial

ÍNDICE 1

UNIDAD 5 AQUÍ NO HAY QUIEN VIVA

- Discutir y aprobar un documento en que se recojan las normas de la clase
- Recoger quejas para hacer una reclamación
- Reflexionar sobre sentimientos y sensaciones asociadas a las mudanzas y a los cambios en general

Comunicación

Hablar de la utilidad de un objeto o aparato
Describir una avería
Hablar de un conflicto y de sus causas
Relatar lo que otros han dicho
Expresar normas
Expresar condiciones y restricciones
Expresar quejas y reclamaciones
Hacer consultas telefónicas

Sistema de la lengua

Vocabulario relacionado con objetos, muebles y aparatos de casa
Vocabulario relacionado con las comunidades de vecinos y con los conflictos vecinales
Siempre que, a condición de que, a no ser que...
Uso del futuro para establecer normas
Vocabulario relacionado con las mudanzas
Recursos para transmitir información, preguntas y peticiones: *aconsejar, exigir, pedir, proponer, rogar...*
Vocabulario relacionado con la contratación de servicios y la atención telefónica

Cultura e intercultura

Problemas de vecindario
Las reuniones de comunidades de vecinos
Diferencias en las normas de convivencia
La mudanza y el apego a los objetos personales según las culturas

Textos

Conversaciones telefónicas informales
Artículo sobre conflictos vecinales
Acta de reunión de vecinos
Normas de convivencia en un piso
Notas de incidencias
Conversaciones telefónicas con operadoras y servicios de atención telefónica (SAT)
Blog sobre SAT
Mensajes en un foro
Carta de reclamación
Texto divulgativo sobre mudanzas

UNIDAD 6 ¿TÚ QUÉ OPINAS?

- Buscar respuestas a algunos misterios de la clase
- Elaborar una revista de opinión
- Comentar las diferencias y semejanzas entre los medios de comunicación de diferentes países

Comunicación

Expresar probabilidad
Hacer hipótesis acerca de algo que ha ocurrido
Reaccionar ante las hipótesis de los demás
Valorar información compartida
Expresar opinión
Argumentar y organizar el discurso
Confirmar, desmentir o aclarar un hecho
Negar o poner en duda una información

Sistema de la lengua

Recursos para hacer hipótesis: *quizá, a lo mejor, puede que, seguramente, probablemente*
Recursos para reaccionar ante una hipótesis: *¡anda ya!, ¡qué va!, ¿tú crees?, puede ser, me extraña...*
Vocabulario relacionado con sucesos
Uso del futuro para expresar hipótesis
Uso del subjuntivo para valorar información compartida y para negar o poner en duda información presupuesta
Conectores del discurso
Vocabulario relacionado con la televisión

Cultura e intercultura

Vida inteligente en otros planetas
Educación y seguridad
Los misterios de Nasca
Piratería musical, cinematográfica e informática
Educación sexual
Experimentos con animales
La prensa del corazón
Los medios de comunicación

Textos

Textos periodísticos sobre misterios
Programa radiofónico de misterio
Sección de sucesos; noticias
Página web sobre misterios
Conversación informal sobre hipótesis
Carta al director sobre educación
Texto argumentativo
Entrevista radiofónica a una famosa
Conversación informal sobre piratería
Debate radiofónico entre periodistas
Artículo sobre infancia y televisión

UNIDAD 7 POR AMOR AL ARTE

- Presentar a los compañeros de clase la obra de arte favorita de cada uno
- Diseñar la camiseta de la clase
- Crear un objeto que represente a una ciudad

Comunicación

Expresar sensaciones y sentimientos
Elogiar una obra de arte
Expresar una opinión
Reaccionar ante una obra de arte
Describir un lugar y una escena de una película
Emitir un juicio o valoración de hechos y opiniones
Expresar y matizar una opinión
Proponer soluciones, alternativas o acciones conjuntas

Sistema de la lengua

Vocabulario relacionado con el arte y con los sentimientos que producen las obras de arte
Recursos para valorar y reaccionar ante una obra: *lo encuentro, me produce, es como si* + imperfecto de subjuntivo
Recursos para elogiar a un artista: *consiguió, se hizo, se ha convertido...*
Vocabulario relacionado con el cine
Localización espacial: *en la parte superior, al fondo...*
Recursos para hacer un juicio o una valoración: *es increíble/lamentable... que* + subjuntivo
Recursos para dar o matizar una opinión
Imperativo con pronombres personales de CD y CI
Vocabulario para describir una ciudad

Cultura e intercultura

Tipos de museos
Frida Kahlo, Antonio Gaudí, Eduardo Chillida
Artistas representativos y arte hispano
Cine, música, arte moderno, *graffiti*
Espacios de la ciudad
Calle Fuencarral (Madrid)
Las Palmas de Gran Canaria

Textos

Entradas de museos
Conversación informal: comentarios sobre una exposición y una obra de arte
Exposición de un guía en un museo
Teléfono: petición de información
Texto descriptivo de obras de arte
Encuesta oral (sobre arte)
Blog sobre escenas de cine
Conversación informal sobre *graffiti*
Conversación informal sobre las compras
Texto periodístico descriptivo
Eslóganes y mensaje publicitario
Teletipo

UNIDAD 8 QUEREMOS CAMBIAR EL MUNDO

- Crear una asociación y presentar sus objetivos y proyectos
- Contar algunas predicciones que nos han hecho sobre nuestro futuro
- Comentar lo que nos han contado de otros países y lo que hemos aprendido de nuestros contactos culturales

Comunicación

Expresar sueños y deseos para el futuro
Expresar propuestas y sugerencias
Expresar finalidad
Expresar acuerdo y desacuerdo
Argumentar, matizar y aclarar una opinión
Hablar de planes e intenciones
Relacionar cronológicamente acciones futuras
Hablar de cambios físicos, vitales, profesionales o de carácter
Referir acciones futuras o previas a un momento futuro
Referir hechos actuales contados por otros

Sistema de la lengua

Vocabulario relacionado con los temas sociales
Me gustaría/encantaría, sería estupendo/maravilloso que, ojalá + imperfecto de subjuntivo
Vocabulario relacionado con el medio ambiente
Para (que)/a fin de (que) + subjuntivo
Deberíamos/tendríamos (que), se debería...
Recursos para hablar de cambios: *hacerse, volverse*
Es verdad que, me gustaría aclarar que...
Recursos para hablar de planes: *tener pensado, tener la intención de*
Futuro compuesto
Cuando/en cuanto/tan pronto como/antes de que/después de que/hasta que + presente de subjuntivo

Cultura e intercultura

ONG en España y el voluntariado
Temas sociales que más preocupan en España
Cuestiones medioambientales: protección del medio ambiente, cambio climático...
Asociaciones
Modos de vida
Contactos interculturales

Textos

Titulares de prensa
Foro digital en Internet
Programa radiofónico de debate sobre problemática medioambiental
Artículo sobre el voluntariado
Mensaje electrónico con propuestas para solucionar problemas
Folleto sobre cambio climático
Conversación sobre planes
Conversación informal sobre cine
Entrevista escrita sobre una experiencia de contacto con otras culturas

UNIDAD DE REPASO (MÓDULO B)

Preparación para el Portfolio europeo de las lenguas

Sección *Pasaporte* y *Biografía:*
- Reflexión sobre las experiencias en el aprendizaje de lenguas
- Reflexión sobre el plurilingüismo

Sección *Dossier*: selección de los trabajos que deseas incluir en tu dossier

Revista

- El valle de Manduriacos (Ecuador)
- El mejor futbolista hispano de todos los tiempos
- El cómic, arte en estado puro
- Anuncios clasificados

UNIDAD 9
LA SALUD ES LO PRIMERO

- Confeccionar carteles para una campaña a favor de la salud de la clase
- Elegir un proyecto de investigación científica que apoyaríamos
- Hablar de los profesionales de la salud y de diferentes tipos de medicina

Comunicación
Referirse al uso de algo
Referirse a hechos constatados
Hablar de salud
Dar consejos y hacer sugerencias
Reaccionar ante una información desconocida
Opinar sobre las palabras de otros
Expresar deseos referidos al futuro
Hacer hipótesis referidas al futuro
Expresar condiciones que tienen que darse para que ocurra algo en el futuro

Sistema de la lengua
Expresiones relacionadas con la salud
Nombre común y científico de enfermedades
Vocabulario relacionado con los medicamentos
Vocabulario de órganos y tejidos
Recursos para expresar deseos para el futuro: *espero que, ojalá, sería estupendo/fantástico que*
Condicional simple para hacer hipótesis (futuro)
Recursos para expresar condiciones: *tendrían/deberían/habría + que, a condición de que, siempre que, si* + imperfecto de subjuntivo
Profesiones relacionadas con la salud

Cultura e intercultura
La salud y la medicina
Remedios naturales
Enfermedades
Donación de órganos y donantes
Investigación
Premios Príncipe de Asturias
Problemas éticos de los avances científicos
Profesiones valoradas positivamente
Medicinas alternativas

Textos
Programa radiofónico sobre salud
Conversación formal con el médico
Artículo divulgativo sobre enfermedades
Receta médica
Página web especializada sobre salud
Programa radiofónico sobre trasplantes
Eslóganes publicitarios
Biografía de científicos
Discurso en una entrega de premios
Artículo relacionado con las profesiones más valoradas

UNIDAD 10
CIUDADES EN MOVIMIENTO

- Elaborar un programa de mejoras para la ciudad en la que estamos
- Diseñar un permiso por puntos
- Reflexionar sobre lo que asociamos con determinados lugares en distintas culturas

Comunicación
Hablar de ciudades
Hablar de prohibiciones
Hablar de requisitos
Expresar deseos y hacer peticiones
Hablar de una situación posible o improbable
Hablar de las condiciones para que algo ocurra
Atribuir características hipotéticas (deseadas o ideales) a objetos, personas o lugares

Sistema de la lengua
Recursos para expresar requisitos: *habría que, se tendría que, sería necesario (que)...* + infinitivo/subjuntivo
Recursos para expresar deseos y hacer peticiones: *me gustaría/encantaría que, querría que, necesitaría que* + imperfecto de subjuntivo
Uso de *por si*
Vocabulario relacionado con las ciudades
Recursos para hablar de condiciones: *en caso de que/siempre que/salvo que* + subjuntivo
Recursos para quejarse: *no hay nadie/ningún que*
Vocabulario relacionado con el aeropuerto y con la circulación vial
Recursos para hablar de condiciones: *siempre y cuando, siempre que...*

Cultura e intercultura
Prohibiciones. Semejanzas y diferencias en otras culturas
Calidad de vida en las ciudades españolas
Problemas de urbanismo
Protección de espacios naturales
Permiso por puntos (DGT)
Señales en lugares públicos
Sistema de abono de transporte
Satisfacción de los viajeros
Espacios urbanos
El uso de los espacios públicos

Textos
Artículo sobre ciudades españolas
Instrucciones de un directivo
Carta al director de una asociación de vecinos
Lista de infracciones sancionadas
Programa radiofónico de entrevista a un responsable de la DGT
Señales y carteles informativos
Artículo sobre el abono transporte
Encuesta callejera sobre la satisfacción de los viajeros
Test

UNIDAD 11
¡CÓMO HEMOS CAMBIADO!

- Hacer una presentación explicando los cambios a lo largo de la vida
- Realizar un cuaderno con relatos que cambiaron nuestras vidas
- Hablar de las aportaciones que diversas culturas han hecho a la humanidad y de su influencia en nuestra vida

Comunicación
Hablar de cambios experimentados
Hablar de sucesos pasados y situarlos en el tiempo con respecto a otros
Expresar la finalización o la contingencia de algo
Expresar condiciones en el pasado
Hacer hipótesis
Hablar de acontecimientos, inventos y aportaciones que han cambiado nuestras vidas
Expresar deseos y sueños pasados

Sistema de la lengua
Verbos de influencia: *permitir, dejar, prohibir, tolerar, exigir, mandar...* + infinitivo/+ *que* + subjuntivo
Nociones de anterioridad, posterioridad, continuidad, interrupción: *antes de* (*que*), *después de* (*que*), *dejar de, seguir*
Vocabulario relacionado con la vida personal y privada, académica y profesional
Vocabulario relacionado con el aspecto físico y con las modas
Condicional compuesto y pretérito pluscuamperfecto de subjuntivo para expresar la condición o lo que pudo haber pasado
Vocabulario relacionado con inventos y aportaciones científicas y artísticas

Cultura e intercultura
Personajes famosos que han marcado una época
Cambios y modas
Las prohibiciones que imponen los padres
El accidente de aviación ocurrido en los Andes
Aportaciones del mundo hispano al patrimonio cultural y social de la Humanidad
Aportaciones de la propia cultura
Valoración de las aportaciones de las distintas culturas

Textos
Página web de alguien que habla de los cambios que ha experimentado
Conversación informal sobre cosas que prohíben los padres
Juego de adivinanzas de hechos del pasado
Entrevista periodística a un maestro
Artículo sobre el accidente de avión de los Andes
Entrevista radiofónica
Anécdotas orales de factores que han condicionado una vida y de lo que pudo haber pasado

UNIDAD 12
ESTAMOS CONECTADOS

- Participar en un foro con opiniones sobre el curso
- Escribir una carta de despedida
- Hablar sobre el intercambio de regalos en distintos países

Comunicación
Hablar de experiencias con las nuevas tecnologías (NN. TT.)
Narrar una historia
Referirse a una información previa
Expresar acuerdo y desacuerdo
Hablar de cosas inolvidables
Sugerir, aconsejar y recomendar
Hablar de expectativas
Referirse a peticiones y sugerencias de otros
Expresar agradecimiento
Expresar deseos para el futuro

Sistema de la lengua
Vocabulario relacionado con las NN. TT.
Recursos para expresar la opinión: (*no*) *considero normal/una tontería que, no hay nada malo en...*
Imperfecto de indicativo para hacer referencia a una información previa
Recursos para escribir cartas
Recursos para referirse a peticiones: *me pidieron que, me han recomendado que, me aconsejaron que* + imperfecto de subjuntivo
Recursos para agradecer: *quiero agradecerte/le, quisiera darle las gracias por...*
Vocabulario relacionado con los regalos

Cultura e intercultura
Evolución de las nuevas tecnologías
Uso de las nuevas tecnologías y de Internet en España
Experiencias en familias extranjeras
Cartas y tarjetas de agradecimiento
Tipos de regalos apropiados para distintas ocasiones
Detalles para agradecer algo

Textos
Noticias de prensa
Noticias radiofónicas
Texto sobre el uso de Internet en España
Normas de participación en un foro
Foro de discusión sobre el uso de Internet
Carta de despedida y agradecimiento
Tarjetas de agradecimiento
Conversaciones informales sobre anécdotas de clase
Conversaciones informales sobre regalos

UNIDAD DE REPASO (MÓDULO C)

Preparación para el Portfolio europeo de las lenguas
Sección *Pasaporte* y *Biografía*:
- Reflexión sobre los objetivos que se han alcanzado a lo largo del curso
- Reflexión sobre el uso que se va a hacer del español en el futuro

Sección *Dossier*: selección de los trabajos que deseas incluir en tu dossier

Revista
- Aires *retro*. El eterno revivir del pasado
- Costa Rica, ¡rica en pura vida!
- Enganchados a las nuevas tecnologías
- Terapias alternativas: mima tus sentidos

A módulo

ÍNDICE 2

	 ESCUCHAR	 LEER	INTERACTUAR ORALMENTE	 ESCRIBIR	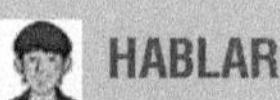 HABLAR
UNIDAD 1	Puede entender a personas que hablan del carácter de otra Puede entender a dos personas que expresan sus opiniones sobre un tema de actualidad Puede entender a una persona que habla de sus recuerdos	Puede entender las instrucciones para completar un cuestionario Puede entender un artículo sobre la apariencias Puede entender un *blog* donde alguien expresa sus ideas y opiniones Puede entender un diario de profesores y alumnos Puede leer un texto científico y las preguntas de un test sobre estilos de aprendizaje	Puede hablar de la imagen que tiene de los demás Puede valorar las ideas y opiniones de otros Puede hablar con los compañeros de cómo suavizar una crítica negativa Puede conversar sobre sus recuerdos de las clases Puede hablar con otra persona de lo que le ayuda a aprender	Puede escribir información sobre la vida de un compañero Puede hacer una lista de noticias y hechos de actualidad Puede hacer un diario de aprendizaje con sus compañeros Puede hacer un *blog* en el que expresa ideas y opiniones	Puede contar cosas de su pasado, presente y futuro que los demás no conocen Puede hablar del tipo de recuerdos que predominan en su memoria (sistema de representación auditivo, visual o quinestésico)
UNIDAD 2	Puede entender anécdotas relacionadas con la adolescencia Puede comprender un programa de radio en el que se comentan historias Puede entender un programa de radio en el que las personas cuentan los sentimientos que les provocaron determinadas historias	Puede leer textos sobre la vida de personajes históricos Puede entender un microrrelato Puede entender un extracto de un cuento Puede leer un texto periodístico informativo sobre juegos infantiles	Puede hablar de lo que le gusta leer Puede hablar de series que le gustaban de pequeño y de películas que le marcaron Puede hablar de sentimientos de su infancia Puede formular preguntas para conocer más detalles sobre una historia	Puede escribir la biografía detallada de un personaje Puede escribir una anécdota con su título Puede poner un título a una historia Puede cumplimentar una ficha policial Puede escribir un relato breve Puede hacer una lista de sus juegos favoritos	Puede hablar de la infancia de otra persona Puede contar una historia que ha leído o ha visto Puede contar una anécdota relacionada con un personaje famoso Puede explicar las reglas de un juego
UNIDAD 3	Puede entender una conversación sobre lo que hacen otros para desconectar de su rutina Puede entender mensajes que otras personas han dejado en un contestador Puede entender una entrevista sobre las dificultades para adaptarse a un nuevo país	Puede entender una entrevista Puede entender las recomendaciones de una guía turística sobre restaurantes Puede leer noticias de la prensa Puede leer un artículo sobre cómo combatir el estrés Puede realizar un test sobre el estrés Puede entender un texto divulgativo sobre el síndrome de Ulises	Puede conversar sobre sus preferencias para ocupar el tiempo libre y salir de la rutina Puede compartir con otros las cosas que le molestan o le molestaban Puede hablar con otra persona de las cosas que echaría de menos en el extranjero Puede hablar de las cosas a las que le costaría adaptarse en un país extranjero	Puede hacer una lista de lugares interesantes de su ciudad Puede hacer una descripción de lugares de interés Puede escribir un decálogo del hombre tranquilo Puede hacer una lista de situaciones estresantes Puede hacer una lista para combatir el estrés en un país extranjero	Puede hablar de lo que hace para desconectar de la rutina Puede preguntar a otros por sus sitios preferidos Puede hablar de actividades de ocio Puede describir un paisaje que le gusta Puede preguntar por un lugar Puede hablar de una situación de estrés Puede hacer una presentación de un plan antiestrés
UNIDAD 4	Puede entender los consejos que da una persona para preparar una entrevista Puede comprender a personas que hablan de lo que buscan en un trabajo y de sus aptitudes profesionales Puede entender un programa radiofónico en el que dan consejos para crear una empresa	Puede entender un test sobre hábitos de aprendizaje y de trabajo Puede entender anuncios de trabajo publicados en la prensa Puede leer una página en la que se ofrecen servicios a domicilio Puede entender un artículo informativo de un periódico Puede entender una lista de medidas de conciliación de la vida familiar y laboral Puede entender artículos sobre condiciones laborales	Puede hablar con otra persona de lo que hay que hacer para tener éxito en la vida Puede debatir sobre el candidato más válido para un puesto de trabajo Puede comentar los requisitos y cualidades para un puesto de trabajo Puede hablar con alguien de cómo mejorar un texto escrito Puede comentar las diferencias y similitudes que hay entre su país y otras culturas en cuanto a la conciliación de la vida laboral y personal	Puede escribir su currículum vítae siguiendo el modelo europeo Puede tomar notas de datos relevantes en una entrevista Puede redactar un anuncio para un puesto de trabajo en el que se detallan las funciones del puesto y los requisitos Puede corregir unos textos para que todos tengan un tono homogéneo Puede hacer una lista con consejos para crear una empresa Puede diseñar la página web una empresa	Puede exponer los resultados obtenidos en una prueba Puede hablar de sus cualidades y de sus puntos débiles Puede pedir información a una persona sobre sus actividades formativas y profesionales Puede hablar de personas emprendedoras Puede hablar de sus aficiones y sueños

	ESCUCHAR	LEER	INTERACTUAR ORALMENTE	ESCRIBIR	HABLAR
UNIDAD 5	Puede entender a personas que hablan de averías Puede entender a personas que se quejan de los problemas que tienen con sus vecinos Puede comprender los temas abordados en una reunión de vecinos Puede comprender a una persona que se queja de un servicio o que hace una reclamación	Puede entender un texto periodístico que trata del comportamiento y los problemas de los vecinos Puede entender un acta de una reunión de vecinos Puede comprender las normas de convivencia de un piso Puede entender un mensaje de queja Puede comprender una carta de reclamación	Puede comentar la necesidad de arreglar determinados aparatos Puede explicar las causas de los conflictos vecinales Puede contrastar las normas que se siguen en las casas en las que ha vivido o vive Puede negociar con sus compañeros unas normas Puede opinar sobre el servicio de atención telefónica	Puede hacer una lista de los problemas vecinales que le molestan Puede hacer una lista de hábitos de la clase que le gustan o no Puede corregir un acta de una reunión de vecinos que tiene errores Puede redactar una lista con normas de convivencia Puede tomar nota de una incidencia	Puede hablar de los tipos de vecinos que tiene Puede hablar de los tipos de conflictos que existen entre vecinos Puede hablar de algunas reclamaciones que haya hecho Puede contar cómo se estropeó o rompió algo Puede hablar de experiencias y de anécdotas relacionadas con mudanzas
UNIDAD 6	Puede entender un programa radiofónico que aborda temas de misterio Puede entender a personas que hacen hipótesis para explicar un fenómeno extraño Puede comprender opiniones sobre piratería Puede seguir un debate entre periodistas del corazón Puede entender a una persona que hace aclaraciones o desmiente afirmaciones Puede entender a personas que hablan de un suceso	Puede entender noticias en la prensa o en páginas web sobre sucesos o casos misteriosos Puede entender una página web en la que se explican ciertos misterios Puede entender titulares de prensa relacionados con sucesos Puede comprender una carta al director sobre educación Puede entender la opinión de una persona que interviene en un foro	Puede conversar sobre las posibles explicaciones de un hecho Puede compartir con otros sucesos de los que ha oído hablar Puede intercambiar opiniones sobre un tema Puede comentar noticias, valorar la información y expresar su opinión Puede hablar de similitudes y de diferencias entre la televisión en España y en otros países Puede realizar una entrevista para conocer opiniones	Puede intervenir en un foro de Internet Puede crear un titular para una noticia sobre un suceso Puede hacer una lista con los "asuntos misteriosos" de la clase Puede elaborar una lista de tipos de programas Puede escribir textos argumentativos (recurriendo a los conectores discursivos) Puede reformular un texto mejorando la argumentación Puede escribir un artículo de opinión	Puede expresar su opinión sobre hechos misteriosos Puede hablar de un suceso Puede expresar una hipótesis sobre algo que ha ocurrido Puede opinar sobre la calidad de los medios de comunicación en su país Puede aclarar hechos o desmentir afirmaciones relacionadas con su vida
UNIDAD 7	Puede entender una visita guiada y a personas conversando sobre arte Puede entender las preguntas y las respuestas de una encuesta oral sobre arte Puede entender a personas que expresan sus impresiones frente a una obra de arte Puede entender a personas que hablan de lo que es y no es arte Puede identificar los objetos de los que están hablando unas personas	Puede entender un texto en el que se hace una descripción técnica de una obra de arte Puede entender un texto en el que unas personas describen sus escenas de cine favoritas Puede entender un texto periodístico descriptivo de una zona comercial alternativa Puede entender mensajes publicitarios y eslóganes Puede entender un teletipo	Puede debatir con compañeros cuáles son los artistas más representativos del siglo XX Puede conversar sobre el valor de los *graffiti* y del arte moderno Puede comentar con otros las cosas que desea comprar y entender sus consejos y recomendaciones Puede hablar de lo que caracteriza a un grupo y una ciudad	Puede preparar una ficha técnica de un artista y de una obra de arte en la que se recogen datos biográficos del autor y se describe la obra Puede crear un lema para diseñar la camiseta de la clase Puede poner un título a un texto Puede elaborar una breve descripción de una obra de arte para acompañarla en una exposición	Puede hablar de su interés por visitar algún museo o de alguna visita interesante que haya realizado Puede hablar de las sensaciones que le produce una obra de arte Puede hablar de las obras de sus artistas favoritos Puede dar instrucciones para que las personas se coloquen en una determinada posición con relación a los otros, para representar una escena
UNIDAD 8	Puede seguir un debate en el que dos personas muestran posiciones enfrentadas Puede entender una conversación de dos personas que hablan de sus planes para el futuro Puede entender a personas que hablan del futuro de una tercera Puede entender a personas que hablan de las profecías que ha hecho otro	Puede entender un texto sobre deseos futuros Puede comprender las intervenciones en un foro digital sobre cuestiones medioambientales Puede entender un texto en el que unas personas explican lo que defienden Puede leer cartas con propuestas para mejorar el centro de la ciudad Puede entender una entrevista a una persona que vive en el extranjero	Puede comentar los temas sociales que le preocupan Puede participar en un debate de opinión Puede debatir sobre posibles soluciones para resolver un problema Puede debatir el tipo de asociación más necesaria para la sociedad y concretar los proyectos que podrían llevar a cabo	Puede hacer una lista con los problemas que encuentra en el centro en el que estudia Puede escribir una carta al director del centro donde estudia haciéndole propuestas de mejora para el centro Puede preparar preguntas para entrevistar a sus compañeros sobre su futuro	Puede presentar ante el grupo una asociación que ha creado con sus compañeros Puede hablar de cómo imagina su vida dentro de unos años Puede hablar de las promesas que hizo a otras personas y si las cumplió o no Puede hablar de sus deseos de conocer un sitio nuevo

	ESCUCHAR	LEER	INTERACTUAR ORALMENTE	ESCRIBIR	HABLAR
UNIDAD 9	Puede entender un programa radiofónico en el que se habla del descubrimiento de remedios naturales Puede entender a una persona que describe los síntomas de una enfermedad Puede seguir un programa radiofónico sobre trasplantes de órganos Puede seguir la entrega de premios Príncipe de Asturias en la radio	Puede entender un artículo sobre enfermedades raras y anécdotas sobre medicina Puede descifrar una receta médica Puede entender consejos relacionados con la salud Puede comprender información sobre trasplantes Puede entender eslóganes publicitarios Puede comprender la biografía de un científico Puede entender artículos sobre medicina alternativa	Puede mantener una conversación sobre las repercusiones psicosomáticas de las emociones Puede interactuar con compañeros para elaborar un decálogo Puede comentar lo que haría en una situación extrema Puede dialogar sobre posibles problemas de la ciencia Puede hablar de las profesiones más valoradas en su cultura	Puede tomar nota de los síntomas de una enfermedad Puede escribir un título para una noticia Puede elaborar un cartel con consejos para llevar una vida sana Puede redactar un decálogo para llevar una vida sana Puede tomar nota de la información que le sorprende en un programa radiofónico relacionado con trasplantes	Puede hablar de remedios naturales Puede describir síntomas de una enfermedad Puede contar una anécdota relacionada con una consulta médica Puede ejemplificar cómo las emociones influyen en las enfermedades Puede comentar sus peticiones a la comunidad científica Puede presentar un proyecto científico Puede hablar de medicina alternativa
UNIDAD 10	Puede entender los requisitos que debe cumplir un lugar para la celebración de un acto Puede seguir una entrevista radiofónica sobre el permiso por puntos Puede comprender los resultados obtenidos en una encuesta de opinión Puede entender a una persona que habla de las cosas que asocia con determinados lugares de la ciudad	Puede entender carteles de lugares públicos Puede entender un artículo sobre las ciudades que ofrecen mayor calidad de vida Puede entender unas cartas al director sobre un problema de urbanismo Puede entender normas de circulación y penalizaciones Puede entender un artículo en el que se habla de un nuevo sistema de billetes de transporte	Puede hablar de prohibiciones Puede hablar de cómo mejorar una ciudad Puede hablar de los requisitos para celebrar un acontecimiento Puede hablar de las penalizaciones a los conductores Puede hablar de cosas que deberían señalizarse o prohibirse Puede ponerse de acuerdo para establecer normas y sanciones	Puede resumir una noticia de prensa Puede tomar notas de las propuestas que hacen los compañeros para mejorar el barrio Puede elaborar una lista de aspectos mejorables en la clase Puede escribir una carta para un periódico o una página web proponiendo mejoras para la ciudad Puede redactar un informe con datos de una encuesta	Puede hablar de las mejores ciudades de su país Puede describir sistemas de abono de transporte Puede presentar una propuesta de regulación de algún ámbito de la vida con sus normas y las sanciones que se aplicarán en caso de no cumplirse Puede hablar de los factores que influyen en las asociaciones que hace con determinados lugares
UNIDAD 11	Puede entender a personas que hablan de lo que les prohibían hacer sus padres Puede entender a dos personas que sitúan unos acontecimientos con respecto a otros Puede entender el análisis de una situación Puede entender los factores que cambiaron la vida de algunas personas Puede comprender a una persona que habla de lo que pudo ser y no fue	Puede entender una página web sobre cambios vividos Puede entender una entrevista sobre cambios de la vida profesional Puede entender un artículo sobre una historia de supervivencia Puede entender una narración sobre el cambio a partir de un acontecimiento Puede entender textos sobre cambios que marcaron la Humanidad	Puede conversar sobre el interés que despiertan ciertas personas Puede interactuar con una persona para saber qué acontecimientos han sido anteriores a otros en su vida Puede tomar parte en una conversación en la que se imaginan cómo era su profesor antes Puede comentar los factores principales que condicionaron un acontecimiento	Puede elaborar una lista de acontecimientos importantes de su vida y la de sus familiares y de los cambios más significativos en su vida Puede preparar una lista de factores que fueron condicionantes para los supervivientes de un accidente de avión Puede relatar hechos que han cambiado su vida Puede poner título a un relato	Puede hablar de los personajes que admira Puede hablar de los cambios vividos Puede hablar de cosas permitidas y prohibidas Puede hablar de los cambios sufridos a lo largo de su vida Puede formular preguntas para saber en qué orden han tenido lugar unos acontecimientos Puede presentar el análisis de una situación
UNIDAD 12	Puede comprender una historia leída por los compañeros Puede entender una noticia radiofónica en la que se cuenta una historia Puede entender a personas que hablan de los mejores momentos de un curso Puede entender consejos, sugerencias o recomendaciones Puede entender a personas que hablan de regalos	Puede entender un estudio sobre el uso de Internet en España Puede entender las normas de participación en un foro Puede comprender las intervenciones en un foro sobre el uso de Internet Puede entender una carta de despedida Puede entender una tarjeta de agradecimiento Puede entender un texto sobre los regalos	Puede crear una historia en grupo Puede hablar del uso que hace de las nuevas tecnologías Puede discutir con unos compañeros sobre las normas para participar en un foro Puede comparar con los compañeros la evaluación que hace del curso Puede contrastar con compañeros las cosas que regala en determinadas ocasiones	Puede escribir una historia donde se relacionan elementos Puede participar en un foro sobre Internet y sobre la clase Puede redactar normas para participar en un foro y un resumen de las participaciones en un foro Puede escribir una tarjeta de agradecimiento y una carta de despedida Puede escribir deseos para el futuro y consejos para sus compañeros	Puede hablar de los adelantos tecnológicos Puede hablar de las tecnologías que usa para estar en contacto con el español Puede hablar de una experiencia de alojamiento en familias extranjeras Puede comentar cuál ha sido el mejor momento del curso Puede hablar de su experiencia de aprendizaje en el curso

INTRODUCCIÓN

Cuando comenzamos a elaborar *En acción 3* nos propusimos hacer un manual con el que los estudiantes y el profesor se sientan cómodos. Por eso *En acción 3* es fácil de usar en el aula, ya que es un material dinámico, actual y variado, con un amplio repertorio de actividades, situaciones y realidades culturales dirigido a diferentes tipos de alumnos.

En acción 3 es un manual que, por su flexibilidad, puede adaptarse a distintos contextos de enseñanza-aprendizaje: grupos monolingües o plurilingües, grupos que estudian en un país de habla hispana o grupos que no se encuentran en contexto de inmersión.

El manual sigue las orientaciones del *Marco común europeo de referencia* y, por lo tanto, considera al alumno como miembro de una sociedad en la que, movilizando sus competencias, lleva a cabo actividades y tareas, lingüísticas y no lingüísticas. *En acción 3* pretende desarrollar en el alumno, a través de tareas comunicativas, no solo las competencias comunicativas (lingüísticas, pragmáticas y sociolingüística) sino también las competencias generales (conocimientos, destrezas y habilidades, competencia existencial y capacidad de aprender).

El **libro del alumno** consta de 12 unidades didácticas y 3 unidades de refuerzo con actividades de preparación al *Portfolio* y una revista. Se compone, por tanto, de un total de 15 unidades que se distribuyen en tres módulos. El libro del alumno va, además, acompañado de un amplio resumen léxico y gramatical, así como de tablas con la conjugación de verbos. El **cuaderno de actividades** sugiere actividades que fomentan la reflexión, el trabajo individual y la utilización de estrategias para consolidar el aprendizaje y el uso eficaz del español. En la **guía didáctica** se ofrecen, junto a sugerencias de explotación del libro del alumno, otras actividades que complementan la secuencia didáctica. El **DVD/vídeo** sigue la estructura del libro del alumno con explotaciones didácticas que tienen muy en cuenta el componente no verbal en la comunicación. El **CD-Rom** ofrece actividades y ejercicios que cuentan con la posibilidad de la autocorrección.

En acción 3 cubre entre 120 y 150 horas de clase y se corresponde con el nivel B2 del *Marco común europeo de referencia*.

A
MÓDULO

UNIDAD 1

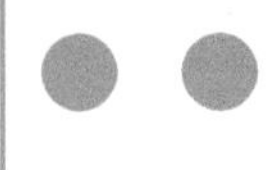
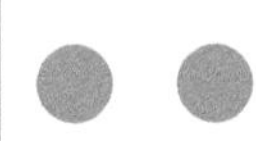

En esta unidad te proponemos:

NUEVAS CARAS

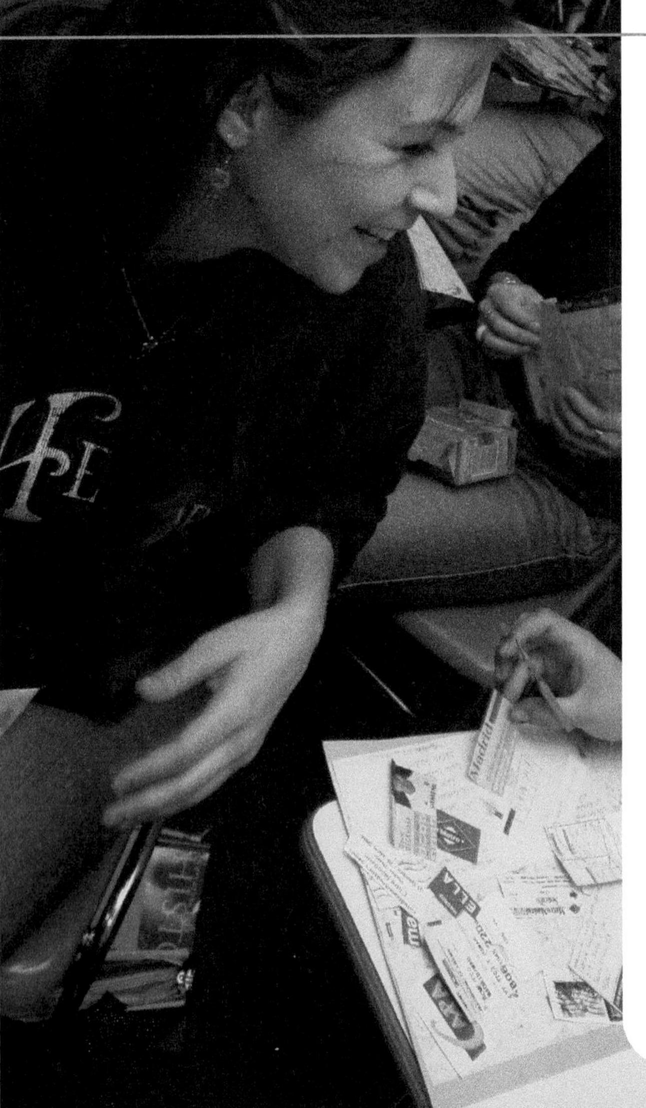

Hacer un *collage* con información importante sobre los compañeros de clase

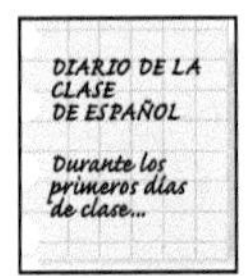

Escribir un diario de aprendizaje para recoger nuestras impresiones de clase

Hacer un test para conocer nuestros estilos de aprendizaje y hablar de nuestras preferencias como estudiantes

1.a. Los números son el reflejo de nuestra vida. ¿Qué dicen tus números de ti? Lee y contesta a la información del cuestionario.

¿QUÉ DICEN LOS NÚMEROS DE TI?

Escribe:

a. Un número de cuatro cifras que tenga que ver contigo (por ejemplo, tu fecha de nacimiento, un año importante en tu vida, un año importante para tu país, etc.)

b. La distancia en kilómetros o en horas que te separa de un lugar relacionado contigo.

c. Una fecha que te provoca alegría y otra que te pone de mal humor.

d. Un número de dos cifras que haya cambiado a lo largo de tu vida (por ejemplo, tu edad, tu número de pie, tu talla de ropa, el número de hermanos/hijos...).

e. El año en que crees que verás realizado alguno de tus sueños.

f. El número de veces que has hecho algo (cambiar de casa, de ciudad, de trabajo, de pareja, comprar un coche, etc.).

b. Formad grupos de cuatro. Di a tus compañeros los números que has apuntado. Ellos tienen que adivinar por qué esos números son importantes para ti.

● *En f yo he puesto el número 4.*

▲ *¿Es el número de empresas en las que has trabajado?*

● *No. Es el número de veces que he cambiado este año de casa.*

▲ *Uff...*

c. A partir de lo que ya sabes de tus compañeros de grupo, presenta ahora a uno de ellos al resto de la clase.

2.a. ¿Qué impresión te ha causado tu profesor? Lee este artículo y busca el perfil que mejor lo describe. Después, habla con dos o tres compañeros para ver si coincidís.

Hablar de la impresión que nos produce alguien

Me resulta/parece Lo/la encuentro Tiene aspecto de ser Aparenta ser	simpático/a y agradable muy atractivo/a una persona cercana ...
Me da la impresión de que Me da la sensación de que	es un poco exigente le gusta su trabajo ...

● *A mí me da la impresión de que es como el 9, porque me parece una persona muy dinámica.*

▲ *Yo creo que coincide con el 1, porque me parece muy original en su forma de vestir.*

■ *Sí, y parece que tiene mucha personalidad y un carácter bastante fuerte.*

1	**RESULTA IMPACTANTE** Imagen de líder. Da la impresión de tener iniciativa y originalidad. Los que lo rodean lo encuentran capaz de cuidar de sí mismo y piensan que tiene una personalidad fuerte y arrolladora y que le gustan los retos. En cuanto a su imagen, lo ven como una persona elegante y original en su forma de vestir.
2	**PARECE AGRADABLE** Imagen de amigo. Parece una persona cercana y colaboradora, siempre dispuesta a ayudar. Se muestra como una persona tranquila, algo tímida y, tal vez, sin mucha iniciativa. La gente lo ve como alguien muy sociable y se siente cómoda en su compañía. Su forma de vestir resulta poco llamativa.
3	**RESULTA CARISMÁTICO** La primera impresión que produce es la de una persona brillante, ingeniosa, muy creativa y feliz. Hace reír a los demás. Parece muy sociable y es un gran conversador. Da la imagen de tener muy buena suerte y despierta simpatías. Su forma de vestir también resulta llamativa, sobre todo por el uso de complementos.
4	**PARECE PRÁCTICO Y CONSERVADOR** Parece una persona organizada y práctica, disciplinada y trabajadora. La gente piensa que tiene una gran estabilidad emocional y autocontrol. Nadie lo ve capaz de protagonizar una escena de celos o enfado, aunque tal vez eso se lo guarde para las personas de su familia o sus amigos más íntimos. En su forma de vestir los demás lo encuentran práctico, pero clásico.
5	**RESULTA ATRACTIVO, PERO ESQUIVO** La primera impresión que produce es la de ser una persona de talento y entusiasta, a quien le gusta probar todo lo nuevo. La gente lo encuentra atractivo, pero difícil de conquistar, ya que su libertad está por encima de todo. Por eso, genera inseguridad en las relaciones sentimentales. Su forma de vestir resulta llamativa.
6	**PARECE UNA PERSONA RESPONSABLE** A ojos de los demás es alguien responsable. Proyecta armonía y equilibrio. Parece una persona ordenada con sus cosas y con su entorno. Aunque tenga problemas, da la sensación de tenerlo todo bajo control. En cuanto a su imagen, resulta elegante y discreto.
7	**RESULTA INDEPENDIENTE Y CALCULADOR** Los demás piensan que es muy inteligente e independiente, una de esas personas de las que jamás se sabe lo que está pensando, ni revela lo que siente. Da la impresión de que no le gusta que le digan lo que tiene que hacer. Los demás encuentran atractiva su forma de vestir.
8	**PARECE UNA PERSONA MUY SEGURA DE SÍ MISMA** Aparenta ser una persona muy fuerte, segura de sí misma y muy capaz. Da la sensación de estar llamado al éxito en la vida y de tener muy claro lo que quiere y lo que tiene que hacer para conseguirlo. Su forma de vestir refleja que se preocupa mucho por su aspecto.
9	**RESULTA UNA PERSONA MUY DINÁMICA** Los demás lo ven como una persona de mente abierta. Su dinamismo despierta la atracción en quienes lo rodean. Resulta original y poco convencional. Sobresale por su nobleza y su generosidad, a pesar de sus arranques de mal genio. Es de trato cordial y llano, directo. Su forma de vestir no lo hace especial.

(adaptado de www.enplenitud.com)

b. **Entre todos, averiguad cuál es la impresión mayoritaria que ha causado vuestro profesor. Él o ella os dirá si vuestras impresiones son acertadas o no.**

3.a. **Apunta en una lista los nombres de tus compañeros de clase y escribe una característica o rasgo de personalidad positivo que te sugiere cada uno.**

b. **¿Y tú? ¿Cuál crees que es la primera impresión que causas a los demás? Sigue estas instrucciones para descubrirlo.**

LOS NÚMEROS RELACIONADOS CON TU NOMBRE

El primer encuentro con un grupo (una reunión, una entrevista, una clase...) es importantísimo para las relaciones que vas a establecer con los demás. Descubre la impresión que causas a los otros.

1. Escribe tu nombre y tu apellido.
2. Asigna a cada letra de tu nombre el número que le corresponde. Para ello, completa una tabla con las letras de tu alfabeto. Aquí te ofrecemos las correspondencias para el alfabeto occidental.

Alfabeto occidental

1	2	3	4	5	6	7	8	9
A	B	C	D	E	F	G	H	I
J	K	L	M	N/Ñ	O	P	Q	R
S	T	U	V	W	X	Y	Z	

En mi alfabeto...

1	2	3	4	5	6	7	8	9

3. Reduce tu nombre a una cifra. Sigue el modelo:
   M a r t a A n t ó n
   4 + 1 + 9 + 2 + 1 + 1 + 5 + 2 + 6 + 5 = 36
   3 + 6 = **9**
4. Comprueba el resultado en el artículo de la página anterior. Recuerda que este número indica la imagen que proyectas a los demás.

c. **Escucha lo que apuntaron tus compañeros sobre ti en el apartado a. ¿Coincide con los resultados del test? ¿Te identificas con lo que dicen? ¿Por qué?**

- *Sí, estoy de acuerdo en que soy una persona abierta y extrovertida. Pero no estoy de acuerdo en que tenga mal carácter. Normalmente no me enfado con nadie.*

Expresar acuerdo y desacuerdo

Sí, estoy de acuerdo en que Tienes razón en que Estoy contigo en que Que no, que no	soy optimista puedo ser así parezco tímido soy una persona tranquila ...
No estoy de acuerdo en que No es verdad que No tengo muy claro que	tenga buen carácter dé esa impresión sea como piensas ...

4. Las primeras impresiones no son siempre acertadas. Escucha a dos compañeros de trabajo hablar sobre Francisco. ¿Cómo les parecía al principio? ¿Y después?

sociable · tímido · ambicioso · buen compañero · un trepa · solidario · acostumbrado a trabajar en equipo · buena persona/gente · calculador

PRIMERA IMPRESIÓN SOBRE FRANCISCO

____
____
____
____
____
____

IMPRESIÓN ACTUAL SOBRE FRANCISCO

____
____
____
____
____
____

5.a. Piensa en algunas cosas de tu vida que tus compañeros no saben de ti. Después, cuéntaselas para que te conozcan mejor.

Mi pasado

Lugares importantes: ______________________

Personas importantes: ______________________

Aficiones: ______________________

Viajes: ______________________

Hechos o experiencias: ______________________

Fechas: ______________________

Otras cosas: ______________________

Mi presente

Lugares importantes: ______________________

Personas importantes: ______________________

Gustos y aficiones: ______________________

Ocupación actual: ______________________

Otras cosas: ______________________

Mi futuro

Lugares: ______________________

Planes: ______________________

Deseos: ______________________

Viajes: ______________________

Otras cosas: ______________________

Reaccionar ante lo que nos cuentan

Sí, me lo imaginaba.
¡Vaya! No me lo imaginaba.
¿Ah, sí? Pues no lo sabía/ni me lo imaginaba.
¿En serio?/¿Lo dices en serio?
No me lo puedo creer.

● *Pues creo que no sabes que me casé tres veces y que pronto voy a casarme por cuarta vez.*

▲ *¿Ah, sí? Pues no, no lo sabía. ¿Y cuándo es la boda?*

b. ¿Qué te gustaría saber de tu profesor? Con un compañero, piensa dos o tres preguntas que vais a hacerle para conocerlo mejor. Después, hacédselas.

6.a. **Haced un *collage* con la información más importante de todos vosotros, incluido el profesor. Recoged cada uno la información de un compañero. Después, colgadlo en la pared de clase.**

Podéis incluir:
- Una foto de cada uno.
- El nombre.
- Una frase o comentario sobre su carácter o personalidad.
- Alguna información importante relacionada con su vida presente, su pasado o su futuro.

b. **Revisad cada cierto tiempo el *collage* para actualizarlo a medida que os conozcáis mejor.**

LENGUA Y COMUNICACIÓN

LÉXICO PARA HABLAR DEL CARÁCTER

agradable, impactante, original, disciplinado/a, creativo/a, cercano/a, sociable, calculador/+a, esquivo/a, entusiasta, cordial, noble, generoso/a, capaz, convencional
de personalidad fuerte/arrolladora
de mente abierta
con (mucha/poca) iniciativa/con autocontrol

REACCIONAR ANTE LO QUE NOS CUENTAN

Sí, me lo imaginaba.
¡Vaya! No me lo imaginaba.
¿Ah, sí? Pues no lo sabía/ni me lo imaginaba.
¿En serio?/¿Lo dices en serio?
No me lo puedo creer.

EXPRESAR ACUERDO

Por supuesto.
(Estoy) Totalmente de acuerdo (en eso/en que + oración).
Sí, sí. Estoy de acuerdo (en eso/en que + oración).
Tienes razón.
Estoy contigo/con él/con ella (en que + oración).
Claro que no [después de una frase negativa].

● *Pues yo no creo que seas una persona obsesiva.*
▲ *¡Claro que no! Si yo me tomo las cosas con mucha tranquilidad.*

HABLAR DE LA IMPRESIÓN QUE NOS PRODUCE UNA PERSONA

Me resulta/parece Lo/la encuentro Tiene aspecto de ser Aparenta ser	simpático/a y agradable muy atractivo/a bastante dinámico/a una persona amable alguien muy optimista ...
Me da la impresión de que Me da la sensación de que	es un poco exigente piensa en los demás quiere ayudar ...

- Me resulta muy dinámico y me da la sensación de que quiere hacer bien su trabajo.

EXPRESAR DESACUERDO

Pero... ¡qué dices!
Pues depende/según se mire.
Que no, que no soy una persona tranquila.

No estoy de acuerdo en que No es verdad que No sé, no tengo muy claro que No estoy tan seguro de que	+ subjuntivo

- Pues depende... Yo no estoy tan seguro de que sea una persona tímida y tampoco tengo claro que sea muy tranquilo.

7.a. Lee el *blog* de Antonio en el que nos cuenta algo que le pasó en un partido de fútbol y contesta a estas preguntas.

1. ¿A Antonio le gusta el fútbol? 2. ¿Por qué fue al partido? 3. ¿Qué es lo que más le gustó del partido?
4. ¿Qué le parece criticable de la televisión? 5. ¿Comparte Graciela las ideas de Antonio?

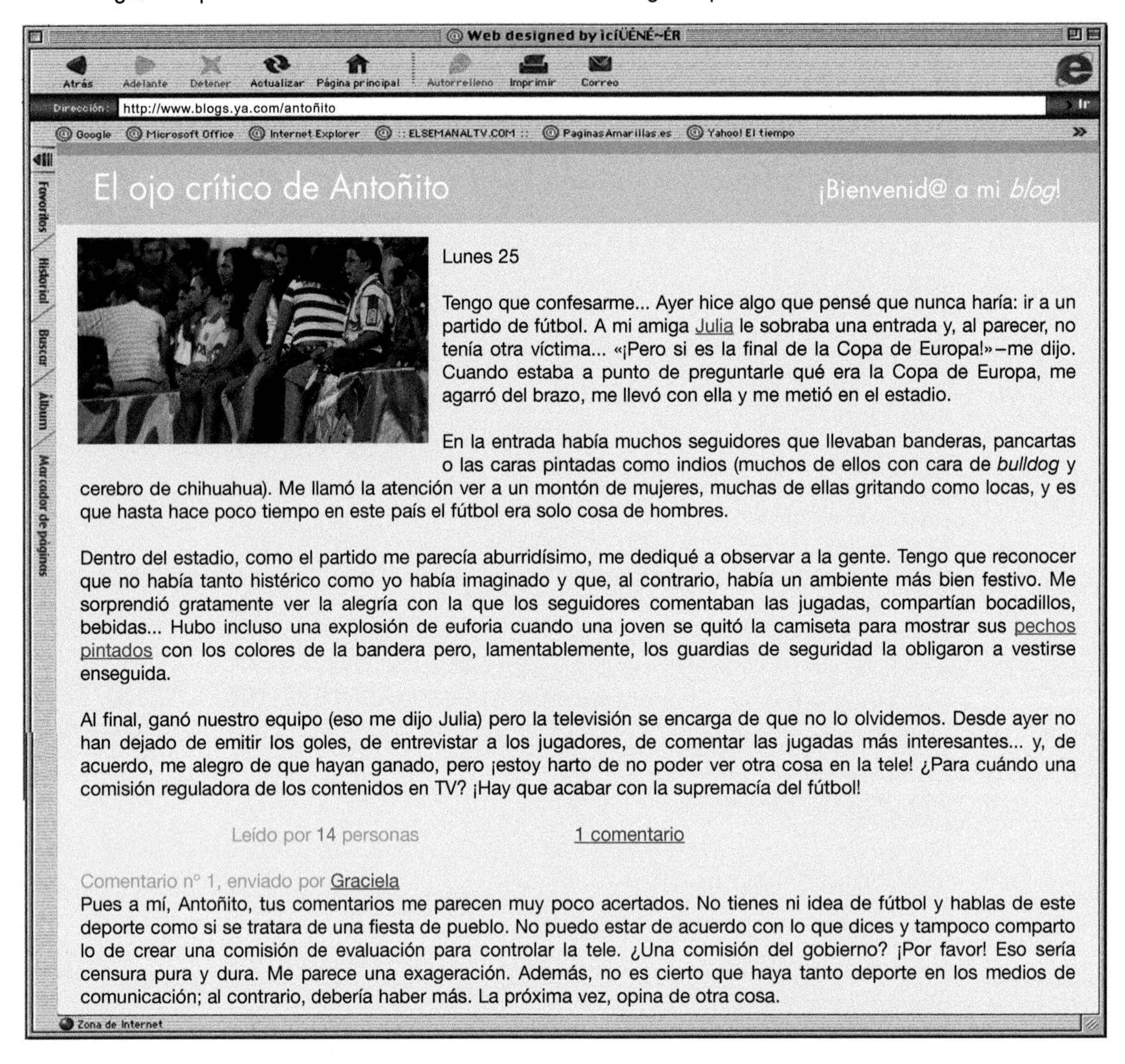

El ojo crítico de Antoñito

¡Bienvenid@ a mi *blog*!

Lunes 25

Tengo que confesarme... Ayer hice algo que pensé que nunca haría: ir a un partido de fútbol. A mi amiga Julia le sobraba una entrada y, al parecer, no tenía otra víctima... «¡Pero si es la final de la Copa de Europa!» –me dijo. Cuando estaba a punto de preguntarle qué era la Copa de Europa, me agarró del brazo, me llevó con ella y me metió en el estadio.

En la entrada había muchos seguidores que llevaban banderas, pancartas o las caras pintadas como indios (muchos de ellos con cara de *bulldog* y cerebro de chihuahua). Me llamó la atención ver a un montón de mujeres, muchas de ellas gritando como locas, y es que hasta hace poco tiempo en este país el fútbol era solo cosa de hombres.

Dentro del estadio, como el partido me parecía aburridísimo, me dediqué a observar a la gente. Tengo que reconocer que no había tanto histérico como yo había imaginado y que, al contrario, había un ambiente más bien festivo. Me sorprendió gratamente ver la alegría con la que los seguidores comentaban las jugadas, compartían bocadillos, bebidas... Hubo incluso una explosión de euforia cuando una joven se quitó la camiseta para mostrar sus pechos pintados con los colores de la bandera pero, lamentablemente, los guardias de seguridad la obligaron a vestirse enseguida.

Al final, ganó nuestro equipo (eso me dijo Julia) pero la televisión se encarga de que no lo olvidemos. Desde ayer no han dejado de emitir los goles, de entrevistar a los jugadores, de comentar las jugadas más interesantes... y, de acuerdo, me alegro de que hayan ganado, pero ¡estoy harto de no poder ver otra cosa en la tele! ¿Para cuándo una comisión reguladora de los contenidos en TV? ¡Hay que acabar con la supremacía del fútbol!

Leído por 14 personas 1 comentario

Comentario nº 1, enviado por Graciela
Pues a mí, Antoñito, tus comentarios me parecen muy poco acertados. No tienes ni idea de fútbol y hablas de este deporte como si se tratara de una fiesta de pueblo. No puedo estar de acuerdo con lo que dices y tampoco comparto lo de crear una comisión de evaluación para controlar la tele. ¿Una comisión del gobierno? ¡Por favor! Eso sería censura pura y dura. Me parece una exageración. Además, no es cierto que haya tanto deporte en los medios de comunicación; al contrario, debería haber más. La próxima vez, opina de otra cosa.

b. ¿Cómo definirías a Antonio según sus opiniones? ¿Y a Graciela? ¿Por qué? Piénsalo y, después, coméntalo con tu compañero.

- ● *Yo creo que Antonio es muy subjetivo, porque escribe desde su propio punto de vista. También es un poco exagerado.*
- ▲ *Sí, subjetivo sí. Pero exagerado, ¿por qué?*

Describir a alguien por sus ideas u opiniones

ser+

objetivo/a	subjetivo/a
fanático/a	sarcástico/a
exagerado/a	frívolo/a
irónico/a	crítico/a
provocador/+a	conservador/+a
(in)conformista	(in)transigente
(in)tolerante	superficial
extremista	idealista
materialista	progresista
políticamente (in)correcto/a	...

c. **¿Y tú? ¿Qué opinas del fútbol? Escribe una frase que refleje lo que piensas de este deporte y léesela a tus compañeros. ¿Cómo definen ellos tu postura?**

8. **Casto y Libertad están comentando dos temas que han salido en la prensa. Escucha sus opiniones. ¿Quién es más conservador? ¿Y más intransigente?**

El Parlamento aprueba el matrimonio de parejas homosexuales

ENCLAVE. Agencias.
A partir del próximo mes, las parejas del mismo sexo podrán casarse y disfrutar de los mismos derechos que cualquier otro matrimonio, incluida la adopción de niños.

Valorar hechos u opiniones

Me / Te / Le / ... parece — Para mí es — Yo lo veo

- estupendo/discutible
- admirable/criticable
- digno de admiración
- acertado
- exagerado
- un acierto/error
- una exageración
- una equivocación
- una irresponsabilidad
- una locura
- una buena/mala idea
- una buena/mala medida
- ...

Se estudia la prohibición de fumar en la calle

Agencia ELE
Las autoridades estudian la posibilidad de extender la prohibición de fumar en la calle. La medida se tomaría, entre otras cosas, para evitar que los menores de edad sientan curiosidad por probar el tabaco que ven fumar en sitios públicos.

9.a. **Entre todos, haced una lista en la pizarra con noticias o hechos que están teniendo repercusión en la actualidad.**

b. **Formad pequeños grupos. Valorad los hechos de la pizarra y explicad vuestros puntos de vista. ¿Con quién coincides?**

● *A mí me parece una medida estupenda lo que ha hecho el gobierno en Chile.*

▲ *¿Sí? Pues yo no lo veo muy acertado. Hay mucha gente que no está de acuerdo.*

Referirse a un hecho conocido

● ¿Qué te parece **lo que** quieren hacer con el tabaco?

▲ Yo **lo** veo exagerado.
Me parece muy criticable **lo de** no dejar fumar en la calle.

c. **Ahora elige uno de los temas anteriores y prepara tu propio *blog*. Escribe tus ideas en un breve texto y piensa en una posible foto para ilustrarlas.**

d. **En grupos de tres, leed lo que han escrito los compañeros de otro grupo. ¿De qué temas hablan? ¿Cómo definiríais sus puntos de vista? ¿Estáis de acuerdo con ellos?**

● *Yo creo que Sue es un poco idealista, ¿no?*

▲ *Sí, a lo mejor, pero estoy de acuerdo con ella. ¿Tú no?*

10.a. **Una profesora de español tiene un diario de clase en su *blog*. Lee lo que han escrito algunos de sus alumnos. ¿Quién hace los comentarios más positivos?**

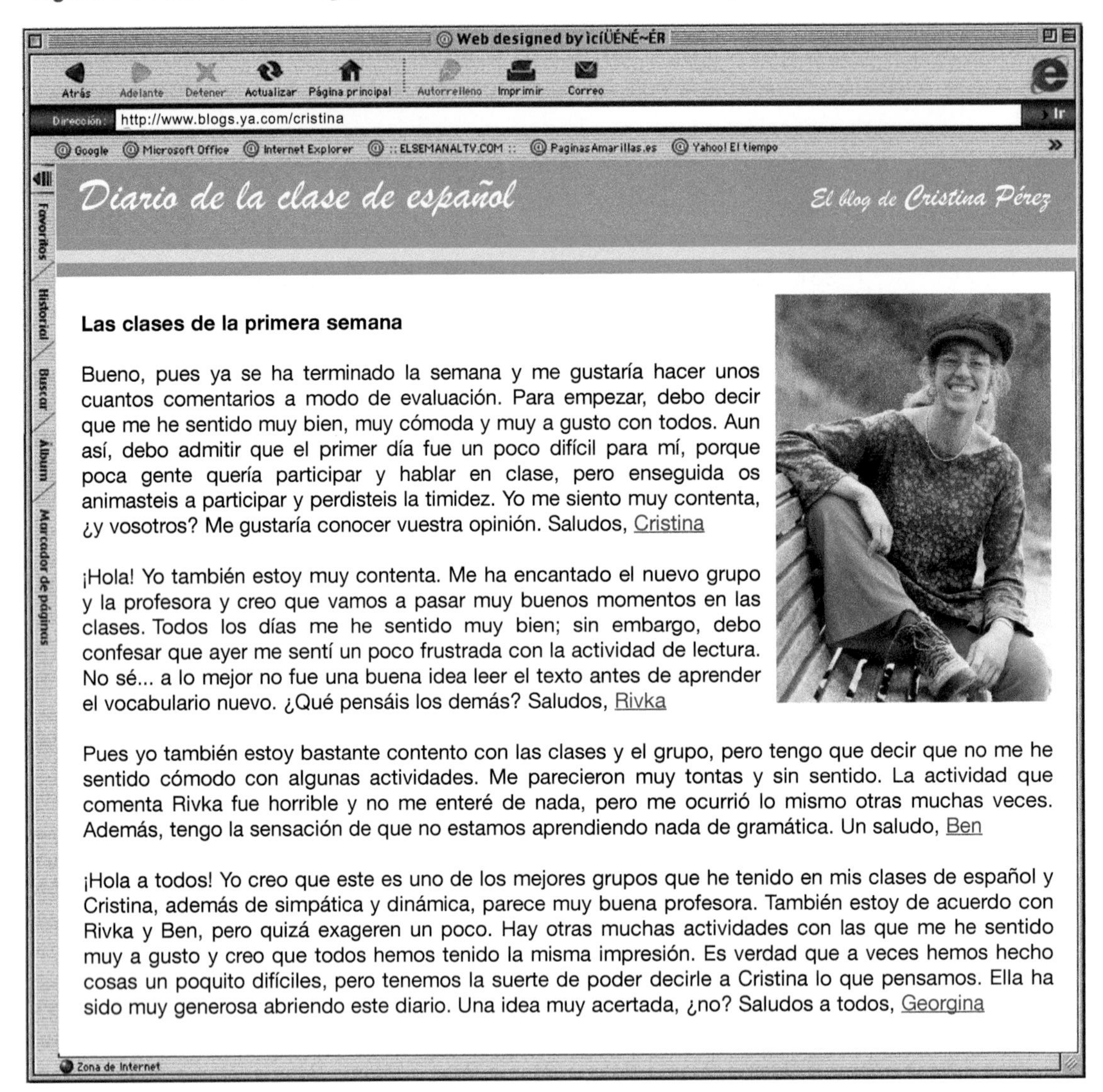

http://www.blogs.ya.com/cristina

Diario de la clase de español — *El blog de Cristina Pérez*

Las clases de la primera semana

Bueno, pues ya se ha terminado la semana y me gustaría hacer unos cuantos comentarios a modo de evaluación. Para empezar, debo decir que me he sentido muy bien, muy cómoda y muy a gusto con todos. Aun así, debo admitir que el primer día fue un poco difícil para mí, porque poca gente quería participar y hablar en clase, pero enseguida os animasteis a participar y perdisteis la timidez. Yo me siento muy contenta, ¿y vosotros? Me gustaría conocer vuestra opinión. Saludos, Cristina

¡Hola! Yo también estoy muy contenta. Me ha encantado el nuevo grupo y la profesora y creo que vamos a pasar muy buenos momentos en las clases. Todos los días me he sentido muy bien; sin embargo, debo confesar que ayer me sentí un poco frustrada con la actividad de lectura. No sé... a lo mejor no fue una buena idea leer el texto antes de aprender el vocabulario nuevo. ¿Qué pensáis los demás? Saludos, Rivka

Pues yo también estoy bastante contento con las clases y el grupo, pero tengo que decir que no me he sentido cómodo con algunas actividades. Me parecieron muy tontas y sin sentido. La actividad que comenta Rivka fue horrible y no me enteré de nada, pero me ocurrió lo mismo otras muchas veces. Además, tengo la sensación de que no estamos aprendiendo nada de gramática. Un saludo, Ben

¡Hola a todos! Yo creo que este es uno de los mejores grupos que he tenido en mis clases de español y Cristina, además de simpática y dinámica, parece muy buena profesora. También estoy de acuerdo con Rivka y Ben, pero quizá exageren un poco. Hay otras muchas actividades con las que me he sentido muy a gusto y creo que todos hemos tenido la misma impresión. Es verdad que a veces hemos hecho cosas un poquito difíciles, pero tenemos la suerte de poder decirle a Cristina lo que pensamos. Ella ha sido muy generosa abriendo este diario. Una idea muy acertada, ¿no? Saludos a todos, Georgina

b. **¿Cómo crees que se sentirá Cristina cuando lea los comentarios de Rivka? ¿Y cuando lea los de Ben? ¿Y los de Georgina?**

c. **En parejas, comentad cómo cambiaríais los comentarios de Ben para transformarlos en una crítica constructiva. Después, comparadlo con otros compañeros.**

● *Yo creo que en esta frase podríamos introducir* quizá *o* a lo mejor.

11.a. **En grupos de cuatro, pensad por qué puede ser positivo escribir un diario de clase.**

● *Si escribes un diario, el profesor puede saber mejor lo que te interesa y lo que no.*

▲ *Y también puede saber cómo te sientes.*

b. **¿Y a ti? ¿Te gustaría escribir un diario de clase? Justifica tu respuesta.**

c. **Si has respondido afirmativamente en el apartado b., completa esta ficha y dásela al profesor.**

¿Con qué frecuencia te gustaría escribir tu diario de clase?
- ❏ A diario.
- ❏ Semanalmente.
- ❏ Cada dos semanas.
- ❏ ____________

¿Quién quieres que lo lea?
- ❏ Solo yo (sería un diario íntimo).
- ❏ Solo el profesor.
- ❏ El profesor y los compañeros.

¿Qué quieres escribir en él?
- ❏ Solo cosas positivas.
- ❏ Cosas positivas y críticas constructivas.
- ❏ Solo cosas relacionadas con la clase.
- ❏ Cosas relacionadas con la clase y con mis experiencias de aprendizaje.

¿Te gustaría recibir respuestas y comentarios? ❏ Sí. ❏ No.

12.a. **Vamos a probar la experiencia de escribir un pequeño diario de las primeras clases. En un papel, escribe qué te han parecido las clases, el profesor, tus compañeros, las actividades... y cómo te has sentido estos días.**

DIARIO DE LA CLASE DE ESPAÑOL
Durante los primeros días de clase...

b. **Pon tu papel en el tablón de la clase y lee la opinión de tus compañeros. Contesta por escrito a los comentarios que te llamen la atención y después comenta tus impresiones con la clase.**

● *Creo que, en general, estamos todos de acuerdo, pero soy la única que se sintió un poquito incómoda cuando escribimos el* blog.
▲ *¿Y por qué crees que te pasó eso?*

Lengua y comunicación

ADJETIVOS PARA DESCRIBIR A ALGUIEN POR SUS IDEAS U OPINIONES

Ser +

objetivo/a	subjetivo/a
fanático/a	sarcástico/a
exagerado/a	frívolo/a
irónico/a	crítico/a
provocador/+a	conservador/+a
(in)conformista	(in)transigente
(in)tolerante	superficial
extremista	idealista
materialista	progresista
políticamente (in)correcto/a	...

VALORAR HECHOS U OPINIONES

Me / Te / Le / ... parece — Para mí es — Yo lo veo — ...

- estupendo/discutible
- admirable/criticable
- digno de admiración
- acertado
- exagerado
- un error/acierto
- una exageración
- una equivocación
- una irresponsabilidad
- una locura
- una buena/mala idea
- una buena/mala medida

● *¿Qué te parece lo de prohibir fumar en la calle?*
▲ *Yo lo veo una exageración.*

SUAVIZAR UNA CRÍTICA NEGATIVA

No sé... + crítica negativa

A lo mejor / Quizá / Probablemente / Puede que + crítica negativa

Es verdad que (+ crítica negativa), pero también (+ crítica positiva)

Ser un poco + adjetivo negativo

No ser muy + adjetivo positivo

- No sé... A lo mejor las actividades no fueron muy adecuadas y quizá por eso me sentí un poco confuso.

REFERIRSE A UN HECHO CONOCIDO

● *¿Qué te parece lo que ha hecho la policía?*
▲ *Yo lo veo muy acertado.*
● *¿Y lo de los matrimonios homosexuales?*

13.a. ¿Cuánto tiempo llevas estudiando español? ¿Te acuerdas de tu primera clase? Cierra los ojos, piensa en ese momento y apunta todo lo que has recordado.

- ❑ El aspecto del aula, las cosas que había dentro, en las paredes...
- ❑ Las caras de tus compañeros o del profesor.
- ❑ Sus nombres.
- ❑ Sus gestos y sus movimientos.
- ❑ Su voz.
- ❑ El libro de clase (su cubierta, su título, sus páginas...).
- ❑ Las sensaciones que experimentaste ese día.
- ❑ Algo que hizo el profesor o algún compañero.
- ❑ Los sonidos que escuchaste (ruidos de fondo, alguna canción...).

b. Habla con tus compañeros de tus recuerdos. ¿Recuerdas más imágenes, más sonidos o más sensaciones y movimientos?

● *Yo creo que recuerdo más imágenes, como las caras de algunos compañeros, la ropa que llevaba la profesora, su peinado... Pero también recuerdo su nombre: Ana.*

c. ¿Sabes por qué recuerdas unas cosas con más facilidad que otras? Lee este texto y descúbrelo.

CÓMO SELECCIONAMOS Y REPRESENTAMOS LA INFORMACIÓN

Todos nosotros tenemos tres grandes sistemas para representar mentalmente la información: **el sistema de representación visual, el auditivo y el kinestésico**. Quienes recuerdan imágenes en su mente (concretas o abstractas) utilizan el sistema de representación visual. Aquellos que pueden oír en su mente voces, sonidos o música utilizan un sistema de representación auditivo (por ejemplo, cuando recordamos una melodía o una conversación, o cuando reconocemos la voz de la persona que nos habla por teléfono). Por último, los que recuerdan el sabor de su comida favorita, las sensaciones que experimentaron en una ocasión o los que sienten físicamente una canción, están utilizando el sistema de representación kinestésico. La mayoría de nosotros utilizamos los distintos sistemas de representación de forma desigual, potenciando unos e infrautilizando otros.

d. Entre todos, averiguad cuál de los tres sistemas predomina en la clase.

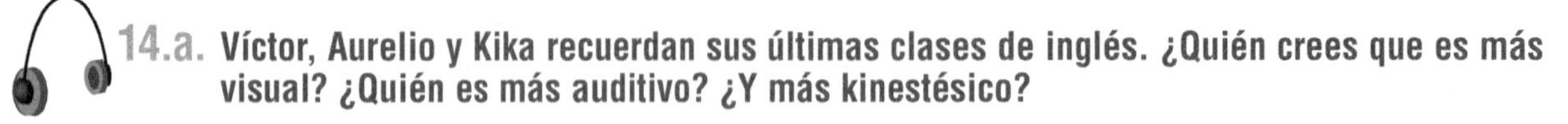

14.a. Víctor, Aurelio y Kika recuerdan sus últimas clases de inglés. ¿Quién crees que es más visual? ¿Quién es más auditivo? ¿Y más kinestésico?

b. Entre todos, haced una lista con actividades habituales en las clases de idiomas.

- Contar una historia a partir de fotos.
- Realizar un debate.
- Hacer una representación o un juego de roles (un *role-play*).
- ...

c. De esas actividades, ¿cuáles pueden ser más útiles para Víctor, Aurelio y Kika?

15.a. **¿Y tú, qué estilo de aprendizaje tienes? Haz este test y, después, lee los resultados. ¿Cuántos compañeros tienen tu mismo estilo de aprendizaje?**

¿CUÁL ES TU ESTILO DE APRENDIZAJE?

1. **Cuando estás en clase y el profesor explica algo que está en la pizarra o en el libro...**
   a) Te resulta más fácil escuchar las explicaciones del profesor.
   b) Te resulta más fácil leer lo que está en la pizarra o lo que pone en el libro y no prestar demasiada atención a lo que dice el profesor.
   c) Te aburres y no te interesa lo que dice el profesor ni lo que pone en el libro.

2. **Cuando estás en clase...**
   a) Te distraen los ruidos.
   b) Te distraen los dibujos y fotos del libro.
   c) Te distraes cuando la gente se mueve en el aula.

3. **Cuando el profesor da las instrucciones para hacer una actividad...**
   a) Recuerdas fácilmente sus palabras exactas.
   b) Te cuesta recordar las instrucciones orales, pero no hay problema si te las dan por escrito.
   c) Te pones a hacer la actividad antes de que el profesor acabe de hablar y de explicar lo que hay que hacer.

4. **Cuando tienes que aprender algo de memoria...**
   a) Memorizas mejor si lees en voz alta o si repites los sonidos rítmicamente.
   b) Memorizas lo que ves y recuerdas mejor las imágenes (por ejemplo, la página del libro).
   c) Memorizas mejor si te mueves por la habitación en la que estudias y recuerdas mejor las ideas generales que los detalles.

5. **En clase, lo que más te gusta es...**
   a) Que se organicen debates y que haya diálogo.
   b) Hacer actividades escritas y trabajar con imágenes, esquemas, gráficos...
   c) Que se organicen actividades en las que tengáis que hacer cosas y moveros por el aula.

6. **Marca la frase con la que te identifiques más.**
   a) Suelo hablar conmigo mismo cuando estoy haciendo algún trabajo.
   b) Mis cuadernos y libretas están ordenados y bien presentados; me molestan los tachones y las correcciones.
   c) Soy intuitivo, muchas veces me gusta o no me gusta la gente o un lugar sin saber por qué.

7. **Te gusta...**
   a) Que te cuenten chistes más que leer *comics.*
   b) Hacer garabatos en un papel cuando escuchas al profesor.
   c) Tocar las cosas y acercarte a la gente cuando hablas.

Suma:
a = 2 puntos
b = 4 puntos
c = 1 punto

Entre 7 y 13 puntos. Recuerdas fácilmente las sensaciones asociadas a ciertas experiencias porque tu estilo de aprendizaje es **más kinestésico.** Eres bastante cariñoso y te gusta tocar las cosas. Gesticulas y te mueves mucho, por ejemplo, cuando lees. Te gustan las historias de acción. Sueles mostrar tus emociones con movimientos de tu rostro o de tu cuerpo.

Entre 14 y 20 puntos. Recuerdas fácilmente los nombres de las personas, las palabras que alguien te dijo en alguna ocasión, pero te cuesta poner cara a la gente porque tu estilo de aprendizaje es **más auditivo.** Sueles hablar solo y mueves los labios al leer. Eres un poco distraído y bastante hablador. No te preocupa especialmente tu aspecto. Te gustan la música y las obras de teatro. Sueles expresar tus emociones verbalmente.

Entre 21 y 28 puntos. Recuerdas fácilmente la cara de las personas y los escenarios de tus recuerdos porque tu estilo de aprendizaje es **más visual.** Sueles ser un estudiante organizado, ordenado, observador y tranquilo. Te preocupa tu aspecto. Te cuesta recordar lo que oyes y a veces te quedas con la mirada perdida, visualizando una escena. Te gustan las descripciones. Prefieres mostrar tus emociones con la expresión de tu rostro.

(adaptado de www.galeon.com)

b. **Formad grupos según vuestras puntuaciones (visuales, auditivos y kinestésicos) para hablar de lo que os gusta hacer en clase y lo que os ayuda a aprender, y haced una lista. Después, comentadlo entre todos.**

- *Nosotros, en general, preferimos actividades en las que tenemos que cambiar de compañero. También nos gusta movernos por la clase, fuera del aula...*

A
MÓDULO

UNIDAD 2

En esta unidad te proponemos:

PEQUEÑAS GRANDES HISTORIAS

Elaborar un anecdotario de toda la clase

Escribir un relato breve

Conocer y hablar de los juegos de la infancia en distintos países

1.a. ¿Qué tipo de libros asocias a estas portadas? Coméntalo con tu compañero.

● *La primera portada es un libro de aventuras para niños, ¿no?*
▲ *Sí, yo creo que sí, porque el título y la ilustración son para un público infantil.*

b. Comenta con tu compañero qué libros te gusta leer y por qué.

● *A mí me encanta leer novelas policiacas. Aunque ahora, por mi hijo, leo casi más cuentos e historias infantiles.*
▲ *¡Ah, claro! Pues a mí me gustan mucho las biografías.*

2.a. Piensa en una historia que hayas leído, que hayas visto en una película o que te hayan contado y que, por alguna razón, te guste. Completa esta ficha.

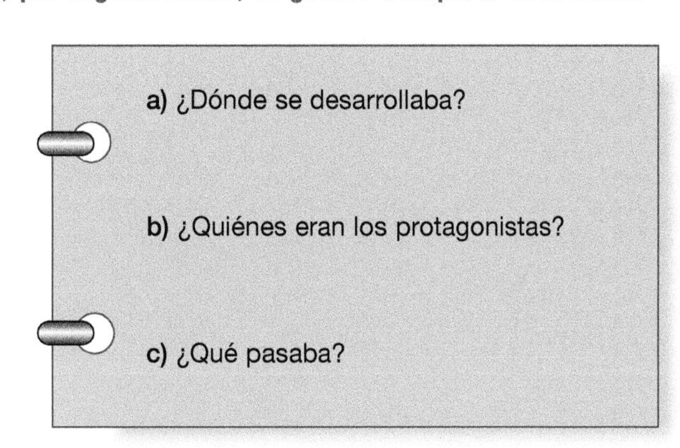
a) ¿Dónde se desarrollaba?

b) ¿Quiénes eran los protagonistas?

c) ¿Qué pasaba?

b. Cuéntasela a dos compañeros. ¿La conocen? ¿Conoces tú las historias que ellos recuerdan?

● *Yo recuerdo una historia que leí hace mucho tiempo y que me impactó mucho, porque me pareció muy triste. El libro se titulaba* Trilogía de Nueva York. *En él se narraba...*

3.a. **Según la revista *Perfiles*, estas son algunas de las personas más relevantes en la historia del siglo XX. En pequeños grupos, anotad todos los datos que conozcáis sobre su vida.**

- *Creo que Einstein era alemán, ¿no?*
- ▲ *Sí, pero pasó muchos años en Estados Unidos.*

Bill Gates

Albert Einstein

Teresa de Calcuta

b. **Comparad vuestra información con la de vuestros compañeros. ¿Qué grupo conoce más datos?**

- *La madre Teresa de Calcuta trabajó en la India ayudando a los más pobres, aunque creemos que no era india, pero no estamos muy seguros.*

c. **¿Cómo te imaginas que eran esas personas en su infancia y en su adolescencia? Coméntalo con tus compañeros de grupo.**

- *Yo me imagino que Einstein era un chico muy serio y estudioso.*

d. **Lee estos textos y escribe en cada uno el nombre del personaje del apartado a. al que se refiere.**

1

Era una persona muy tímida y retraída, con dificultades en el lenguaje y lenta para aprender, tal como decía: «Mis padres estaban preocupados porque me costó bastante empezar a hablar, e incluso llegaron a consultar al médico sobre las causas de aquel retraso.» Además, fue un estudiante del montón: «Mi punto débil era mi mala memoria.»
En 1894 se quedó en un internado en Múnich para acabar sus estudios, pero decidió abandonarlos antes.

2

Hasta sexto grado no fue muy bien en el colegio. Durante su escolarización, sus padres lo motivaban pagándole veinticinco centavos de dólar por cada A que sacara (en el sistema de Estados Unidos se califica desde A hasta F, siendo C la calificación mínima para aprobar). Hasta octavo grado no cobró nunca ni un centavo, debido a sus problemas de comportamiento.
Durante su niñez, todos los niños de su clase pensaban que no era muy inteligente.

3

Nació en Skopje (antigua Yugoslavia), en una familia de la pequeña burguesía. Desde muy joven decidió dedicar su vida a los demás y muy pronto ingresó en la congregación del Loreto, con sede en Irlanda.
En 1928, empezó a dar clases en un colegio de hijos de hindúes ricos. Allí permaneció 20 años, al cabo de los cuales abandonó el colegio porque quería dedicarse a los más necesitados, que estaban fuera de aquel oasis de tranquilidad y bienestar.

4.a. Imagina cómo fue la infancia o la adolescencia de uno de tus compañeros de clase.

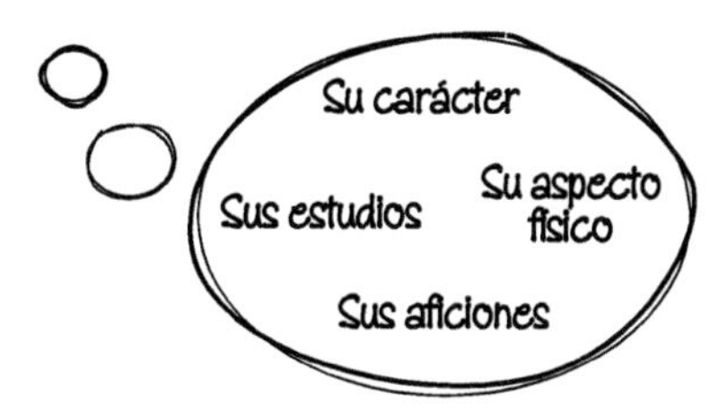

Hablar de algo de lo que no estamos muy seguros

Creo que...
Debió de ser...
Me parece que...
Seguro que...
Tiene pinta de haber sido...

Pues no sé, pero tú debiste de ser una niña muy traviesa. Seguro que no hacías caso a tus padres.

b. Ahora, cuéntale a tu compañero lo que has pensado y dile por qué. ¿Cuánta información has adivinado?

● *No sé, pero tienes pinta de haber sido muy rebelde.*
▲ *No. ¡Qué va! ¿Por qué has pensado eso?*

5.a. En el programa de radio *La buena onda* varias personas cuentan una anécdota de su adolescencia relacionada con un famoso. Escúchalas y completa esta tabla.

	¿Qué le pasó?	¿Dónde?	¿Por qué?
Anécdota 1			
Anécdota 2			
Anécdota 3			

b. ¿Cómo crees que continúa la anécdota de Iván? Habla con tu compañero e imaginad diferentes desenlaces.

● *Yo creo que sus amigos le habían gastado una broma y que, cuando llegó para que le firmaran el disco, se encontró con un grupo que no le gustaba nada.*
▲ *Sí, puede ser. O a lo mejor...*

c. Ahora, escucha cómo acaba la anécdota de Iván y completa la última fila de la tabla. ¿Has acertado?

6.a. ¿Y tú? ¿Tienes alguna anécdota relacionada con alguien famoso? Cuéntasela a tus compañeros. Si no tienes ninguna anécdota real, puedes inventarla.

Contar una anécdota

Pues mira...
Pues resulta que...
Entonces...
De repente...
En ese momento...
Al final...
Total, que...

● *Pues mira, a mí no me ha pasado nada, pero resulta que mi hermana a los quince años estaba enamorada de Bono, el cantante de U2. Entonces, un día que había ido con mi madre de compras...*

b. Escucha las anécdotas de tus compañeros y decide si las historias que han contado son reales o inventadas.

7.a. ***La buena onda*** **tiene una sección en la que el locutor cuenta el final de una historia y los oyentes llaman haciendo preguntas para intentar reconstruirla. Escucha y toma notas para intentar reconstruir la historia con la ayuda de tu compañero.**

b. **En dos grupos, haceos preguntas para intentar reconstruir una de estas dos historias. Antes de hacerlo, intentad conocer la vida de sus protagonistas.**

A

Un hombre recorre con nostalgia una playa, entra en un chiringuito para comer y pide la especialidad de la casa. Cuando comienza a comer la carne, pregunta qué es y le dicen que gaviota. Sale entonces del establecimiento y se dirige a los acantilados para acabar con su vida arrojándose al mar.

Un hombre iba conduciendo su coche mientras escuchaba la radio. De repente, el disco se rayó. Entonces, el hombre paró el coche, se bajó y se suicidó. ¿Qué le había ocurrido?

- *1973: Nacimiento en Edmonton (Canadá)*
- *1978: Fichado para el equipo infantil de fútbol*

8.a. **Escribe los acontecimientos más importantes de tu vida y en qué fecha ocurrieron.**

b. **En grupos de cuatro, vais a inventar la biografía de un personaje ficticio. Para ello, comentad lo que habéis escrito en el apartado a. y elegid los datos que os parezcan más interesantes.**

- *El Sr. Vega nació en Edmonton, en 1973.*
  Ya de pequeño, empezó a jugar al fútbol en un equipo de su ciudad. Durante cinco años fue...

c. **Inventad un nombre para el personaje y escribid la biografía. No olvidéis conectar las ideas que anotéis.**

d. **Intercambiad el texto con otro grupo, leedlo e intentad averiguar a qué compañero corresponde cada dato.**

Solución de la historia de *La buena onda*: Romeo era un gato y había dado un golpe a la pecera en la que estaba Julieta.

Solución de la historia A: El hombre había sufrido un accidente de avión del que solo sobrevivieron cuatro personas, entre ellos su mujer, pero esta desgraciadamente murió a los pocos días. Al carecer de alimento, los otros supervivientes le hicieron creer que cazaban gaviotas para poder sobrevivir, cuando era de su propia mujer de quien obtenían el alimento.

Solución de la historia B: El hombre era locutor de radio y había dejado puesto un disco mientras iba a asesinar a su mujer. Cuando volvía a la emisora en su coche, puso su programa y al oír que el disco estaba rayado, se desmoronó y se suicidó, porque ya no tenía coartada.

9.a. TAREA FINAL

Piensa en anécdotas de tu vida relacionadas con una fiesta, un viaje, etc. y apunta las palabras y los datos que te pueden ayudar a contarlas.

Una fiesta	Un viaje	...

b. Cuéntale a tu compañero las anécdotas y elige, entre las suyas, la que más te haya gustado.

● *Pues resulta que estaba de vacaciones con unos amigos en París y me senté sola en los jardines de Marte mientras mis amigos subían a la Torre Eiffel y, de repente, se me acercó un hombre e intentó besarme.*

▲ *¿Sí? ¿Y tú qué hiciste?*

● *Empecé a gritar y...*

c. Hazle preguntas a tu compañero para averiguar más detalles de su anécdota y, después, escríbela.

● *¿Cuándo te ocurrió?*

▲ *Fue en el verano del 95, cuando tenía 25 años.*

● *¿Y qué estabas haciendo cuando se acercó el hombre?*

d. Entre todos, juntad los textos que habéis escrito y elaborad un anecdotario de la clase. Decidid cómo vais a agrupar las anécdotas, si les vais a poner un título, si las vais a ilustrar con un dibujo o una foto...

Lengua y comunicación

HABLAR DE UN ACONTECIMIENTO DEL PASADO

Para hablar de un hecho o acontecimiento ocurrido en el pasado utilizamos el pretérito indefinido.

- *La madre Teresa de Calcuta trabajó en la India ayudando a los más pobres.*

DESCRIBIR EN PASADO

El pretérito imperfecto lo usamos para:

hablar de acciones habituales en el pasado:
- *De pequeña, solía ir de vacaciones a la playa.*

describir personas o cosas en el pasado:
- *Yo creo que eras un niño muy tímido y estudioso.*

describir las situaciones que rodearon a un hecho:
- *En ese momento estaba sentada, leyendo tranquilamente.*

HABLAR DE ALGO DE LO QUE NO ESTAMOS MUY SEGUROS

Creo que...
Debe de...
Me parece que...
Seguro que...
Tiene pinta de haber sido...
- *No estoy segura, pero tú tienes pinta de haber sido muy rebelde. Seguro que fuiste una grunge, ¿verdad?*

CONTAR UNA ANÉCDOTA

Pues mira...
Pues resulta que...
De repente...
En ese momento...
Entonces...
Total, que...
Al final...
- *... ¡Y descubrí que todo era mentira! Total, que, al final, resultó que no era famoso.*

RELATAR UN ACONTECIMIENTO ANTERIOR A OTRO

Para hablar de un suceso o acontecimiento anterior a otro ya mencionado, utilizamos el pretérito pluscuamperfecto.

Pretérito imperfecto del verbo *haber* + participio
- *Cuando llegó la policía, ya había conseguido librarme de aquel hombre.*

10.a. En grupos de tres, proponed dos títulos para cada una de las siguientes historias. A continuación, elegid los mejores títulos de la clase. ¿Son mejores que los originales?

1. La cocinera dijo que no se casó porque no tuvo tiempo. Cuando era joven trabajaba con una familia que le permitía salir dos horas cada quince días. Esas dos horas las empleaba en ir en el tranvía 38 hasta la casa de unos parientes, a ver si habían llegado cartas de España, y en volver en el tranvía 38.

2. Mamá nos hablaba de un blanco bosque de Rusia: «... y hacíamos hombrecitos de nieve y les poníamos sombreros que robábamos al bisabuelo...».
Yo la miraba con desconfianza. ¿Qué era la nieve? ¿Para qué hacían hombrecitos? Y ante todo, ¿qué significaba un bisabuelo?

3. Lo vio pasar en un vagón de metro y supo que era el hombre de su vida. Imaginó hablar, cenar, ir al cine, yacer, vivir con él. Dejó de interesarle.

b. Cuando eras pequeño, ¿qué historias te gustaban? ¿Y de adolescente? ¿Y cuáles te gustan ahora? Toma nota en una hoja y pon algún ejemplo.

- *películas:*
- *dibujos animados:*
- *cuentos o relatos:*
- *libros:*
- *cómics:*
- *series de televisión:*

Tipos de relato

de intriga	de crítica social
de aventuras	de humor
de amor	de terror
policiaco	de ciencia ficción

c. Comenta tus notas con tu compañero. ¿Conoce esas historias? ¿Tiene los mismos gustos que tú?

● *A mí de pequeño me encantaban los dibujos animados de Pokémon.*

▲ *Sí, a mí también, con Pikachu, aquel bicho amarillo y pequeñito.*

1. Una vida (de A. Bioy Casares); 2. Desconfianza (de A. Pizarnik); 3.Toda una vida (de B. Pérez Moreno).
Extraídos de Obligado, Clara (Ed.). *Por favor, sea breve*. Madrid, Páginas de espuma, 2001.

11.a. **Lee el siguiente cuento e indica a qué género pertenece. A continuación, subraya las palabras relacionadas con ese género.**

Madre

Ninguno de los planes con que Piero intentó asesinar a su madre había dado resultado. Otros planes de mayor audacia tenían el problema de que eventualmente la policía podría descubrir al culpable.
Una mañana de invierno Piero terminó de imaginar el plan definitivo. Fue al puente y se lanzó. Su cadáver fue recuperado en la ribera, cien metros hacia abajo, a los dos días.
El plan era perfecto. Una semana más tarde su madre moría de tristeza.

(tomado de www.diariodeunjabali.com)

b. **Rellena la siguiente ficha policial con los datos del cuento.**

Asesino	
Víctima	
Coartada	
Forma de asesinato	
Arma del crimen	

c. **¿Recuerdas alguna otra historia de un crimen perfecto? ¿Cuál? Coméntalo con la clase.**

- *Yo leí una vez otra historia de un crimen perfecto. Era un hombre que asfixiaba a su mujer en el hospital llenando la habitación de flores.*

12.a. **Con tu compañero, relaciona estos títulos con los resúmenes correspondientes. Luego, escuchad una tertulia de radio para comprobar vuestras respuestas.**

1. *Misery*
2. *El amor en los tiempos del cólera*
3. *La visita*
4. *El estrangulador de Boston*

A. Es la historia de una pasión que dura toda la vida.
B. Es la historia de una mujer que encierra a un escritor en su casa.
C. Es la historia de una persona que no sabe que tiene una doble vida.
D. Es la historia de un hijo que mata a su padre.

b. **Vuelve a escuchar la grabación y señala qué sentimientos causaron esos libros y personajes a los tertulianos.**

c. **¿Y tú? ¿Recuerdas alguna película, libro o personaje que te marcara de alguna forma? Coméntalo con dos compañeros.**

● *A mí me marcó mucho la película* El exorcista *y lo que le pasaba a la niña.*

▲ ¿El exorcista? *No la conozco... ¿Y qué le pasaba a la niña?*

13.a. **Cuando eras pequeño o adolescente, ¿tenías alguno de estos sentimientos? Contesta sí o no en la primera columna.**

	YO	F	J
Me daban miedo los lugares oscuros.			
Odiaba que me diesen sustos.			
Me encantaba que me contasen historias de terror.			
Me preocupaba que alguien entrara en casa por la noche.			

b. **Escucha la conversación entre Fran (F) y Jesús (J) y completa la tabla anterior, señalando con una X a quién corresponde cada frase. ¿Con quién te identificas más?**

c. **¿Qué miedos, fobias y sentimientos crees que tenía tu compañero en su infancia y adolescencia? Toma nota y después habla con él. ¿Has acertado?**

No soportaba... | Le daba(n) miedo... | Le encantaba(n)... | 

14.a. **Lee este fragmento de un cuento de Juan Ramón Jiménez y, con un compañero, describid al protagonista: su vida cotidiana, su físico, su familia, su trabajo, sus aficiones... Después, comparad la descripción con la de otra pareja.**

● *Se llamaba Juan Orden. Todos los días se levantaba a la misma hora, las 8 de la mañana, y desayunaba lo mismo...*

EL RECTO

Tenía la heroica manía bella de lo derecho, lo recto, lo cuadrado. Se pasaba el día poniendo bien, en exacta correspondencia de líneas, cuadros, muebles, alfombras, puertas, biombos. Su vida era un sufrimiento acerbo y una espantosa pérdida. Iba detrás de familiares y criados, ordenando paciente e impacientemente lo desordenado. Comprendía bien el cuento del que se sacó una muela sana de la derecha porque tuvo que sacarse una dañada de la izquierda.
Cuando se estaba muriendo, suplicaba a todos con voz débil que le pusieran exacta la cama en relación con la cómoda, el armario, los cuadros, las cajas de las medicinas.

(extraído de Obligado, Clara (Ed.). *Por favor, sea breve.* Madrid, Páginas de espuma, 2001.)

b. **Con un compañero, escribe un final imaginativo para "El recto" y comparadlo con los de otros compañeros. ¿Cuáles os gustan más? ¿Se parece alguno al final real?**

Final de "El recto":
Y cuando murió y lo enterraron, el enterrador le dejó torcida la caja de la tumba para siempre.

15.a. **Estas frases pertenecen a cuatro relatos diferentes. Formad grupos de cuatro, repartíoslas y, en tres minutos, escribid en vuestros cuadernos la continuación (sin llegar al final).**

Una noche de invierno, un viajero...

En ese momento pensé que aquella carretera no llevaba a ninguna parte.

Aquel día, César Antonio descubrió que sus hijos eran falsos.

Isidoro le dijo: «No te amo.»

b. **Pásale tu cuaderno a un compañero para que continúe el relato y escribe tú la continuación de otro. Después de tres minutos, pasa de nuevo el cuaderno a tu compañero, continúa el relato que recibas, y así sucesivamente hasta que recibas tu historia. Entonces, léela y escribe el final y un título.**

c. **Lee la historia a tus compañeros de grupo. Elegid la que más os guste para contársela a la clase.**

d. **Cada grupo lee su historia ante toda la clase. El resto, toma nota de lo que más le gusta de cada una. Finalmente, cada grupo vota para elegir la más original, justificando su elección.**

- *Votamos por "Continuidad" porque nos parece muy original y porque tiene un final muy sorprendente. El título está muy bien elegido y la historia es bastante divertida.*

Lengua y comunicación

PRETÉRITO IMPERFECTO DE SUBJUNTIVO

	Habl**ar**	Com**er**	Viv**ir**
(yo)	habl**ara/-ase**	com**iera/-iese**	viv**iera/-iese**
(tú)	habl**aras/-ases**	com**ieras/-ieses**	viv**ieras/-ieses**
(él/ella/usted)	habl**ara/-ase**	com**iera/-iese**	viv**iera/-iese**
(nosotros/as)	habl**áramos/-ásemos**	com**iéramos/-iésemos**	viv**iéramos/-iésemos**
(vosotros/as)	habl**arais/-aseis**	com**ierais/-ieseis**	viv**ierais/-ieseis**
(ellos/ellas/ustedes)	habl**aran/-asen**	com**ieran/-iesen**	viv**ieran/-iesen**

EXPRESAR GUSTOS Y SENTIMIENTOS EN PASADO

Me gustaba(n) Me encantaba(n) Me molestaba(n) No soportaba Me daba(n) miedo Me aburría(n) Me preocupaba(n)	+ sustantivo + infinitivo + que + pretérito imperfecto de subjuntivo

- *De pequeña, me encantaba escuchar a mi abuela y que me contara historias de miedo.*

EXPRESAR GRANDES IMPRESIONES

causar producir provocar	pánico miedo pesadillas inquietud lástima impresión ...	dejar	intranquilo/a nervioso/a sin dormir ...

marcar
impresionar

- *La película* El exorcista *me marcó muchísimo. Me provocó pesadillas y me dejó sin dormir mucho tiempo.*

ADJETIVOS PARA DESCRIBIR UN RELATO

original	divertido
irónico	realista
melancólico	inquietante
inclasificable	impactante
sorprendente	sencillo
complejo	surrealista
imaginativo	crítico
desgarrador	poético

TIPOS DE RELATO

de intriga	de crítica social
de amor	de terror
de humor	de aventuras
policiaco	de ciencia ficción

VOCABULARIO DE HISTORIAS POLICÍACAS

matar a alguien
asesinar a alguien
un/a asesino/a
un cadáver
una víctima
un arma
un cuchillo
una pistola
un/a sospechoso/a
un plan
una coartada
la policía
el/la culpable

16.a. Con tu compañero, relaciona cada uno de estos juegos con el dibujo correspondiente.

La serpiente   La cadena   ¿Qué hora es, señor Lobo?   Balón prisionero

● *Este debe de ser* La serpiente, *porque en el suelo parece que hay algo como serpientes.*

▲ *No, yo creo que* La serpiente *es el 3, porque los jugadores forman una serpiente, ¿no?*

①

②

③

④

b. Lee los textos y comprueba tus hipótesis.

«Yo, de pequeño, jugaba a *La serpiente*. Nos colocábamos en parejas, uno enfrente del otro, y en medio poníamos un pañuelo que parecía una serpiente. Entonces sonaba la música y bailábamos con las manos en las caderas, como gallinas. Cuando se paraba la música, había que atrapar a la serpiente antes que el compañero. El perdedor era eliminado y el ganador jugaba contra el ganador de otra pareja, hasta que solo quedara uno.»

Chen (Zimbabwe)

«Yo, de pequeña, jugaba a *La cadena*: un jugador tiene que perseguir a los demás. Cuando toca a alguno, los dos se agarran de la mano e intentan tocar a otro. Así van formando una cadena cada vez más larga, hasta que tocan al último.»

Makiko (Japón)

«Yo solía jugar a *¿Qué hora es, señor Lobo?* Un jugador era el lobo. Los demás se colocaban a diez metros de él en una línea de salida. Entonces los jugadores preguntaban: "¿Qué hora es, señor Lobo?" El lobo decía una hora y los jugadores daban ese número de pasos en dirección al lobo. Por ejemplo: "Las diez en punto", y daban diez pasos. Así seguían hasta que el lobo contestaba: "La hora de comer" y los jugadores corrían hacia la línea de salida. Si el lobo atrapaba a alguno antes de que llegara a la línea, ese se quedaba como lobo.»

Lucy (Australia)

«Yo, cuando era pequeño, jugaba al *Balón prisionero*. Un jugador tiraba la pelota al aire y decía el nombre de un compañero. Ese compañero tenía que atrapar la pelota antes de que cayera al suelo y después hacer lo mismo. Si la pelota tocaba el suelo, entonces tenía que atraparla y decir "balón prisionero". Entonces todos se tenían que quedar quietos y él intentaba darle con la pelota al jugador más cercano. Si le daba, este jugador lanzaba la pelota al aire. Si no, tenía que lanzarla él mismo.»

Jaleda (Bangladesh)

(información extraída de www.aulaintercultural.org)

c. En grupos de tres. ¿Conocéis esos juegos o alguno parecido? ¿Jugabais igual o de forma distinta? ¿Cómo los llamabais?

● *Yo, de pequeño, jugaba a un juego que se parecía un poco a* La serpiente, *por la música, pero había que sentarse en sillas.*

▲ *Ah, sí, el juego de* Las sillas, *yo también lo conozco. Se pone una silla menos que el número de jugadores, ¿verdad?*

Vocabulario relacionado con juegos

perseguir
tocar
atrapar
empujar
gritar
esconderse
agarrarse
echar a suertes
fallar
acertar
botar/lanzar/pasar... la pelota
formar parejas/grupos/
un círculo/una fila...

Un jugador tiene que perseguir a los demás e intentar atraparlos.

17.a. ¿A qué jugabas tú de pequeño? Haz una lista con tus cinco juegos favoritos.

b. Compara tu lista con la de tu compañero y comprobad si hay juegos parecidos. Si no conoces los juegos de su lista, pide que te los explique.

● *Yo no conozco el juego de* Sardinas en lata.

▲ *Era uno de mis favoritos. Es como* El escondite, *pero al revés. En lugar de esconderse muchas personas, se esconde una sola persona y todos los demás la buscan. Y quien la encuentra se esconde con ella, hasta que llega el último.*

A

MÓDULO

UNIDAD 3

En esta unidad te proponemos:

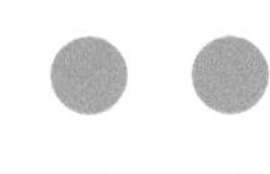

ESCAPADAS

Elaborar un cuaderno con los sitios preferidos de la clase

Diseñar un plan para combatir el estrés según las necesidades de la clase

Seleccionar ideas para adaptarse a la vida en un país extranjero y combatir la soledad

1. **¿Has ido en alguna ocasión a uno de estos lugares para desconectar de tu rutina? ¿Qué actividades hiciste allí? Coméntalo con la clase.**

● *Yo una vez quise desconectar del trabajo y me fui a un pueblo apartado que hay en las montañas, al sur de Virginia. Allí leí mucho, escuché música, di muchos paseos...*

un lugar con encanto

un balneario para cuidarse

un lugar apartado

una casa fuera de la ciudad

2.a. **Cuando haces alguna escapada fuera de tu ciudad, ¿qué prefieres?**

¿Ir a la montaña, al campo, a la playa o a otra ciudad?

¿Ir a sitios apartados o a lugares de fácil acceso?

¿Hacer algún deporte, alguna actividad... o relajarte y no hacer nada?

¿Disfrutar de la soledad o de la compañía de otras personas?

¿Ir a playas solitarias o con gente?

¿Bañarte en aguas bravas o tranquilas? ¿Frías o templadas?

● *Yo, cuando salgo de la ciudad, suelo ir a la montaña y descansar para relajarme.*

▲ *¿Y prefieres ir solo o con más gente?*

b. **¿Qué escapada te gustaría hacer en las próximas semanas? Apunta en una lista las ideas y lugares que te vengan a la mente.**

c. **Haz una puesta en común con tus compañeros y comentad por qué preferís ese tipo de escapadas frente a otras.**

3. Eva es una profesora de español que ha decidido cambiar de vida. Lee la entrevista que le hacen en la revista de la escuela y responde a estas preguntas.

1. ¿Cómo se llama la escuela en la que solía trabajar Eva?
2. ¿Y el pueblo al que se ha marchado?
3. ¿Cuál es el sitio donde hace nudismo?
4. ¿Y el lugar en el que conoció a su pareja?
5. ¿Cuál es la ciudad de la que guarda muy buenos recuerdos?
6. ¿Y su rincón favorito en esa ciudad?

La voz de EL TELELE

Eva Siones, nuestra profesora favorita, nos abandona por cuatro cabras

Eva, te vas de EL TELELE y nos dejas solitos. Dinos, ¿qué te hizo tomar una decisión tan drástica?
Bueno, hacía tiempo que no estaba muy satisfecha con mi vida en la ciudad, con mi rutina diaria, mi ritmo de trabajo en la escuela... Vivía estresada y continuamente me sorprendía a mí misma pensando que la ciudad no me permitía hacer lo que realmente tenía ganas de hacer. Un día, en una de las escapadas que suelo hacer con mis amigos, fuimos a Campolindo para acampar allí y, cuando llegamos, pensé: «Eva, este es tu sitio.» Entonces empecé a investigar por la zona, a preguntar por casas y terrenos...

Y te compraste una casa.
Bueno, no exactamente. Me compré un terreno en el que construí una casita desde la que veo Campolindo a lo lejos. Los vecinos más cercanos están a quince minutos andando, así que solo veo paisaje: la ladera del monte, bosques, cabras... ¡y unos atardeceres espectaculares!

¿Y qué vas a hacer en un sitio tan apartado?
¡Disfrutar de la vida! Por fin voy a poder hacer lo que de verdad me gusta sin esperar a jubilarme. Voy a disfrutar del día a día, de los placeres cotidianos: vivir sin prisas, cultivar mi huerta, cuidar de mis cabras, preparar y comer comida casera, ir a la playa en invierno... En Campolindo, muy cerca de mi terreno, hay una cala solitaria en la que hago nudismo con mi novio. ¡Me siento tan libre cuando nadamos y buceamos desnudos! Es como si fuéramos las únicas personas en el mundo.

A tu pareja la conociste aquí, ¿verdad?
Sí, en la escuela, hace diez años. Imagínate... Él era un turco guapísimo, de dos metros, como un armario. Venía aquí para estudiar español, pero al mes siguiente era yo la que estaba aprendiendo turco y paseando con él por Estambul.

¿Y te gustó Estambul?
Me encantó. Yo no soy de grandes ciudades, pero Estambul es un lugar del que me enamoré en cuanto lo vi. Es una ciudad mágica, con muchísimo encanto: sus puentes sobre el Bósforo, sus mezquitas, sus baños turcos, su Gran Bazar, sus cementerios, Santa Sofía... Y, por supuesto, mi rincón favorito: la torre Galata, desde la que puedes contemplar toda la ciudad, de Asia a Europa.

4. En grupos de tres, pensad en algunas preguntas para el profesor relacionadas con los lugares de su vida, sus sitios favoritos... Después, hacédselas.

● *¿Hay algún país en el que te gustaría trabajar?*
▲ *Sí, en Cuba, por ejemplo, o en Guatemala.*
■ *¿Y cuál es la ciudad a la que te irías si pudieras?*

Frases de relativo con preposición

Nombre + preposición + artículo + que

Nombre	preposición	artículo	que
el pueblo	en	el	
los lugares	a	los	
la playa	de	la	que
las ciudades	desde	las	
	con		
	...		

nacer en un lugar

● ¿Cuál es la ciudad **en** la que naciste?
▲ Nací en Medellín, pero Cali es el lugar en el que pasé mi infancia.

5.a. Estas son algunas actividades que podemos hacer para desconectar de la rutina. Relaciona cada una con uno de los paisajes.

Ver el atardecer sobre el mar

Respirar aire puro en la sierra

Escalar la ladera de una montaña

Contemplar el paisaje desde un mirador

Hacer nudismo en una cala

Jugar con las olas y bucear

Explorar una cueva

Ver amanecer desde la cima de un monte

Descender un acantilado

Bañarse bajo una cascada

Recorrer un sendero en bici

Ver las olas rompiendo en las rocas

Tumbarse en las dunas para tomar el sol

① 

② 

b. ¿Sueles o solías hacer alguna de las actividades anteriores? Coméntalo con tus compañeros.

- *En mi pueblo hay una cascada en la que suelo bañarme cada verano.*

6.a. Paz y Javi están hablando de dos lugares para desconectar de su rutina. Escúchalos y completa esta tabla.

	¿Dónde se encuentra?	¿Cómo es ese lugar?	¿Qué hay allí?	¿Qué se puede hacer?
Bellavista del Faro				
Montesclaros				

b. Cierra los ojos y recrea un paraje al que sueles escaparte o que te gusta por algún motivo. Piensa en los colores, olores, ruidos y sensaciones que sientes allí. Después, completa una tabla como la anterior.

c. En parejas, cada uno escucha la descripción del paisaje del compañero y hace un dibujo. ¿Se parecen los dibujos a los lugares descritos?

- *Es un pueblo de Croacia muy pequeñito y precioso, que se encuentra rodeado de montes bajos y bosques frondosos...*

d. Coméntale a tu compañero qué se puede hacer allí.

- *Allí se puede subir a una montaña desde la que se puede ver un paisaje espectacular.*

Describir un paraje

ser + precioso/a, maravilloso/a, inmenso/a, desértico/a, apartado/a, de fácil acceso, de difícil acceso, espectacular, sorprendente, acogedor/+a, frondoso/a, solitario/a, típico/a, pintoresco/a

7.a. **En una guía turística recomiendan tres restaurantes. ¿A cuál irías si quisieras tener una cena romántica? ¿Y tu compañero?**

RESTAURANTES CON ENCANTO

Entre los restaurantes céntricos, le recomendamos **La ropa vieja** (pág. 35), un local pequeño y muy concurrido que ofrece comidas caseras, con ambiente informal y muy agradable. **Sal y pimienta** (pág. 39) es otro lugar no tan céntrico, pero igual de acogedor y tan animado como el anterior, aunque es más espacioso. También puede acercarse a **El pato mareado** (pág. 56), un restaurante no tan económico ni con tanta gente como los ya mencionados, pero más elegante y selecto. Además, ofrece música en vivo y dispone de aparcamiento privado.

b. **Entre todos, escribid en la pizarra diez sitios (parques, monumentos, restaurantes, hoteles, etc.) que suelen salir en las guías turísticas de la ciudad donde estudiáis español. ¿Por qué creéis que esos lugares son tan conocidos?**

- *La Cafetería Continental es un lugar muy bonito y con mucho encanto; además, tiene muy buen ambiente y siempre está animada.*

c. **En grupos de tres, pensad en lugares no tan conocidos pero que, por algún motivo, podrían sustituir a los anteriores en una "guía alternativa". Explicad por qué a la clase.**

- *El Café Central no es tan bonito, pero tiene tanto encanto como la Cafetería Continental y está igual de animado.*

8. **En la oficina de turismo de tu ciudad hay demasiado trabajo. Con tu compañero, decide cómo ayudar a estos turistas; dadles algunas ideas.**

9.a. **¿Qué sitios te gustaría descubrir? Piensa en lugares de la ciudad o de la región que no sabes si existen pero que te gustaría descubrir. Toma notas.**

En la ciudad me gustaría encontrar...

... un local en el que se juegue a los bolos.

...

En la región me gustaría encontrar...

... un lugar desde el que se pueda contemplar bien las estrellas.

...

b. **Formad pequeños grupos. Pregunta a tus compañeros si conocen alguno de los lugares que te gustaría descubrir. En caso afirmativo, pregúntales cómo se puede llegar allí.**

● *¿Hay algún local en el que se juegue a los bolos y que esté en la ciudad?*

▲ *Yo conozco uno que está muy bien y al que va mucha gente, pero está un poco lejos.*

10.a. **Entre todos, vais a crear un cuaderno con vuestros sitios favoritos en la ciudad, la región o el país donde estudiáis español. Piensa en uno o dos de tus lugares preferidos (locales, rincones, parajes, etc.) y escribe una breve descripción indicando:**

¿Dónde está? ¿Cómo se llega? | ¿Cómo es y qué hay? | ¿Por qué es especial para ti? | ¿Qué se puede hacer allí?

b. **Completa tu descripción con alguna foto, algún dibujo o algún enlace de interés en Internet y entrégasela a tu profesor.**

c. **Cuando el profesor entregue el cuaderno a toda la clase, lee las páginas de tus compañeros. ¿Hay algún lugar al que te gustaría ir? Pídeles más información.**

Lengua y comunicación

FRASES DE RELATIVO CON PREPOSICIÓN

Nombre + preposición + artículo + que

el pueblo	en	el	
los lugares	a	los	
la playa	de	la	que
las ciudades	desde	las	
...	con		
	...		

hacer en un lugar

● *¿Cuál es la ciudad **en** la que naciste?*

▲ *Nací en Medellín, pero Cali es el lugar en el que pasé mi infancia.*

DESCRIBIR UN LUGAR

precioso/a	concurrido/a	espectacular
maravilloso/a	animado/a	sorprendente
inmenso/a	acogedor/+a	informal
desértico/a	frondoso/a	con encanto
apartado/a	solitario/a	elegante
céntrico/a	típico/a	de fácil acceso
turístico/a	pintoresco/a	de difícil acceso

- *Es un hotel con encanto, poco concurrido y muy acogedor. Sus habitaciones tienen unas vistas impresionantes y pintorescas.*

FRASES DE RELATIVO CON INDICATIVO/SUBJUNTIVO

Describir algo que conocemos o suponemos que existe

que + verbo en indicativo

- *Conozco un mirador que tiene una vista preciosa.*
- *En mi pueblo hay un monte que se puede escalar.*

Describir algo que no sabemos si existe o no

que + verbo en subjuntivo

- *¿Sabes si hay un mirador desde el que se vea la ciudad?*
- *Me gustaría encontrar un monte que se pueda escalar.*

COMPARACIÓN DE IGUALDAD

igual de + adjetivo/adverbio + que

tan + adjetivo + como

tanto(s) + nombre + como
tanta(s) + nombre + como

- *Esa cala es igual de bonita que las playas de la zona. Sin embargo no tiene tanto turismo ni es tan concurrida.*

SELECCIONAR ENTRE ELEMENTOS DE UNA MISMA CATEGORÍA

¿Cuál(es) + verbo...?
¿Qué + nombre...?

- *¿Cuál es el pueblo que más te gusta?*
- *¿Cuáles son tus ciudades favoritas?*
- *¿Qué país prefieres para vivir?*
- *¿En qué zonas se puede acampar?*

11.a. **¿Has vivido alguna vez situaciones parecidas a las de las imágenes? ¿Qué tienen todas ellas en común?**

①

②

③

b. **Con tus compañeros, haz una lista de situaciones de tensión que se dan en la vida diaria.**

12.a. **Lee las siguientes noticias. ¿Cuál te llama más la atención? ¿Por qué?**

El estrés durante el embarazo se relaciona con el autismo

Las mujeres que viven situaciones de alto nivel de estrés hacia la mitad de su embarazo (fallecimiento de su pareja, pérdida del empleo o similares), tienen mayor riesgo de dar a luz un niño con autismo que otras embarazadas, según investigadores del Centro Médico Universitario del estado de Ohio. El estudio, realizado sobre 188 mujeres que dieron a luz bebés con autismo, y cuyos resultados presentó el neurólogo Dr. David Beversdorf, demostró que estas mujeres sufrieron situaciones de un alto nivel de estrés entre las semanas 24 y 28 de su gestación.

(adaptado de www.tupediatra.com/)

El estrés se relaciona con el cáncer

Cada año que pasa, se conoce mejor la relación entre estrés y sistema inmunológico. Hoy se sabe, por ejemplo, que las personas estresadas experimentan y sufren un descenso de sus defensas que se manifiesta en una reducción en la eficacia de su sistema inmunológico, lo que les convierte en más vulnerables a procesos infecciosos o cancerosos.

(adaptado de http://revista.consumer.es)

Morir de estrés

El estrés profesional le empujó a beberse una botella de arsénico. Un trabajador de la compañía Metal Air, de Valladolid, intentó quitarse la vida al «... encontrarse bajo un fuerte estrés laboral, viviendo con gran responsabilidad la difícil situación por la que atravesaba la empresa... asumiendo como personales los fracasos de los proyectos de la empresa», según declara la sentencia del Tribunal Superior de Justicia de Castilla y León.

(adaptado de www.elmundo.es)

b. **Con dos compañeros, añade a la lista de la actividad 11.b. otros problemas de salud relacionados con el estrés.**

c. **¿Has vivido alguna vez una situación estresante? ¿Qué te pasó? ¿Tuviste problemas de salud? Coméntalo con tu compañero. También puedes hablar del caso de otra persona cercana a ti.**

padecer insomnio
sufrir trastornos emocionales
sufrir agotamiento emocional
tener ansiedad
tener problemas cardiovasculares
tener un ataque de nervios

13.a. **Escucha a las personas de las imágenes de la actividad 11.a. y relaciona sus casos con uno de estos diagnósticos.**

a) Bloqueo psicológico debido a un exceso de trabajo.
b) Cansancio, baja autoestima e irritabilidad producidos por un exceso de responsabilidad.
c) Trastornos físicos causados por una depresión.

b. **¿Estás de acuerdo con esos diagnósticos para Alberto, Rosa y Paulino? Vuelve a escucharlos. ¿Qué otras situaciones, además de las señaladas, pueden estarles causando estrés?**

- *Rosa se encuentra mal por el exceso de trabajo, pero también está así debido a que no sabe si realmente quiere casarse.*

c. **En grupos de cuatro, ¿qué consejos daríais a Alberto, Rosa y Paulino para combatir su estrés? Gana el grupo que presente las mejores propuestas.**

- *Lo mejor sería que Alberto se pidiera unos días libres en el trabajo para relajarse un poco.*

Dar consejos y hacer sugerencias

Tendría(s) que / Debería(s) + infinitivo

Sería bueno que / Lo mejor sería que... + pretérito imperfecto de subjuntivo

Yo creo que debería hablar con un profesional. Tendría que concertar una cita con un asesor legal.
Sería bueno que se tomara las cosas con más calma. Lo mejor sería que se fuera de vacaciones.

14.a. **¿Coinciden los consejos que habéis pensado con las propuestas que se dan en este texto para combatir el estrés?**

Tiempo al tiempo | *El acelerado mundo en que vivimos no nos permite apenas un segundo de tiempo muerto. La vida a contrarreloj genera a muchas personas un estrés intolerable. Es necesario recuperar la paz interior y reconquistar un poco de tiempo libre, si no queremos poner en peligro nuestra salud y hasta nuestra vida.*

«No tengo tiempo ni de respirar» repetimos con frecuencia, pero, ¿nos damos cuenta de lo que significa? La respiración está tan relacionada con la vida que inconscientemente estamos diciendo que *no tenemos tiempo de vivir.*
Es verdad que estamos acostumbrados a soportar un cierto grado de estrés: nos falta tiempo para casi todo, nuestra implicación profesional se calcula a tiempo completo, nos resignamos a disfrutar de nuestra vida privada solo a tiempo parcial... Pero el estrés puede llegar a ser un problema muy grave.
No debe extrañarnos que cada vez haya más gente dispuesta a buscar lugares en los que retirarse a descansar, a recuperar, aunque sea solo por un fin de semana, la sensación de hacer las cosas con tiempo.
Y da igual que se trate de un balneario, un hotelito rural, una experiencia de vida en la naturaleza, unas prácticas de yoga, zen, tai-chi, qi-gong o cualquier otra cosa. Los «retiros de silencio» comienzan a ser para muchas personas una necesidad, no un lujo. La idea es buscar la forma de romper con la inercia de actividad desenfrenada en la que uno está inmerso, dejar atrás aspiraciones, proyectos, actividades, inquietudes, tensiones, ambiciones, expectativas, euforia y demás manifestaciones de nuestra personalidad. La clave está en romper el círculo vicioso de las necesidades que nos imponen los tiempos modernos y tomarse las cosas con un poquito más de tranquilidad, de darle tiempo al tiempo, que, como se dice, todo se andará.

(adaptado de www.dsalud.com)

b. **Con tu compañero, localiza y subraya todas las expresiones con la palabra *tiempo* que aparecen en el texto. Trata de explicar lo que significan. Intenta hacer hipótesis fijándote en el contexto.**

- Tiempo muerto *me imagino que significa* sin hacer nada.
- ▲ *Sí, yo había pensado que era* tiempo libre.

c. **¿Es difícil vivir tranquilo en los tiempos modernos? Con un compañero escribe el "decálogo del hombre tranquilo" e incluye en él expresiones relacionadas con el tiempo.**

Decálogo del hombre tranquilo
1) Tiene mucho tiempo libre.
2) No trabaja a tiempo completo.
...

d. **Leed el decálogo que han escrito otros compañeros. ¿Vuestras rutinas y formas de vida se parecen a las suyas? ¿En qué?**

15.a. **Piensa en las cosas que hacen otras personas que te estresan, te preocupan, te agobian, te inquietan... y completa la primera fila de esta tabla.**

	Trabajo	Estudios	Relaciones sociales/familiares	Fechas señaladas (Navidades, etc.)	Otras
Ahora	Me preocupa que no valoren mi trabajo.				
Antes	Me preocupaba que me hicieran un contrato fijo.				

b. **Piensa en cuando tenías diez o veinte años menos. ¿Te estresaban, preocupaban, agobiaban... las mismas cosas? Completa ahora la segunda fila de la tabla.**

c. **Pon en común la información con dos compañeros. Explícales por qué te sientes o te sentías incómodo en esas situaciones. ¿Coincides en algo con ellos? Después, comentadlo con toda la clase.**

- *A Frank y a mí antes nos encantaban las Navidades, pero ahora nos agobia que haya que comprar regalos a todo el mundo por Navidad. ¡Hay más fechas en el año para hacer regalos!*

16.a. **Haz el siguiente test y averigua si estás viviendo una situación de sobreestrés.**

ESCALA DE ESTRÉS

Señala las situaciones en las que te encuentras en este momento:

Situación	Puntos
Muerte de alguien muy próximo a ti y muy querido	100
Divorcio o separación	60
Problemas con la ley o la justicia	60
Enfermedad o incapacidad	45
Matrimonio	45
Despido del trabajo	45
Jubilación	40
Problemas de salud de un familiar cercano	40
Trabajar más de 40 horas semanales	35
Embarazo o embarazo de tu pareja	35
Problemas sexuales	35
Llegada de un nuevo miembro de la familia	35
Cambio de responsabilidad en el puesto de trabajo	35
Cambios en la situación económica	35
Aumento en el número de discusiones con tu pareja	30
Problemas con la hipoteca o préstamo bancario	25
Dormir menos de 8 horas	25
Problemas con la familia política o con los hijos	25
Logro personal sobresaliente	25
Tu pareja comienza o deja de trabajar	20
Comenzar o terminar unos estudios	20
Problemas con los jefes	20
Cambio en el horario o condiciones de trabajo	15
Mudanza o traslado	15
Preparación de las vacaciones	10
Época de celebraciones	10

Suma todos los puntos. TOTAL ....

Resultados: Si tienes más de 250 puntos, vives una situación de sobreestrés. No obstante, una persona con una baja tolerancia al estrés puede vivir una situación de sobreestrés a niveles de 150 o incluso inferior.

b. **Poned en común la puntuación que cada uno ha obtenido en el test y hallad la media aritmética (suma de todas las puntuaciones dividida por el número de personas del grupo). ¿Es superior a 250?**

C. **Haced una lista de situaciones de estrés que se pueden dar cuando se aprende una lengua en un contexto de aula. ¿Se dan algunas en vuestra clase? ¿Cuáles?**

17. **En grupos de cuatro, diseñad un "plan de choque" para el estrés de la clase.**

INSTRUCCIONES

- Piensa en algunas propuestas para disminuir el nivel de estrés de la clase y anótalas.
- En parejas, perfilad un poco más una de las propuestas, la que os resulte más interesante.
- En grupos de cuatro, seleccionad la propuesta que más os gusta y concretad los detalles (salidas, nueva organización del aula, nuevos horarios o rutinas, etc.).
- Preparad una presentación atractiva para explicar vuestro plan al resto de la clase. Pensad en recomendaciones para que la propuesta antiestrés sea efectiva.
- Seleccionad los planes que más os gusten y que queráis realizar.

LENGUA Y COMUNICACIÓN

HABLAR DE SENTIMIENTOS

(A mí) Me	preocupa(n)	+ sustantivo
(A ti) Te	inquieta(n)	+ infinitivo
(A él) Le	agobia(n)	+ que + presente de subjuntivo (sentimientos actuales)
...	estresa(n)	
	desespera(n)	
	angustia(n)	+ que + imperfecto de subjuntivo (sentimientos del pasado)
	molesta(n)	

- *En esta ciudad me agobia el tráfico, me desesperan los atascos. También me estresa tener que ir corriendo a todas partes.*
- *A Julia le preocupa que los chicos salgan solos esta noche.*
- *De joven me estresaba la vuelta a la universidad después de vacaciones. También me preocupaban mucho los exámenes.*
- *Antes le agobiaba que sus padres discutieran por su culpa.*

OFRECER CONSEJOS Y SUGERENCIAS

Tiene(s) que/Tendría(s) que Debe(s)/Debería(s) Puede(s)/Podría(s)	+ infinitivo
Es necesario Es aconsejable Es bueno Lo mejor es	que + presente de subjuntivo
Sería necesario Sería aconsejable Sería bueno Lo mejor sería	que + pretérito imperfecto de subjuntivo

- *Yo creo que debería concertar una cita con un profesional. Es necesario que hable con un asesor legal.*
- *Sería bueno que se tomara las cosas con más calma. Lo mejor sería que se fuera de vacaciones.*

EXPRESAR LA CAUSA DE ALGO

CAUSA DE ALGO NEGATIVO

Debido/a(s) a... A causa de... Por culpa de...	+ sustantivo/infinitivo
Debido a que... A causa de que... Por culpa de que...	+ oración

CAUSA DE ALGO POSITIVO

Gracias a...	+ sustantivo/infinitivo
Gracias a que...	+ oración

- *Lo está pasando fatal por culpa de la enfermedad de su hijo.*
- *Antonio está mucho mejor gracias a que al final ha decidido consultar su problema con un profesional.*

COMBINACIONES HABITUALES CON LA PALABRA *TIEMPO*

tiempo muerto	tiempo medio
tiempo libre	tiempo perdido
ganar tiempo	perder tiempo
faltar tiempo	ahorrar tiempo
hacer tiempo	estar fuera de tiempo
a tiempo completo/parcial	darle tiempo al tiempo

18.a. **Cuando te vas de vacaciones o sales de viaje por trabajo o por estudios, ¿qué cosas echas de menos de tu vida diaria o del lugar donde vives? Señálalas e indica (del 1 al 5) cuánto las echas de menos.**

- ☐ la comida
- ☐ los vecinos
- ☐ los amigos
- ☐ la familia
- ☐ tu rutina
- ☐ la televisión
- ☐ el ambiente de la calle
- ☐ tu cama/tu almohada
- ☐ tu casa
- ☐ el paisaje
- ☐ tu mascota
- ☐ tu coche
- ☐ las canciones que ponen en la radio
- ☐ hablar tu lengua (si estás en el extranjero)
- ☐ la oferta cultural del lugar donde vives
- ☐ el clima

b. **Imagina ahora que te vas a vivir fuera de tu país durante varios años. ¿Echarías de menos las mismas cosas? ¿Las echarías de menos con la misma intensidad? Vuelve a leer la lista y señala del 1 al 5 cuánto las echarías de menos.**

c. **¿Echarías de menos algún olor, sabor o sonido? ¿Alguna otra cosa de tu vida diaria que te resulte importante por algún motivo? ¿Tus compañeros coinciden contigo?**

- *Si me fuera a vivir a otro país, echaría de menos el olor de la comida de mi madre.*

19.a. **¿Sabes qué es el "síndrome de Ulises"? ¿Y tus compañeros? Lee el artículo que hay en la página siguiente y, después, completa una ficha como esta.**

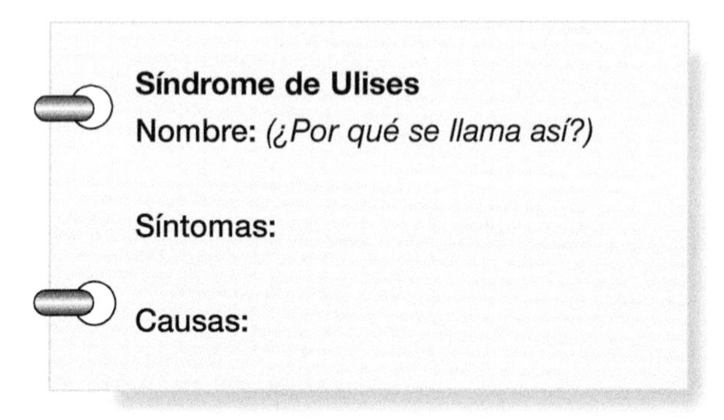

Síndrome de Ulises

Nombre: *(¿Por qué se llama así?)*

Síntomas:

Causas:

b. **En la radio entrevistan a una cantante irlandesa que vive en Madrid. Escucha y anota los aspectos que pudieron causarle estrés al llegar a España. ¿Crees que ella sufrió el "síndrome de Ulises"? ¿Por qué?**

c. **¿Conoces a alguien que haya sufrido el "síndrome de Ulises"? ¿Cómo lo manifestaba? ¿Lo superó? ¿Cómo? Y tú, ¿has vivido alguna vez una situación similar? Háblalo con tus compañeros.**

- *Yo creo que tuve el "síndrome de Ulises" cuando salí de Finlandia por primera vez. Era muy joven, solo tenía 17 años y me fui a estudiar a la Universidad de San Petersburgo. Recuerdo que hubo algunos días que me sentía muy triste y...*

Cómo el estrés afecta a los emigrantes

por Dra. Olivia A. Sandoval Shaik

La emigración se ha dado desde todos los tiempos. Las personas abandonan sus países buscando mejores condiciones de vida. Los emigrantes deben adaptarse a una cultura, estilo de vida, idioma, clima, etc., y deben ser rápidos en esta adaptación. La nostalgia de su familia y amigos y el proceso de adaptación a la nueva cultura pueden ser los desencadenantes de un gran estrés.

El estrés de los inmigrantes se debe a cuatro factores: soledad, al abandonar la familia; sentimiento de fracaso, al tener que olvidar su trayectoria laboral anterior y construir una nueva; sentimiento de miedo y sentimiento de lucha por sobrevivir. Esta enfermedad social fue bautizada con el nombre de la figura mitológica de la antigüedad, protagonista de *La Odisea* de Homero, que, atribulado por retornar a su país y a su casa, sufre peligros y adversidades.

Los médicos no siempre pueden identificar la situación de estrés que está viviendo el inmigrante, debido a las diferencias culturales. Así, mientras que los inmigrantes sudamericanos son capaces de expresar lo que sienten y te dicen que tienen estrés o están deprimidos, los africanos subsaharianos, por ejemplo, somatizan más la enfermedad y acuden a la consulta aquejados de dolores de estómago que, en realidad, obedecen a la situación emocional. A un 6,5% de los inmigrantes se le ha diagnosticado trastornos mentales, que se deben al duelo por la separación de su entorno (duelo migratorio) y al estrés por los problemas que tienen (falta de papeles, de trabajo...), según Rafael Guaita, coordinador de atención sanitaria al inmigrante de la Generalitat de Cataluña. Estos factores causan el llamado "síndrome de Ulises", que se traduce en depresiones, ansiedad, insomnio, cefaleas, fatiga, irritabilidad, confusión o pérdida de la memoria y otros síntomas. Un estudio de Barcelona indicaba que un 58% de los inmigrantes que va al médico tiene depresión, y un 37%, migraña.

Cada inmigrante tiene un sentido distinto de la individualidad del mundo, del hombre y de la forma de expresión de las emociones, por lo que, para entender la expresión sintomatológica del estrés, se ha de entender con qué se asocian en la cultura del emigrante las situaciones de ansiedad, las preocupaciones, las alteraciones del sueño, las cefaleas o la fatiga, etc.

Con la globalización y expansión de los mercados, cada día es más frecuente la movilidad de los sujetos y la desaparición de límites fronterizos entre los países. Por tanto, debemos entender y ayudar al inmigrante para que su adaptación sea lo más rápida y eficaz posible y así evitar los síntomas que produce el cambio a una nueva vida.

(adaptado de www.psicocentro.com)

20.a. **Imagina que por algún motivo te marchas a vivir al país de origen de tu profesor o de uno de tus compañeros de clase (o a otro país que ellos conozcan muy bien). Habla con ellos respecto a cómo son los siguientes aspectos en ese país.**

- el clima
- el idioma
- las comidas
- las pautas sociales
- los horarios
- el estilo de vida
- la rutina
- la forma de relacionarse de la gente

b. **¿Te costaría adaptarte a algunas cosas más que a otras? ¿A cuáles? ¿Por qué?**

● *A mí me costaría mucho adaptarme al clima de Bretaña. En mi país llueve muy poco y estoy acostumbrada al cielo azul, a disfrutar de un café en una terraza en invierno...*

21. **En pequeños grupos, haced una lista de las cosas que podríais realizar en vuestra estancia en el extranjero para:**

- Adaptaros con mayor rapidez.
- Combatir los momentos de soledad, añoranza y nostalgia.

A
MÓDULO

UNIDAD 4

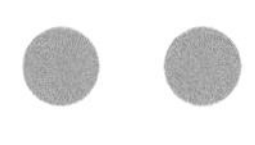

En esta unidad te proponemos:

A TRABAJAR

Hablar de nuestras aptitudes para determinados trabajos

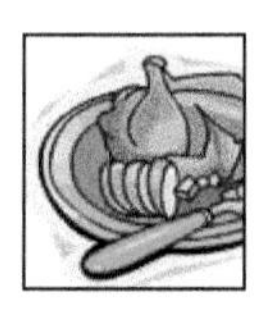

Diseñar la página web de una empresa

Hablar de las condiciones laborales en distintos países

1.a. Contesta a este test sobre tus hábitos de aprendizaje y de trabajo, y averigua si te llevan por el camino del éxito.

1. Principio de la responsabilidad

a. Mis resultados no dependen de mí solo, sino también de los demás y de las circunstancias.
b. Solo yo soy el responsable de mis resultados.
c. Las cosas que pasan, pasan. No está en mi mano cambiar el destino.

2. Principio de aprendizaje del error

a. Los errores son inútiles, pero también inevitables. Por eso hay que intentar no repetirlos.
b. Los errores son positivos porque facilitan el aprendizaje y nos hacen crecer como personas.
c. Los errores son fracasos que debemos evitar y olvidar.

3. Principio de perseverancia

a. Procuro evitar lo que no me apetece o no me gusta hacer.
b. Suelo resolver las cosas cuanto antes y trato de no dejarlas para más tarde.
c. Suelo dejar las cosas para el último momento. A veces se me acumula el trabajo y hay cosas que se quedan sin hacer.

4. Principio de confianza

a. Tengo confianza en mí, pero desconfío de los demás. Hay gente muy competitiva y los que quieren ayudar no siempre saben mucho.
b. Tengo confianza en mí y en lo que me pueden enseñar o aportar los demás.
c. No tengo confianza en mi capacidad. Los demás parecen estar más capacitados que yo.

5. Principio de cooperación

a. Colaboro con los demás sin problemas. Si la relación es buena, el trabajo es más entretenido y gratificante.
b. Intento crear un ambiente positivo de trabajo en grupo para que todos nos beneficiemos de las aportaciones de los demás. Es mucho más productivo colaborar que trabajar solo.
c. Prefiero hacer las cosas por mí mismo. No se me da bien el trabajo en equipo y me parece que es una pérdida de tiempo.

b. Consulta los resultados y compáralos con tus compañeros. ¿Quién aplica en mayor medida los cinco principios?

c. ¿Puedes recordar alguna situación en que hayas aplicado esos principios? ¿Qué resultado te dieron? Coméntalo con tres compañeros.

- *Yo recuerdo perfectamente un proyecto de la oficina en el que participamos cinco personas. Todos revisábamos el trabajo de los demás y el resultado fue excelente.*

d. Con tu compañero, piensa en algún otro principio para tener éxito en el aprendizaje, el trabajo o la vida en general.

RESULTADOS:
Mayoría de a: Tus hábitos de aprendizaje, sociales e individuales son buenos, pero podrías mejorarlos con un poco de esfuerzo y una mayor confianza en el trabajo en equipo. Tú tienes mucho que aportar a los demás y los otros pueden ayudarte a ser una persona más completa. **Mayoría de b:** Tienes una buena actitud hacia el aprendizaje. Confías en ti y en los demás y sacas el mayor provecho de las circunstancias. Eres una persona responsable y colaboradora. **Mayoría de c:** Deberías confiar más en ti mismo y en lo que pueden aportarte los demás. Si te haces responsable de tus actos y confías en los resultados, podrás beneficiarte de tu esfuerzo.

2.a. **Con tu compañero, discute cuál podría ser una respuesta apropiada para las situaciones que se plantean y para las preguntas de una entrevista de trabajo que aparecen en el cuadro.**

1. ¿Qué harías si llegaras diez minutos tarde a la entrevista?
2. ¿Cómo te vestirías?

● *Yo, si llegara diez minutos tarde, diría que tenía el reloj atrasado.*

Posibles preguntas en una entrevista de trabajo
¿Cuáles son tus puntos fuertes y tus puntos débiles?
¿Qué harías si tuvieras conflictos con tus compañeros de trabajo?
¿Cuáles son tus expectativas profesionales?
¿Por qué has decidido buscar un nuevo trabajo?

b. **Lee los datos profesionales de Ana y escucha los consejos que le da un amigo antes de la entrevista. ¿Te parecen buenas opciones? ¿Coincide con tus respuestas del apartado anterior? Coméntalo con la clase.**

Virtudes: trabajadora, espontánea, directa, imaginativa, sociable.

Defectos: a veces es demasiado directa y crea conflictos. Es desordenada y algo anárquica.

Experiencia profesional: 10 años de responsable administrativo de cuentas. Tras algún cambio de departamento por conflictos con sus superiores, ahora trabaja en un departamento con mucha carga de trabajo.

Expectativas: busca un sueldo mayor, un trabajo cerca de casa y un ambiente más tranquilo y menos estresante. En un futuro quiere poner una empresa de cosméticos y antes quiere aprender y conocer ese mundo profesional en una empresa del sector.

c. **Formad grupos de tres. ¿Cuáles dirías que son tus cualidades y puntos débiles? ¿Y las de tus dos compañeros? Apúntalo y coméntalo después con ellos. ¿Están de acuerdo? Pensad cómo lo diríais en una entrevista de trabajo.**

● *Yo he puesto que una de las cualidades de Nidal es su tranquilidad. Transmite mucha paz y eso hace el trabajo en grupo más fácil. Tiene mucha paciencia.*

▲ *Ah, ¿sí? Pues yo me considero un poco nervioso.*

■ *Pues no das esa impresión.*

3. **En la página siguiente tienes un currículum vítae realizado según el modelo europeo. ¿Crees que el candidato podría expresar mejor sus datos y capacidades? Con un compañero, mejóralo.**

4.a. **Escribe tu currículum vítae con dos datos falsos. Tus compañeros tendrán que adivinar cuáles son. Para despistarlos, incluye trabajos y cursos raros que hayas realizado o capacidades que desconozcan.**

b. **En grupos de tres, preguntad a vuestros compañeros por los datos de su currículum vítae e intentad adivinar cuáles son los datos falsos.**

● *Cuando trabajabas como payaso, ¿lo hacías con una compañía o por tu cuenta?*

▲ *Trabajaba con un amigo de un grupo de teatro. Su padre tenía una empresa de servicios para fiestas de cumpleaños y a veces necesitaba payasos.*

1. INFORMACIÓN PERSONAL

1.a. Nombre	**Sergio Ramírez**
1.b. Dirección	C/ Gran Vía, 13 (5º C) 35004 LAS PALMAS
1.c. Teléfono	Teléfono: 633 33 44 55
1.d. Correo electrónico	sergio.ramirez@yahoo.com

2. EXPERIENCIA LABORAL

2.a. Fechas (de... a)	De 2001 a 2004.
2.b. Nombre y dirección del empleador	PSA Internacional.
2.c. Tipo de empresa o sector	Empresa multinacional de productos farmacéuticos.
2.d. Puesto o cargo ocupados	Mánager de área.
2.e. Principales actividades y responsabilidades	Gestión de las ventas y distribución de las cuentas, trabajando directamente con los clientes, e informando a la central en Alemania.

3. EDUCACIÓN Y FORMACIÓN

3.a. Fechas (de... a)	De 1995 a 1999.
3.b. Nombre y tipo de institución educativa o formativa	Universidad Autónoma de Barcelona.
3.c. Principales materias o capacidades ocupacionales tratadas	Contabilidad, Márquetin, Gestión.
3.d. Título de la cualificación obtenida	Máster en Dirección y Administración de Empresas.

4. CAPACIDADES Y APTITUDES PERSONALES

Adquiridas a lo largo de la vida y la carrera educativa y profesional, pero no necesariamente avaladas por certificados y diplomas oficiales

4.a. Lengua materna	Español

4.b. Otros idiomas

	Inglés	Francés	Alemán
Lectura	C1	C1	A1
Escritura	B2	B1	A1
Expresión oral	B2	B2	A1

4.c. Capacidades y aptitudes artísticas Música, escritura, diseño, etc.	Miembro de un coro durante 10 años y publicación de artículos de costumbres en la revista *Barrio*.
4.d. Capacidades y aptitudes sociales Vivir y trabajar con otras personas, en entornos multiculturales, en puestos donde la comunicación es importante y en situaciones donde el trabajo en equipo resulta esencial (por ejemplo, cultura y deportes).	Gran habilidad social desarrollada en el equipo de fútbol POMPAS, en la monitorización de campamentos y en largas estancias en distintos países (Marruecos, Japón, EE. UU., etc.).
4.e. Capacidades y aptitudes organizativas Por ejemplo, coordinación y administración de personas, proyectos, presupuestos, en el trabajo, en labores de voluntariado (por ejemplo, cultura y deportes), en el hogar, etc.	Capacidad de organización desarrollada en mi trabajo como director de un programa internacional.
4.f. Capacidades y aptitudes técnicas Con ordenadores, tipos específicos de equipos, maquinaria, etc.	Buen manejo de ordenadores, tanto en aplicaciones contables, como base de datos y tratamiento de textos. Internet, correo electrónico.
4.g. Permiso(s) de conducción	B1

5.a. Con tu compañero, comenta qué tres factores te parecen más importantes cuando buscas trabajo. Luego, comprobad si aparecen en este anuncio.

EMPRESA DE DIETÉTICA BUSCA ***PERSONA JOVEN***

Interesado/a en visita médica-comercial en la zona de Madrid. Disponibilidad para viajar. Carné de conducir, con vehículo propio. Capacidad de trabajo en equipo. Experiencia contrastada.

Ofrecemos: Incorporación inmediata. Contrato laboral indefinido. Sueldo más comisiones. Buen ambiente de trabajo. Formación a cargo de la empresa. Posibilidades de desarrollo profesional.
Interesados, enviar currículum vítae (Ref. Comercial Madrid).
Fax 91 333 44 55. dietetae@telefonica.net

Factores al buscar trabajo:

la formación, el tipo de contrato, el tipo de remuneración, el salario, las posibilidades de promoción, el lugar de trabajo, el puesto, la empresa contratante, la jornada de trabajo...

b. Escucha esta conversación sobre candidatos al trabajo del anuncio anterior y toma nota de lo que buscan en un trabajo.

Iván

Maribel

Jorge

c. Vuelve a escuchar la conversación y toma nota de las aptitudes de los candidatos (estudios, experiencia, carné de conducir, características personales...). Con tu compañero, elige al más adecuado para el puesto. Después, comentad vuestra elección con la clase.

● *Yo elegiría a Iván, porque es el que tiene más experiencia.*

▲ *Sí, pero Jorge tiene experiencia en una empresa muy parecida a la del anuncio.*

6. Lee estos anuncios. Marca con un círculo el objetivo del anunciante y subraya los requisitos. ¿Los cumples? ¿Te interesarían los trabajos? Coméntalo con tu compañero.

Busco persona que tenga voz clara y melodiosa para leerme libros por las tardes. Yo, invidente. Ref. 31.

Busco persona a la que le gusten los animales para pasear perro grande dos horas al día. Pago bien. Ref. 90.

Busco persona a quien le encante la moda para observar tendencias en lugares de moda de Brasil. Disponibilidad para viajar y dotes sociales necesarias. Ref. 285.

7.a. **Con tu compañero, piensa en cosas que no te gusta hacer y para las que no existen servicios de profesionales. Elegid una en la que coincidáis y redactad un anuncio para ese trabajo, indicando los requisitos y las funciones.**

● *Yo odio las bodas. Me encantaría contratar a alguien que fuera en mi lugar.*

▲ *Ah, vale. Pues un requisito para el trabajo es que el candidato sea elegante.*

b. **Colgad vuestros anuncios en la pared del aula, leed los de los demás y seleccionad aquellos que no os importaría hacer. ¿Cuál es el trabajo más elegido por la clase?**

8.a. TAREA FINAL **En grupos de tres, pensad qué requisitos y cualidades se necesitan para realizar cada uno de los siguientes trabajos de nueva creación.**

- Organizador de fotografías personales.
- Cargador de canciones en un iPod.
- "Comprador personal" para escoger el vestuario de los famosos para ocasiones especiales.
- Entrenador de bebés para que dejen de usar el pañal.
- Entrenador de padres, para enseñarles cosas como "cuándo decir no".
- Profesor de montar en bicicleta.
- Cuidador de rinocerontes.
- Probador de helados.

● *Para ser entrenador de bebés, hay que ser muy sistemático y paciente.*

▲ *Sí, y te tienen que gustar los niños, claro.*

b. **¿Quién sería el mejor candidato de la clase para realizar esos trabajos? En grupos, elegid a un compañero para cada profesión y justificad la elección.**

● *Yo creo que Haruki sería buen "comprador personal", porque le encanta la moda y es muy imaginativo.*

c. **Comparad vuestra selección con las de los otros grupos. ¿Habéis elegido a las mismas personas para los distintos trabajos?**

Lengua y comunicación

DESCRIBIR CON FRASES DE RELATIVO

- *Busco persona a la que le gusten los animales para pasear perro grande dos horas al día.*
- *Busco persona a quien le encante la moda para observar tendencias en lugares de moda en Brasil.*

HABLAR DE SITUACIONES HIPOTÉTICAS

Para expresar condiciones improbables o irreales en el presente o en el futuro, utilizamos si + imperfecto de subjuntivo + condicional

- *Yo, si llegara diez minutos tarde, diría que tenía el reloj atrasado.*

LÉXICO RELACIONADO CON EL TRABAJO

incorporación inmediata
contrato indefinido/fijo/temporal
formación a cargo de la empresa
posibilidades de promoción o de desarrollo profesional
jornada completa/media jornada
beneficios
sueldo/salario fijo
retribución por objetivos
comisión

DAR CONSEJOS

Para dar consejos se puede utilizar el condicional.

- *Yo les contaría algo del transporte o del tráfico.*

9.a. Esta es la página web de una empresa. Busca en las secciones la siguiente información.

1. ¿Cuál es el nombre de la empresa?
2. ¿A qué se dedica?
3. ¿Qué tipo de información da en su página?

Web designed by iciÜÉNÉ~ÉR

Atrás Adelante Detener Actualizar Página principal Autorrelleno Imprimir Correo

Dirección: http://www.madresadoptivas.com

Google Microsoft Office Internet Explorer :: ELSEMANALTV.COM :: PaginasAmarillas.es Yahoo! El tiempo

Favoritos Historial Buscar Álbum Marcador de páginas

MADRESADOPTIVAS.COM

¿Quiénes somos?

Ventajas

¿Cómo funciona?

¿Qué es?

Apúntate como madre adoptiva

Por un precio previamente pactado, la *madre adoptiva* hace dos envíos semanales de comida a cada *hijo*. Este envío se realiza por taxi.
Previamente, la *madre adoptiva* se preocupa de conocer los gustos y preferencias de sus *hijos*, por lo que se les recomienda (a los *hijos*) que sean claros en sus peticiones y así eviten problemas que puedan surgir en el futuro. De todas formas, la *madre adoptiva* puede cambiar parte del menú para ajustarse al precio pactado.

Madresadoptivas.com pone en contacto a madres desempleadas con gente que, a pesar de que quiere comer bien y llevar una alimentación sana y equilibrada, no lo hace por falta de tiempo o porque no sabe cocinar.
Mediante envíos periódicos de comida congelada, las *madres* abastecen de comida casera a sus *hijos adoptivos*.
En cuanto al precio, se establece un acuerdo económico entre ambas partes, aunque se recomienda que el precio medio por comida sea de 6 €.

Ahora hay más *madres adoptivas* que *hijos*, pero esto no os tiene que desanimar. A veces a los *hijos adoptivos* les cuesta un poquito animarse. Por eso os decimos que tenéis que participar más en el foro y enviar más mensajes animando a vuestros posibles *hijos adoptivos*.
Ahora que nombramos el foro, no olvidéis dejar bien claro en el apartado "Asunto" que os ofrecéis como *madres adoptivas* para que no se os confunda con los *hijos adoptivos*. También incluid la ciudad y el barrio donde vivís.

Madresadoptivas.com es una idea que tuvimos un grupo de mujeres con el "síndrome del nido vacío" que un día pensamos que queríamos cambiar nuestras vidas y ganar algo de dinero por lo que llevábamos haciendo toda la vida, que es cocinar para los demás. Así que decidimos unirnos y ayudar a tantos jóvenes que no tienen ni tiempo ni ganas de cocinar, que se gastan un montón de dinero en comida y encima están mal alimentados.

Con muchos años de experiencia, las *madres adoptivas* son unas profesionales de la cocina y la economía doméstica. Por ello, son las más indicadas para aconsejar sobre la dieta que se adapta mejor a las necesidades según el presupuesto del que disponen los *hijos adoptivos*.
Desde el punto de vista económico y nutricional, los *hijos adoptivos* saldrán ganando, porque las *madres a distancia* siempre velarán por la alimentación y el bolsillo de sus *hijos*.

Zona de Internet

b. Relaciona cada texto con la sección de la página web correspondiente. Después, compara los resultados con tu compañero.

c. **Vuelve a leer los textos. ¿Ves alguna diferencia en la forma en la que están redactados? ¿En qué secciones de la página encontramos un tono más formal y en cuáles un tono más informal? Coméntalo con tu compañero y señalad las diferencias.**

● *A mí me parece que unos están escritos en un tono más informal, ¿no?*

▲ *Sí, porque fíjate, en este texto utilizan expresiones más parecidas al lenguaje oral.*

d. **El *webmaster* quiere hacer homogéneo el tono de la página. Ayudadle a ajustar todos los textos a un tono formal. Después, comparad lo que habéis escrito con el resto de la clase.**

Marcadores del discurso

Referirse a algo	**Ejemplificar**
En cuanto a...	Por ejemplo,...
Con respecto a...	En concreto,...
Hablar de las consecuencias	**Reformular**
Por (lo) tanto,...	Es decir,...
Por consiguiente,...	Esto es,...
Por ello,...	En otras palabras,...
Por esta razón...	

● *Mira, yo creo que en esta frase se podría sustituir* así que *por* por esta razón. *Si ponemos: Por esta razón decidimos unirnos...*

▲ *Sí, me parece bien. Además, aquí podemos cambiar esta frase y reformularla así...*

10. **¿Conoces alguna empresa parecida a Madresadoptivas.com? ¿A qué se dedica? Coméntalo con tus compañeros.**

● *En mi ciudad hay una empresa que se encarga de recoger a los animales domésticos: perros, gatos, etc., y llevarlos al veterinario, bañarlos...*

▲ *Pues yo el otro día en la calle vi una empresa que se encarga de preparar desayunos especiales a domicilio, se llamaba* Desayuno con diamantes.

11.a. **Estos son los logos de dos empresas. ¿A qué crees que se dedican? Coméntalo con tus compañeros.**

b. **En el programa de radio *La economía a tu alcance* varios emprendedores hablan de las empresas que crearon. Escucha un fragmento de un programa de radio y toma nota de los siguientes datos.**

	1	2	3
Nombre de la empresa			
Actividad profesional			

c. **Vuelve a escuchar el programa y, con tu compañero, haz una lista de los consejos que dan para crear una empresa. ¿Añadiríais algún consejo más?**

12.a. **Hay personas que convierten un sueño en su proyecto de vida. Lee este texto y contesta a estas preguntas:**

1. ¿Cuál es el sueño del protagonista?
2. ¿Qué dificultades está teniendo para verlo realizado?

Porque «el ser humano es imprevisible»

Un iluminado de cara risueña, carnes breves y un gorro que recuerda al comandante Cousteau. Un quijote que se ata los pantalones con una cuerda y que desde hace cuarenta años lucha contra la incomprensión y el asombro ajenos. Justo Gallego, ochenta años, trabaja desde hace una eternidad en un sueño improbable: construir una catedral en Mejorada del Campo (Madrid) con sus propias manos. Sin estudios, sin planos ni idea de arquitectura, y con materiales reciclados de la basura y escombros de construcción. Le gustaría que la administración le ayudara con alguna subvención, pero nunca ha recibido nada. Se está dejando la vida y parte del patrimonio familiar en un sueño que a Justo le habría gustado que se hiciera realidad hace mucho tiempo. Pero parapetado en una fe inquebrantable, sus ruegos parece que al fin han sido escuchados. El márquetin todopoderoso de la publicidad va a arrimar el hombro para tratar de materializar una utopía que comenzó en 1961.

Si antes eran familias de banqueros y mecenas los que sufragaban la construcción de los templos medievales, hoy es una marca de bebida isotónica la que se sirve de la imagen y de los románticos ideales de Justo para lanzar su nueva y exitosa campaña. A cambio, la empresa recauda fondos a través de una página web para que Justo prosiga con su labor de hormiguita, ladrillo a ladrillo.

Tras el *boom* mediático, solo resta por saber si Justo acabará su catedral. De momento, el aluvión de visitas supera el millar de personas los fines de semana. Ser una celebridad puede ayudar para culminar un sueño, o quizá el sueño sea el camino y no la meta.

Justo fue tomado por loco, ahora por genio y ejemplo de tenacidad y perseverancia. Si este tipo de iniciativas fuera tomado en serio y apoyado, la gente llevaría adelante sus proyectos, quizá no tan vastos como este, pero sí sus pequeños proyectos de la vida diaria, y no caería en el desánimo a causa de la críticas recibidas.

(adaptado de www.elmundo.es)

b. **¿Cómo se describe al protagonista de esta historia? Subraya todas las palabras que lo definen.**

c. **¿Conoces a alguien de tu entorno que haya dedicado su vida a un ideal o a cumplir un sueño? ¿Qué opinas de ellos? Coméntalo con tus compañeros.**

● *Yo tengo un primo que lo dejó todo por cumplir su sueño: hacer un viaje por todo el mundo en bicicleta.*

▲ *¿Sí? A mí la gente que hace esas cosas me parece tan valiente y admirable.*

Hablar de deseos

Referidos al presente o al futuro
Me gustaría/encantaría + infinitivo
Me gustaría/encantaría que + presente de subjuntivo
Me gustaría/encantaría que + imperfecto de subjuntivo

Referidos al pasado
Me habría gustado/encantado + infinitivo
Me habría gustado/encantado que + imperfecto de subjuntivo

A mí, me habría encantado hacer la carrera fuera de mi país.

13.a. **Piensa en tu vida personal, en tus estudios, en tu vida laboral... ¿Qué sueños te gustaría realizar o te habría gustado realizar? Escríbelos en un papel.**

b. **En grupos, mezclad vuestros papeles, coged uno e intentad adivinar a quién pertenece.**

14.a. **¿Tienes alguna de estas aficiones? ¿Crees que se te da bien hacer alguna de estas cosas? Señálalo.**

TAREA FINAL

mecánica	jardinería	música	bricolaje	carpintería	cocina
decoración	deportes	fotografía	pintura	canto	...

b. **Busca a compañeros que compartan alguna de tus aficiones o habilidades, o que tengan alguna que se complemente con lo que tú habías pensado.**

● *Mira, a mí me encanta cocinar y creo que tú has trabajado en restaurantes como camarero y sabes mucho de vinos.*

▲ *Sí, la verdad es que es un mundo que me gusta mucho.*

c. **Teniendo en cuenta la información anterior, pensad en el tipo de empresa que podríais crear juntos. ¿Qué servicios podríais ofrecer? ¿A qué público iría dirigida? Intentad ser originales.**

● *Pues podíamos montar una empresa de* catering *y organizar fiestas.*

▲ *Sí, pero yo creo que deberíamos ir más allá y ocuparnos no solo de la comida, sino también de todo lo relacionado con una fiesta: la música, la decoración, las flores...*

d. **Pensad en un nombre para la empresa y diseñad la página principal de vuestra web. Seguid estos pasos:**

- *Pensad en las secciones que incluiríais (señaladlas y desarrollad alguna de ellas).*
- *Presentadla a vuestros compañeros y contestad a las preguntas que os formulen.*

LENGUA Y COMUNICACIÓN

HABLAR DE DESEOS

REFERIDOS AL PRESENTE O AL FUTURO

Me gustaría/encantaría + infinitivo
Me gustaría/encantaría que + presente de subjuntivo
Me gustaría/encantaría que + imperfecto de subjuntivo

REFERIDOS AL PASADO

Me habría gustado/encantado + infinitivo
Me habría gustado/encantado que + imperfecto de subjuntivo

- *A mí, me habría encantado hacer la carrera fuera de mi país.*

CONDICIONAL COMPUESTO

(yo)	habría	
(tú)	habrías	
(él, ella, usted)	habría	participio
(nosotros/as)	habríamos	
(vosotros/as)	habríais	
(ellos/as, ustedes)	habrían	

MARCADORES DEL DISCURSO

Referirse a algo
En cuanto a...
Con respecto a...

Hablar de las consecuencias de algo
Por (lo) tanto,...
Por consiguiente,...
Por ello,...
Por esta razón...

Ejemplificar
Por ejemplo,...
En concreto,...

Reformular
Es decir,...
Esto es,...
En otras palabras,...

- *En cuanto al precio, se establece un acuerdo económico entre ambas partes.*

15. **Lee esta lista en la que se recogen medidas para conciliar la vida familiar y laboral. ¿En tu país existen iniciativas parecidas? Háblalo con tus compañeros.**

Medidas para conciliar vida familiar y laboral

- reducción de jornada por cuidado de hijos menores o familiares
- jornada laboral intensiva
- horarios flexibles
- ampliación del permiso de lactancia hasta los tres años
- excedencias con reserva de puesto por cuidado de hijos o familiares
- permisos por maternidad/paternidad compartidos entre el padre y la madre
- guardería en el lugar de trabajo
- posibilidad de realizar el trabajo desde el domicilio a través del uso de las nuevas tecnologías
- posibilidad de remunerar las horas extra en días de vacaciones
- jornada laboral de 35 horas semanales

● *En mi país, algunas empresas tienen sus propias guarderías, pero todavía son pocas.*

▲ *A mí lo que más me llama la atención es que el padre pueda disfrutar del permiso de maternidad.*

16.a. **Lee las siguientes afirmaciones y valóralas del 1 al 5, según la presencia que crees que tienen en tu país, y anota los resultados en la primera columna de esta tabla. Después, haz una puesta en común con tus compañeros.**

	En tu país	En España
En mi país existen políticas para conciliar la vida familiar y laboral.		
Los trabajadores hacen horas extra que se pagan o que se pueden cambiar por tiempo libre o días de vacaciones.		
Hay muchos cargos directivos ocupados por mujeres.		
Las mujeres están incorporadas al mercado laboral en las mismas condiciones que los hombres.		
Los hombres realizan los trabajos domésticos y se ocupan de las cargas familiares al mismo nivel que las mujeres.		
Hay poca estabilidad laboral, porque se hacen más contratos temporales que indefinidos.		
Se han producido cambios en la familia por razones laborales.		

b. **Lee los siguientes textos extraídos de varios reportajes de prensa y utiliza esas informaciones para valorar la situación del mercado laboral en España. Después, recoge esa valoración (del 1 al 5) en la segunda columna de la tabla anterior.**

Las empresas ignoran las políticas que concilian trabajo y vida privada

Disfrutar de la familia y trabajar al mismo tiempo es un proyecto complicado. En Cataluña, solo cinco de cada cien empresas privadas impulsan o prevén instaurar políticas que concilien la vida laboral con la personal.

El trabajador temporal

La falta de estabilidad laboral abunda en los menores de 30 años y cada vez más en el sector público

Gobierno, patronal y sindicatos tienen por delante el reto de pactar una reforma laboral que mitigue uno de los principales males del mercado de trabajo: la excesiva temporalidad. Un tercio de los ocupados trabaja de esa forma, una situación que afecta de forma mayoritaria a los jóvenes. Algunas actividades, como la construcción y el comercio, la sufren de forma más acentuada.

Mujeres en la cresta de la ola

Pese a que las mujeres han ido incrementando su participación en todos los ámbitos laborales, su presencia en puestos de máxima responsabilidad no supera el 3%, según datos de la International Labour Organization.
(...) En contraposición a lo que ocurre con las mujeres en empleos no cualificados, las que tienen cargos de alta responsabilidad apenas perciben discriminación, ni de género ni retributiva, de manera que la percepción de la necesidad de medidas de conciliación o discriminación positiva es también muy baja.

Un abismo salarial entre hombres y mujeres

Las mujeres cobran sueldos un 15% inferiores a los de los hombres, según los recientes estudios elaborados. La discriminación salarial por razón de sexo apenas ha disminuido dos puntos en los últimos diez años. Según la Comisión Europea, el reto está en conseguir una organización laboral más adaptada a las necesidades femeninas.

Con uno basta

Las familias se decantan por el hijo único por razones laborales y socioeconómicas

Las familias españolas, antaño numerosas y hasta premiadas en concursos de natalidad, se decantan hacia el hijo único: desde 1995, más de la mitad de los recién nacidos son primogénitos. La dificultad para conciliar trabajo y familia y las razones socioeconómicas alientan el fenómeno, al que también contribuye la creciente formación y empleo femeninos, según los expertos.

Pagas extra, ¿sí o no?

Purificación Macías trabaja 40 horas como administrativa en una fábrica: «En muchos trabajos las horas extraordinarias se utilizan como si correspondiesen al horario habitual de los empleados. Lo ideal sería eliminarlas.»
Antonio Alarcos trabaja 37,5 horas a la semana como informático en una empresa: «En mi empresa, si te vas a tu hora te miran mal. Es muy raro que nos paguen las horas extra.»

Solo las mujeres cocinan y hacen la colada en más del 75% de los hogares

Una encuesta realizada por el CIS revela la fuerte brecha entre la teoría y la realidad cuando se aborda el reparto por sexos de las tareas domésticas y de cuidados a la familia. Los ciudadanos se inclinan por la igualdad, al menos en teoría. Así, el 92,5% de los ciudadanos está muy o bastante de acuerdo en que hombres y mujeres deberían contribuir a esas labores. Sin embargo, cuando se pregunta quién realiza esos cometidos, los varones solo destacan en las reparaciones domésticas: son cosa exclusivamente suya en el 67% de las parejas.

(adaptado de www.elpais.es y de www.elmundo.es)

c. Compara los resultados de las dos columnas de la tabla del apartado a. ¿Son muy diferentes? ¿Por qué crees que son similares o diferentes? Coméntalo con tus compañeros.

● *En mi caso los resultados son, en general, parecidos. Aunque hay algunas diferencias; por ejemplo, en mi país hace unos años muchas familias también tenían solo un hijo, pero ahora ha cambiado y es normal que una pareja tenga dos o tres hijos.*

▲ *¿Sí? ¿Y por qué crees que ha cambiado?*

● *Posiblemente una de las razones sea que el gobierno da muchas ayudas a las familias.*

A

MÓDULO

REPASO 1

MI PORTFOLIO DE ESPAÑOL

1. Reflexiona sobre tu experiencia en el aprendizaje de lenguas. ¿Con qué lenguas estás o has estado en contacto? Recoge esta información para incluirla en el "Pasaporte" de tu Portfolio. Después, coméntalo con tu compañero.

	Lengua	Lugar	Duración	Actividad	Valoración
En el colegio, en la universidad, haciendo cursos...					
En viajes de trabajo, en vacaciones, por contactos personales...					

- ● *Yo estudié en francés e inglés de 1999 a 2005 en el colegio Québec. Estudiaba unas asignaturas en francés y otras en inglés. Fue una buena experiencia.*
- ▲ *Pues yo trabajo desde hace dos años para una empresa suiza y tengo que escribir a diario correos electrónicos en francés y alemán. Me encanta tener la oportunidad de practicar esas dos lenguas.*

2.a. ¿Qué sentimientos experimentas al aprender una lengua? Piensa en tus experiencias pasadas y actuales y recógelo en la tabla.

Gustar	No soportar	Sentirse satisfecho	Dar vergüenza	Enfadarse	Sentirse incómodo
Ponerse nervioso	Divertirse	Molestar	Preocupar	Aburrirse	Encantar

Antes	Ahora	Sentimiento	Situación
X		No soportaba	que el profesor me corrigiera todos los errores. Lo pasaba fatal.
	X	Me gusta	que me corrijan, porque sé que es bueno para mejorar.
	X	Me preocupa	mi pronunciación, que la gente no me entienda.
	X	Me encanta	venir a clase, porque noto mis progresos.

b. Comenta tus anotaciones con tus compañeros. ¿Qué sentimientos han predominado? ¿Ha evolucionado algún sentimiento de negativo a positivo? ¿Cuál crees que ha sido el motivo?

c. **Escribe ahora acerca de alguna situación agradable vivida en tu experiencia como aprendiente de lenguas. Puedes incluirlo en la sección "Biografía" de tu Portfolio.**

Una de las satisfacciones más grandes que he tenido como estudiante de español fue en un viaje que organizó mi empresa a México. Tuve que hacer de intérprete para mi jefe y fue realmente gratificante, ya que quedó muy satisfecho con mi colaboración. Aquello supuso todo un logro para mí. A partir de entonces tengo una actitud mucho más positiva cuando aprendo una lengua, me siento más segura y he perdido el miedo a algunas situaciones.

d. **Muchas veces nos encontramos ante situaciones que nos producen los siguientes sentimientos. Piensa en el momento actual y completa las frases. Después, coméntalo con tus compañeros.**

Siento cierta tensión cuando...
Me agobio si...
Me pongo muy nervioso si tengo que...
Me siento muy inseguro cuando...
Paso mucha vergüenza cuando...

● *Yo siento cierta tensión cuando tengo que hacer presentaciones orales. Es porque no me siento seguro con mi pronunciación.*

▲ *Pues yo paso mucha vergüenza si...*

e. **Para superar las situaciones difíciles, cada uno desarrolla sus propias estrategias. Anota cuáles utilizarías en los siguientes casos.**

No comprendes todo cuando intentas leer libros de autores hispanos que te interesan.

Tienes que hacer en clase una exposición sobre un tema abstracto y te desespera no conseguir expresarte como a ti te gustaría.

Tienes que escribir los informes de la empresa en un tono adecuado y no siempre estás seguro de hacerlo bien.

Cuando ves una película en español te molesta no entenderlo todo.

Tienes problemas para entender las bromas en una conversación con nativos.

Te resulta muy difícil aprender nuevas palabras y expresiones que te permitan expresarte con más precisión.

f. **Compara tus respuestas con tu compañero. ¿Cuántas ideas habéis encontrado para resolver esas situaciones?**

3.a. ¿Recuerdas algunas de las cosas que hemos hecho en estas cuatro unidades del módulo A? Relaciona cada una con el dibujo correspondiente.

- Exposición en grupo sobre noticias de actualidad (grabación en audio o vídeo)
- *Blog* personal a partir de una noticia que tiene repercusión en la actualidad
- Diario de aprendizaje para recoger las impresiones del primer día de clase
- Anécdota personal (real o inventada) relacionada con algún famoso (grabación en audio)
- Anecdotario de la clase
- Relato breve
- Cuaderno con los sitios favoritos de la clase
- Explicación de cosas que echas de menos cuando estás fuera de tu país (grabación en audio o vídeo)
- Página web de una empresa inventada

1

2

3

4

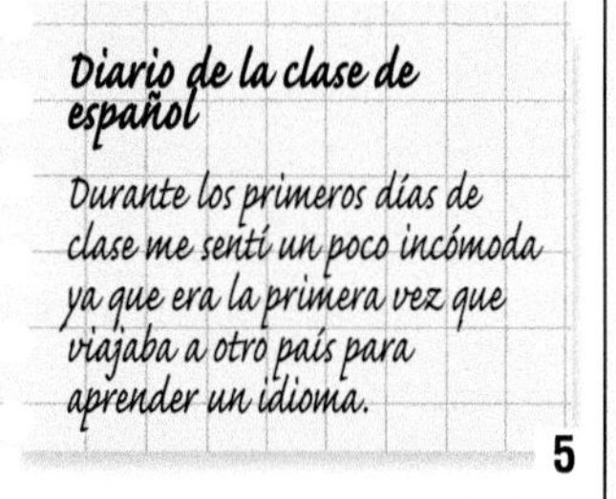

5

6

7

8

Una noche de
invierno, un viajero...

Aquel día, César
Antonio descubrió
que sus hijos eran
falsos.

9

b. De todos los trabajos realizados hasta ahora, ¿cuáles te gustaría incluir en la sección "Dossier" de tu Portfolio? ¿Por qué? Coméntalo con tus compañeros.

- *Yo voy a incluir el diario de la clase, porque recoge las impresiones que tuve durante los primeros días del curso.*

c. Elabora la lista de los trabajos que vas a incluir en el "Dossier" de tu Portfolio. Señala para cada uno el tipo de documento, la fecha de elaboración, el tipo de trabajo y el formato.

Tipo de formato

Escrito o gráfico

Audio o vídeo

Multimedia o para Internet

ML

MUNDO LATINO

Nº 1

Los viejos héroes nunca mueren

El viajero de *Mundo Latino* nos descubre los **paradores nacionales**

Conocemos a BEBE

Descubre las ventajas del banco del tiempo

BEBE, ROMPIENDO MOLDES

Ya se habla del «fenómeno Bebe». Esta cantante española conquistó con su primer disco, *Pafuera Telarañas*, cimas poco frecuentes para artistas debutantes, incluido un Grammy Latino con el que se dio a conocer entre el público latinoamericano. En Europa fue galardonada con el premio Rompedores de Fronteras, de la feria discográfica Midem de Cannes.

Bebe representa un nuevo estilo de artista: insumisa ante las imposiciones del negocio, inquieta y reivindicativa. Sus canciones sobre los derechos de la mujer han encontrado eco en millones de personas. ML les acerca a Bebe y les resumimos las claves de su arte y de su éxito.

Verónica Sánchez es Bebe, no porque quisiera un nombre artístico sencillo y resultón, sino porque así la han llamado desde pequeña en su casa y es el nombre con el que se siente más identificada. En sus composiciones nos encontramos con canciones rumberas llenas de actitud, con cierto sabor a copla o a flamenco pero también con toques electrónicos y hasta ritmos *hip hop*. Bebe se hace eco de la tendencia musical actual de mezclar estilos que no tienen nada en común. ¿Quizá tenga algo que ver con su carácter rebelde? Puede ser, pero el caso es que ella ha descubierto la diversión y el atractivo de estos "cócteles" estrambóticos. Y la disfrutamos todos.

El título de su disco, *Pafuera Telarañas*, es por sí solo significativo y revela algo del alma de Bebe. Es un grito, por un lado de protesta, de inconformismo con lo que molesta, y a la vez de ánimo, es una invitación a moverse, a actuar.

Con la canción *Malo*, Bebe se convirtió en un fenómeno social. Se han compuesto muchas canciones contra el maltrato, pero *Malo* no fue una canción más. Está cargada de dramatismo pero también de rebelión. La canción transmite un mensaje de esperanza y fuerza para todas las mujeres, especialmente para las víctimas de malos tratos. Según ha declarado la artista a www.revistamagazine.net, es consciente de que su canción ha provocado este efecto, y se alegra de ello y de haber logrado comunicarse con el público. En cambio, reconoce que preferiría no tener la presión y responsabilidad que implica ese papel.

Está muy claro que Bebe no es una cantante al uso. Sus letras, sus melodías y su manera de interpretar sus propias canciones hacen de ella una artista diferente que ha abierto una nueva manera de comunicarse con el público.

Malo (estribillo)

Una vez más no, por favor,
que estoy cansa' y no puedo con el corazón.
Una vez más no, mi amor, por favor,
no grites, que los niños duermen.
Voy a volverme como el fuego,
voy a quemar tu puño de acero,
y del morao de mis mejillas
sacar valor pa' cobrarme las heridas.
Malo, malo, malo eres, no se daña a quien se quiere, no.
Tonto, tonto, tonto eres, no te pienses mejor que las mujeres.

- ✔ ¿Conoces a algún cantante de habla hispana? ¿Cómo describirías su música, su estilo? ¿Y conoces a la cantante Bebe?
- ✔ ¿Qué sentimientos te inspira la letra del estribillo de Malo?
- ✔ ¿Te gustan las canciones que tienen letras de contenido social? ¿Por qué? ¿Crees que ese tipo de canciones logra su objetivo?
- ✔ ¿Recuerdas alguna canción pop que haya tenido un gran impacto social, que se haya convertido en una especie de himno o símbolo para algún colectivo o movimiento social? ¿Por qué crees que ha sido así?

Marta, informática. Cliente del banco del tiempo

¿Cuánto le cuesta a Marta llevar a los niños al colegio?
Media hora de Ismael

¿Cuánto le cuesta a Ismael hacer las declaraciones de la renta?
Dos horas de Lola

¿Cuánto le cuesta a Lola hacer la compra?
Una hora de Alicia

¿Cuánto le cuesta a Alicia arreglar su ordenador?
Una hora y media de Marta

Ismael, autónomo. Cliente del banco del tiempo

Lola, contable jubilada. Clienta del banco del tiempo

No pierdas tiempo, ¡inviértelo!

0% dinero
0% gastos
100% comunidad
100% igualdad

¿Qué banco puede competir con estas condiciones?

BANCO DEL TIEMPO

Tenemos tiempo para dar y tomar

Llama a tu ayuntamiento y encuentra tu banco del tiempo más cercano

Abre tu cuenta y olvídate de las facturas.

Así de sencillo:

- El valor en todos los servicios se mide en tiempo: una hora de asesoría fiscal vale igual que una hora de cuidado de ancianos.
- En tu cuenta tienes un crédito de tiempo, que suma o resta en función de los servicios que ofreces y que recibes.

Alicia, estudiante. Clienta del banco del tiempo

Es un mensaje de las Concejalías de Voluntariado de la Federación Nacional de Municipios

- ¿Cómo crees que funciona un banco del tiempo? ¿Quiénes crees que forman los bancos del tiempo?
- ¿Conoces algún banco del tiempo? ¿Has participado en alguno o conoces a alguien que lo haya hecho?
- Para ti, ¿qué es lo más interesante de este sistema de intercambio?
- ¿Qué servicio o producto podrías ofrecer tú en un banco del tiempo? ¿Y cuál necesitarías y solicitarías?
- ¿Sabes si existen o han existido iniciativas similares en tu país? ¿Crees que podrían tener éxito?

Los **viejos héroes** nunca mueren

No hay más que echar un vistazo a las listas de éxitos de ventas de libros y películas para darnos cuenta de que, en la actualidad, las "historias de héroes" cosechan una gran popularidad entre lectores y espectadores. Encontramos héroes que pertenecían al mundo del cómic y que ahora pasan al cine, héroes de novela que pasan al cómic, héroes del cómic que pasan a la novela, héroes de novela que pasan al cine, y, cómo no, héroes del cómic, la novela y el cine que pasan a los videojuegos. Los héroes, definitivamente, han vuelto para quedarse. En el contexto cultural hispano, el Zorro, el capitán Alatriste y don Quijote viven un gran momento de popularidad. Los tres están acaparando, por distintas razones, el interés del público, y la atención de las industrias editorial y cinematográfica.

El Zorro

Héroe de humildes y enemigo feroz de la injusticia. La espada y el látigo son sus mejores armas y una enorme "Z" marcada sobre sus adversarios es su tarjeta de visita. Tras la máscara del Zorro se ocultaba la cara de don Diego de la Vega, un aristócrata que vivía en California y que se negó a someterse a la reconquista española del territorio. En 1918 Johnston McCully narró su historia y en este relato se han basado numerosas adaptaciones cinematográficas, hasta llegar a las recientes versiones de *La máscara del Zorro*. También llegó a ser un cómic de enorme éxito internacional y su leyenda ha pasado a la literatura actual de la mano de la escritora chilena Isabel Allende y su novela *El Zorro*. Comienza la leyenda.

El capitán Alatriste

Fue un soldado del ejército español que luchó en múltiples batallas y que acabó convertido en un espadachín a sueldo. El periodista y escritor español Arturo Pérez-Reverte rescató a este personaje de los libros de historia y desde 1996 nos hace disfrutar con varias novelas que narran las aventuras de este héroe flemático y orgulloso, de pulso firme y alma noble, en el Madrid del siglo XVII. En 2002 vio la luz el cómic infantil *El capitán Alatriste* y en 2006 se estrenó la película *Alatriste*, con Viggo Mortensen como protagonista.

Don Quijote

El caso del caballero don Quijote es algo distinto. Este personaje del genial Miguel de Cervantes es completamente ficticio y, si bien es cierto que ha sido calificado como el perfecto antihéroe por sus escasas habilidades y su dudoso talento como caballero andante, la historia de sus valerosas aventuras y su fama como defensor de las causas nobles y protector de los débiles ha traspasado todas las fronteras. En 2005 se celebró el cuarto centenario de la publicación de *El ingenioso hidalgo don Quijote de la Mancha*, paradigma de la novela moderna, que ha sido traducida a multitud de lenguas y que ha sido llevada a las artes plásticas, la danza, el cómic, el cine, el teatro... surgiendo, cada año, nuevas versiones y adaptaciones.

¿Has leído o visto recientemente alguna historia con un héroe o una heroína como protagonista? ¿Cuál?
¿Conocías ya la historia del Zorro, Alatriste o don Quijote?
¿Seguías las historias de algún héroe o heroína cuando eras más joven? ¿Por qué te gustaba?
¿Cuáles crees que son las características principales de un héroe?
¿Crees que hay héroes en la vida real? Describe alguno.

El viaje seleccionado esta semana es...

PARADORES una escapada especial

Parador de Gredos

Parador de Cáceres

Parador de Jarandilla

Quería hacer una escapada especial a España y solo tenía cuatro días. Hablé con una amiga y su respuesta fue rápida y concisa: «Si quieres vivir una experiencia diferente, no puedes perderte los paradores nacionales». Dos segundos en Google y tenía ante mí un mapa de España salpicado de edificios. ¿Serán monumentos de interés turístico? Pues sí y no; seguí navegando y descubrí que se trata de una singular cadena hotelera, una red de establecimientos e instalaciones turísticas gestionados por el estado español, en los que el visitante puede disfrutar de edificios con siglos de historia o de un entorno natural privilegiado. Descubrí que la idea nació de la mano del rey Alfonso XIII, que impulsó el proyecto e inauguró el primer parador en 1928. Desde entonces, decenas de castillos, conventos, palacios y otras joyas de la arquitectura española han ido convirtiéndose en cómodos hospedajes para los viajeros que, como yo, buscan lugares con carácter y sabor tradicional.

Ya solo quedaba elegir el destino. ¡Difícil tarea! ¿Cómo elegir entre tanta diversidad de rutas de interés histórico, cultural, gastronómico o natural? Al final opté por tres paradores que no estaban muy distantes entre sí: el parador de Gredos, el de Jarandilla y el de Cáceres.

Empecé por el parador de Gredos. Es un edificio sobrio y elegante, de gruesos muros de piedra, emplazado en el Alto del Risquillo, un lugar desde el que se disfrutan unas vistas espectaculares de la sierra de Gredos. El entorno es verdaderamente impresionante; no me sorprende que Alfonso XIII lo eligiera para estrenar su idea e inaugurar el primer parador. Y lo bueno es que en el mismo parador organizan paseos y excursiones por los alrededores. El primer día me aventuré a hacer un bonito recorrido por la sierra y volví al atardecer agotado.

Mi segunda visita fue al parador de Jarandilla, un precioso castillo situado en el vergel de la Vera. Estoy acostumbrado a hacer visitas turísticas a edificios históricos, por eso fue una sensación muy curiosa entrar en este y que me indicaran cuál era mi habitación. Y más curioso aún fue descubrir que en esa estancia había residido durante meses un ilustre huésped, nada menos que el emperador Carlos V. Otro rey que sabía elegir, porque el lugar no puede ser más tranquilo y acogedor. En su restaurante me esperaba otra sorpresa más, una deliciosa muestra de la gastronomía regional. Deseoso de probar lo más tradicional y diferente, me dejé seducir por las modestas migas extremeñas. ¿Cómo se puede hacer que un plato a base de pan sea tan sabroso? Comí y dormí como un rey. ¡Nunca mejor dicho!

El último parador en el que estuve fue el antiguo Palacio de Torreorgaz. Levantado sobre cimientos árabes, el parador es una construcción del siglo XIV en pleno corazón de la «ciudad vieja» de Cáceres. Lo que más me impactó de esta visita fue que la ciudad de Cáceres es un auténtico museo en sí misma. Paseas por sus calles medievales tan bien conservadas que uno casi espera encontrarse con un trovador, con un caballero o con los mismísimos Romeo y Julieta. El estilo y el ambiente del parador completaron esta experiencia de viajero del tiempo.

¡Qué razón tenía mi amiga! Me alegra saber que aún tengo más de 80 paradores por visitar. Tendré que hacer escapadas más frecuentes.

Roberto Wilkinson

- ¿Cómo organizas tus viajes o escapadas? ¿Recurres a las guías turísticas, a las agencias de viajes, a tus amigos?
- ¿Cuál de los tres paradores de los que habla Roberto Wilkinson te gustaría visitar? ¿Por qué?
- ¿Conoces algún lugar en tu país que podría formar parte de una red de paradores? ¿Cómo es? ¿Dónde está? ¿Qué se puede hacer allí?
- ¿En cuál o en cuáles de los lugares que han descrito tus compañeros te gustaría pasar unos días? ¿Por qué?

B
MÓDULO

UNIDAD 5

En esta unidad te proponemos:

AQUÍ NO HAY QUIEN VIVA

Discutir y aprobar un documento en el que se recojan las normas de la clase

Recoger en un tablón de la clase quejas referidas a diferentes problemas y seleccionar la más urgente para hacer una reclamación

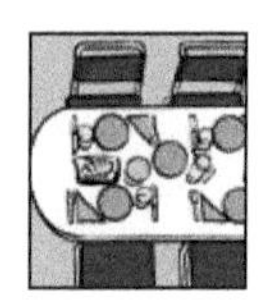

Reflexionar sobre sentimientos y sensaciones asociadas a las mudanzas y a los cambios en general

1. **En parejas, escribid en tres minutos el nombre del mayor número posible de objetos, aparatos y muebles del siguiente dibujo.**

2.a. **Escucha varias conversaciones en las que hablan de objetos que se han averiado. ¿Qué ha ocurrido? ¿Puedes imaginar de qué objetos se trata?**

el microondas | la calefacción | el aire acondicionado | el lavabo | el lavaplatos
el váter | el fregadero | el despertador | el secador | la lavadora

	¿Qué ha ocurrido?	Objeto
1		
2		
3		
4		
5		

b. **Formad grupos pequeños. Imaginad que vivís juntos y que se han estropeado todos los objetos de la tabla anterior. ¿Cuáles arreglaríais primero?**

● *Yo lo último que arreglaría sería el microondas, porque no lo utilizo casi nada.*

▲ *¿No? Yo cocino casi todo en el microondas, me parece utilísimo.*

3.a. **En los títulos de los párrafos de este artículo se recogen las causas principales de conflictos entre vecinos. Relaciona cada epígrafe con el dibujo correspondiente.**

CONFLICTOS VECINALES: LA DISPUTA CONSTANTE

1. Los ruidos, el conflicto más habitual
Desde quien pasa la aspiradora a las ocho de la mañana a quien pone música a todo volumen a la una de la madrugada o a quien tiene un perro que no para de ladrar, el ruido es el origen más típico de tensiones entre vecinos.

2. La basura, fuente de olores y disputas
No respetar los horarios para sacar las basuras o dejar tiradas las bolsas en cualquier sitio es otro clásico en las reuniones de las comunidades de vecinos.

3. La calefacción, un tema caliente
Las comunidades que comparten un sistema de calefacción central discuten sobre las fechas de encendido y apagado, y los frioleros siempre salen perdiendo.

4. Las obras, el peor enemigo de la convivencia
Tal vez el mayor foco de conflictos lo generen las obras que se realizan en las viviendas por el ruido y la suciedad que pueden afectar a casas colindantes y a zonas comunes.

5. La cuota de la comunidad
Aunque todos los propietarios están obligados a pagar la cuota de la comunidad, hay muchos morosos, y los procesos judiciales contra ellos son largos y costosos.

6. El uso de las zonas comunes
Las zonas que son "de todos", como el portal, el garaje, las azoteas o los jardines y piscinas, generan conflictos constantes: unos se quejan de que se encuentren excrementos de perro que no han sido recogidos; a otros les molesta que se pisen las plantas del jardín; otros están hartos de que se tiren cosas o se sacudan alfombras en el patio común; y otros no quieren que se dejen bicicletas u otros objetos personales en el portal.

(adaptado de *Qué!*)

b. **Comenta con tus compañeros por qué estos temas pueden causar conflictos. Después, leed todo el artículo para ver si habéis acertado.**

- *Yo me imagino que el conflicto con las zonas comunes es a causa de la suciedad.*
- *Sí, y también porque hay gente que no las cuida.*

c. **Haz una lista con los problemas vecinales que más te molestan. Luego, en pequeños grupos, comentad por qué os molestan u os han molestado esos asuntos y si en vuestros respectivos países tenéis esos mismos conflictos entre vecinos o son distintos.**

4.a. Lee las descripciones de estos tipos de vecino. ¿Has tenido alguna vez uno así? ¿Crees que hay otros distintos? Comentadlo en pequeños grupos.

- *Yo tengo un vecino que es a la vez cotilla y "señor No". Como no tiene nada que hacer, se pasa el día quejándose y cotilleando de todo el mundo.*

El oloroso. Cocina siempre comidas que dejan un olor tan intenso en la escalera que la gente se marea.

El moroso. Las cuotas de la comunidad no son de su agrado. Trata de saltárselas siempre que puede.

El "señor NO". No hay día en el que esté de acuerdo con el resto de la comunidad. Y le molesta todo.

El misterioso. Se sabe que vive en el edificio, pero nadie sabe quién es, de dónde viene ni en qué trabaja.

El cotilla. Hablar de las intimidades de los demás es su afición preferida. Y sus vecinos tienen suerte si no se inventa historias sobre ellos.

El enterado. Lo sabe todo y no duda en hacer gala de sus conocimientos.

(adaptado de *Qué!*)

b. Jesús y Matilde están esperando a sus vecinos para hacer una reunión. Escúchalos y escribe a cuál de los tipos de vecino corresponde cada uno.

c. Estos son algunos de los comentarios que hicieron los vecinos al presidente antes de reunirse. Escucha y señala qué puntos se trataron en la reunión y en qué orden.

① Tenemos que hablar de lo de los ruidos.

② No te olvides de lo de las basuras.

③ Oye, y del asunto de las obras, ¿vamos a hablar?

④ Lo de las cuotas de la comunidad habrá que hablarlo, ¿no?

d. Esta es el acta de la reunión, con algunos errores. Vuelve a escuchar la grabación y corrígela.

Reunión de vecinos de Fernando el Católico, 23. Jueves, 30 de junio, 20.00 h.

Asistentes: don Rafael Ortega, don Iñaki Gabarrón, don Jesús Romero y doña Maite Ferrandis, que representa por poderes al señor Revilla, y doña Matilde Peña.

1. Doña Maite y don Rafael se quejaron de los ruidos y pidieron que don Iñaki bajara el volumen de la televisión. Se le sugirió que leyera más en lugar de ver tanto la tele.
2. El presidente, por consejo del administrador, sugirió que se adelantaran las obras del portal. Se decidió empezarlas inmediatamente.
3. Doña Matilde se quejó del olor de la basura y pidió que se adelantaran los horarios establecidos para sacarla. Se decidió que, a partir de ahora, habrá que sacar la basura a partir de las siete.
4. El presidente, en nombre de toda la comunidad, exigió a Iñaki que dejara de aparcar en las plazas de garaje de sus vecinos y usara solo la suya.

5.a. Estos compañeros de piso han establecido unas normas de convivencia. Subraya las excepciones o condiciones a las reglas que han pactado.

NORMAS DE CONVIVENCIA

1. Cada día de la semana una persona pondrá la mesa, a no ser que llegue tarde a comer. En ese caso, tendrá que avisar y se le cambiará el turno con la persona del día siguiente.

2. Para que no haya discusiones, cada domingo una persona distinta hará la comida. El cocinero podrá elegir el menú, a condición de que nos guste a todos.

3. Se verá el programa de televisión que quiera la mayoría. En caso de empate, cada vez decidirá una persona.

4. Se podrá escuchar música hasta las doce, a menos que alguien tenga que estudiar o esté enfermo.

5. Está prohibido fumar en toda la casa, excepto cuando haya invitados que quieran fumar.

6. Dado que el teléfono siempre está ocupado, el límite de tiempo será de veinte minutos por llamada y una hora al día, salvo que se trate de un asunto realmente importante.

b. ¿Se sigue o se seguía alguna de esas reglas en las casas donde has vivido? ¿Tenéis o teníais otras? ¿Cuáles? Coméntalo con tus compañeros.

- *En mi casa cada noche una persona distinta decide qué programa se ve.*

c. Formad pequeños grupos. Imaginad que compartís piso y estableced cinco normas para hacer la convivencia agradable. Pensad también en condiciones o restricciones para esas normas.

1. Cada semana una persona pasará la aspiradora por toda la casa, a menos que alguien haga una fiesta. En ese caso, el organizador la pasará de nuevo.

d. Comparad vuestras normas con las de otro grupo. ¿Os gustaría vivir en su piso?

TAREA FINAL

6.a. **Haz una lista con los hábitos de la clase que te gustan y otra con los que no te gustan.**

b. **A partir de la lista anterior, escribe tres normas que te gustaría establecer para la clase.**

● *Solo se podrá hablar en español, a menos que sea para preguntar por alguna palabra que no se sabe decir.*

c. **En pequeños grupos, buscad tres normas en las que coincidís más o menos y redactadlas de forma que todos estéis de acuerdo.**

● *Vale, me parece bien lo de hablar en español, pero podemos añadir también "salvo en casos excepcionales".*

▲ *De acuerdo, ponemos "excepto cuando el profesor lo permita", ¿te parece bien?*

d. **Entre toda la clase, aprobad cinco normas con las que todos estéis de acuerdo. A continuación, colgadlas en la pared y aseguraos de que se cumplen de ahora en adelante.**

Lengua y comunicación

PONER CONDICIONES Y RESTRICCIONES

Siempre que / Siempre y cuando / A condición de que / A menos que / A no ser que / Salvo que/cuando / Excepto que/cuando + subjuntivo

- *Se podrá escuchar música hasta las doce, a menos que alguien tenga que estudiar.*

HACER REFERENCIA A ALGO CONOCIDO

Lo de + sustantivo / infinitivo

- *Segundo tema, **lo de** las basuras.*

El tema/asunto de.../La cuestión de + sustantivo / infinitivo

- *Hay que hablar **del asunto del** ruido.*

INFLUIR EN OTROS PARA QUE HAGAN ALGO

Pedir / Aconsejar / Exigir / Proponer / Recomendar / Rogar / Sugerir / Suplicar + que + subjuntivo

- *Yo **propongo que aplacemos** las obras hasta el mes que viene.*
- *El presidente **sugirió que se adelantara** el inicio de las obras del portal.*

VOCABULARIO RELACIONADO CON LA VIDA EN UN EDIFICIO

un/a moroso/a
un animal de compañía
las zonas comunes/ajardinadas
la calefacción (central o independiente)
las cuotas/los recibos de la comunidad
las reuniones de la comunidad
el/la presidente/a de la comunidad
el acta de la reunión
las obras
el portal
el buzón
un/a cotilla
la basura
el patio
el ascensor

EXPRESAR NORMAS

Para expresar normas se puede utilizar el futuro simple.

- *Todos los miembros de la familia **dejarán** la bañera limpia después de ducharse.*

7.a. **En el departamento de atención telefónica de Softluciona han recogido estas incidencias de sus clientes. Escucha estas dos grabaciones y relaciónalas con el expediente al que corresponden.**

Expediente 00985/7: 30.10.07 (12.44 h.)

Rosario Cáceres llama indignada para hacer una reclamación. Dice que la impresora que acaba de comprar no funciona. El técnico, tras averiguar el problema, decide enviarle a un instalador. Ella pregunta si la visita del instalador es gratuita y, al conocer que no lo es, decide poner una reclamación.

Expediente 009975/3: 29.10.07 (22.10 h.)

Alberto Fuentes llama para hacer una consulta y solicitar información sobre la garantía de su portátil, que se le ha roto. Al enterarse de que la garantía no cubre la reparación, exige que le atienda el responsable del departamento, porque señala que es un antiguo cliente de la compañía y en un caso como el suyo deberían hacer una excepción.

Expediente 00879/6: 28.10.07 (23.05 h.)

Una mujer que no se identifica llama a nuestro servicio y le cuenta al técnico que la atiende que el ratón de su ordenador tiene un defecto de fabricación. Dice que no se puede usar porque no tiene botón para hacer "clic". El técnico, tras un buen rato de indagaciones, intuye el problema y le sugiere que le dé la vuelta al ratón. Luego, inmediatamente, se corta la llamada.

Transmitir informaciones

Dice/ha dicho que la impresora no funciona bien.

Transmitir preguntas

La señora le ha preguntado si la visita del técnico la tiene que pagar.

El cliente nos pregunta (que) cuánto cuesta la reparación.

Transmitir peticiones

El cliente solicita/ha solicitado que le atienda un responsable del departamento.

b. **Escucha la siguiente grabación de la empresa *Softluciona* y señala qué problema tiene o qué consulta quiere hacer la persona que llama.**

- ❏ artículo defectuoso
- ❏ problemas con la conexión a Internet
- ❏ consulta sobre el correcto mantenimiento del producto
- ❏ problemas en la instalación
- ❏ consulta sobre la garantía

c. **Vuelve a escuchar la grabación y, con tu compañero, escribe el expediente de incidencias relativo a la consulta de este cliente.**

8. **Una persona opina en su *blog* sobre los servicios de atención telefónica (SAT). ¿Estás de acuerdo con ella? ¿Qué opinas tú de los SAT? ¿Has tenido alguna experiencia positiva o negativa con estos servicios? ¿Y tus compañeros?**

Seguro que todos tenemos anécdotas que contar de los SAT. A mí, particularmente, me parece inadmisible que su nivel de efectividad sea tan bajo: es una vergüenza que te pases más de diez minutos a la espera y que, al final, la persona que te atiende no te pueda resolver nada. Yo entiendo que son las empresas y no los operadores las que tienen la culpa. Sin embargo, a estos pobres les gritamos y descargamos en ellos nuestra ira. No me gustaría estar en su pellejo. ¿Qué pueden hacer ellos si no tienen la más mínima capacidad de resolverte nada? Lo que de verdad es una vergüenza es que a las empresas les importen tan poco los problemas de los usuarios. Para mí, los SAT son una pura hipocresía. Una pena… y luego dicen que todo va bien.

Quejarse del funcionamiento de un servicio

Me parece (que es) lamentable/una vergüenza que... + subjuntivo

No se puede tolerar/consentir que + subjuntivo

Cuesta comprender que + subjuntivo

No se puede tolerar que te hagan llamar de un teléfono a otro y en ningún sitio te den una explicación.

9.a. **Marita llama a Telekónica para hacer una reclamación, porque hace quince días que contrató una línea de teléfono y todavía no la tiene instalada. Escucha la grabación del SAT de esa empresa y completa la información de la tabla.**

	La grabación explica que...	En el mensaje le piden al cliente que...
1		
2		
3		
4		

b. **Finalmente, Marita consigue hablar con un operador de Telekónica. Escucha y contesta a estas preguntas.**

Indicar que se quiere hacer una reclamación

Quería hacer una reclamación.

Como no me hagan caso/Si no me hacen caso, me veré obligado a poner una reclamación.

Me temo que no me queda más remedio que presentar una reclamación en la oficina del consumidor.

1. ¿De qué se queja Marita?
2. ¿Qué le cuesta comprender del servicio de instalación de líneas de Telekónika?
3. ¿Cuántas veces la han avisado de que iban a ir a ponerle el teléfono? ¿Y cuándo lo han hecho la última vez?
4. ¿De qué advierte Marita a la telefonista?
5. Al final de la conversación, ¿está satisfecha del trato recibido? ¿Cómo se lo hace saber a la telefonista?

10.a. **En casa de Marita y de su pareja, Gregorio, se han estropeado estos aparatos. Relaciona cada uno con la avería correspondiente.**

1. Tras una tormenta, se descodificaron los canales y se fue la imagen. Intentaron arreglarlo con el mando a distancia y al final también se fue el sonido.

2. Se saltan los plomos cada vez que tienen enchufados varios aparatos eléctricos a la vez.

3. Gregorio estaba trabajando y el monitor se apagó de repente. Se agachó a revisar los enchufes y, sin darse cuenta, tiró de un cable y la unidad del PC se le cayó encima.

4. Se les ha disparado porque al entrar en casa se les ha olvidado introducir la clave y ahora no la saben desconectar.

5. El motor se bloqueó y de pronto empezó a salir aire caliente. Al ir a intentar arreglarlo, a Marita se le cayó la rejilla de ventilación al suelo y se le rompió.

b. **¿Qué cosas se han estropeado por sí solas en casa de Gregorio y Marita? ¿Qué cosas han roto o estropeado ellos, aunque de manera accidental?**

Sugerir que algo ocurre de manera accidental y sin nuestra intervención

Se + verbo

De pronto, la pantalla del ordenador se apagó.

Expresar que estamos implicados en un suceso accidental

Se me/nos + verbo

Se me cayó la cámara digital y se me rompió.

11.a. **¿En tu casa se ha roto o estropeado algún aparato o electrodoméstico recientemente? Haz una lista con esa información.**

b. **Pregúntale a tu compañero cómo se rompieron o estropearon las cosas de su lista. ¿Se rompieron accidentalmente? ¿A quién? ¿Cómo pasó?**

● *Así que tu teléfono móvil ya no funciona... ¿Y cómo fue?*

▲ *Nada, una tontería. Lo puse a cargar en el enchufe del baño, y con el agua de la ducha se me mojó.*

12. **¿Qué aparato o electrodoméstico de tu casa es para ti más importante? Imagina que se ha roto y representa la siguiente situación con tu compañero. Después, cambiad los papeles.**

Alumno A

- Trabajas en el servicio de atención al cliente de una empresa de servicios.
- Atiende la petición de información de tu cliente.
- Solicita información sobre la causa de la avería del aparato por el que pregunta.
- Infórmale de si esa rotura la cubre o no la garantía.

Alumno B

- Se te ha estropeado un aparato eléctrico.
- Llama al servicio de atención telefónica de la empresa fabricante de ese producto.
- Explica la causa de la rotura/avería y pregunta si ese desperfecto lo cubre la garantía.
- Si te parece que debería cubrirlo pero no lo hace, quéjate y di que quieres poner una reclamación.

13. **Peter deja un mensaje en el foro de Internet "¡Estoy hasta el moño!" para pedir ayuda. Léelo y comenta la respuesta a estas preguntas con tus compañeros.**

1. ¿Qué harías tú en la situación de Peter? ¿Cómo actuarías? ¿Por qué?
2. En tu país, ¿crees que la gente tiene costumbre de reclamar y hacer valer sus derechos?

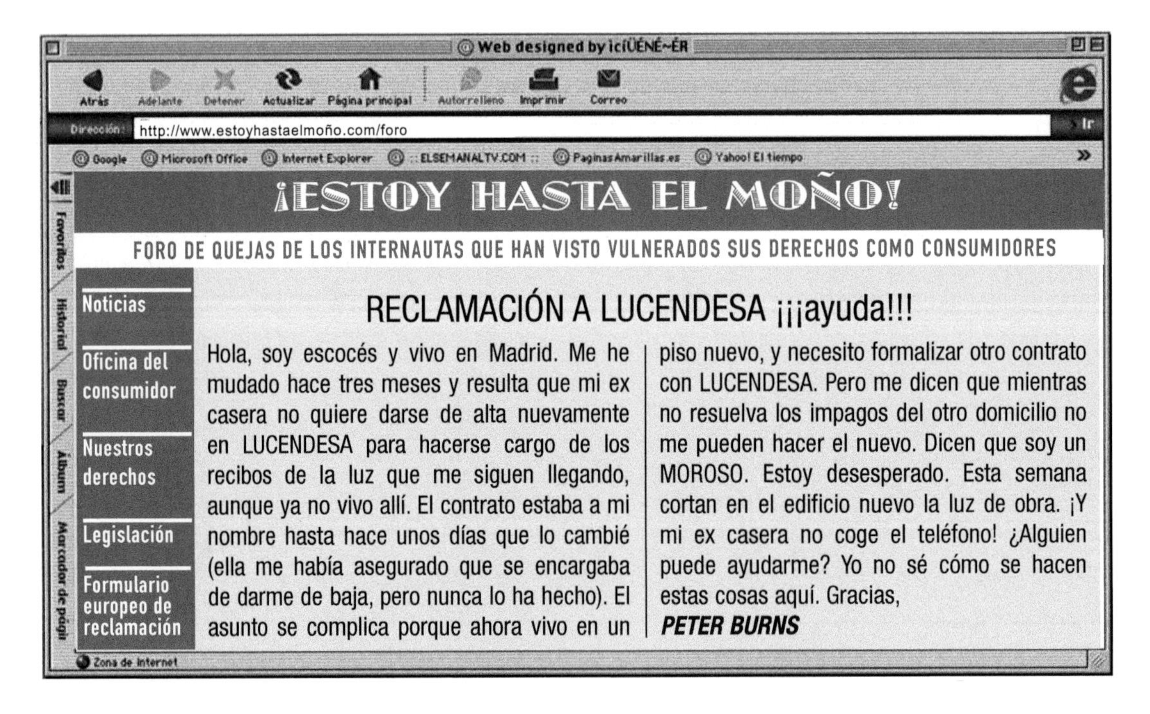

Atrás Adelante Detener Actualizar Página principal Autorrelleno Imprimir Correo

Dirección: http://www.estoyhastaelmoño.com/foro

¡ESTOY HASTA EL MOÑO!

FORO DE QUEJAS DE LOS INTERNAUTAS QUE HAN VISTO VULNERADOS SUS DERECHOS COMO CONSUMIDORES

Noticias
Oficina del consumidor
Nuestros derechos
Legislación
Formulario europeo de reclamación

RECLAMACIÓN A LUCENDESA ¡¡¡ayuda!!!

Hola, soy escocés y vivo en Madrid. Me he mudado hace tres meses y resulta que mi ex casera no quiere darse de alta nuevamente en LUCENDESA para hacerse cargo de los recibos de la luz que me siguen llegando, aunque ya no vivo allí. El contrato estaba a mi nombre hasta hace unos días que lo cambié (ella me había asegurado que se encargaba de darme de baja, pero nunca lo ha hecho). El asunto se complica porque ahora vivo en un piso nuevo, y necesito formalizar otro contrato con LUCENDESA. Pero me dicen que mientras no resuelva los impagos del otro domicilio no me pueden hacer el nuevo. Dicen que soy un MOROSO. Estoy desesperado. Esta semana cortan en el edificio nuevo la luz de obra. ¡Y mi ex casera no coge el teléfono! ¿Alguien puede ayudarme? Yo no sé cómo se hacen estas cosas aquí. Gracias,

PETER BURNS

14.a. **El señor Álvarez ha solicitado los servicios de una empresa para escribir una reclamación. Su carta ya está preparada, pero aún tienen que adecuarla al formato de la instancia europeo. Ayúdalos y relaciona cada párrafo con un apartado de esa instancia.**

Modelo de instancia europeo para las reclamaciones

Reclamación presentada por: José Álvarez García

Contra: Cosasdelhogar. Empresa situada en c/ Díaz Mellado 4, 5.º A, 09004 Burgos

Problemas planteados:

____

Circunstancias de los hechos:

____

Reclamación del consumidor:

____

Caso: José Álvarez García

Cosasdelhogar. c/ Díaz Mellado 4, 5º A, Burgos, 09004

El pasado mes (4.7.2006) compré a través del portal de Internet Cosasdelhogar.net una batería de cocina de aluminio que, según se especificaba en la descripción del producto, servía para una cocina vitrocerámica. Hice el pago de 400€ por transferencia bancaria.

Cosasdelhogar.net aceptó la devolución que les planteé porque las características del producto que recibí en mi domicilio no se correspondían con las publicitadas en su página web (la batería no era de aluminio, sino de latón y no servía para vitrocerámica). Siguiendo las instrucciones de la propia empresa, les envié la batería, pero no he recibido el reembolso de los 400€.

Exijo que me sean devueltos esos 400€ a la cuenta 21004565465678230088865. Espero su respuesta y les comunico que si no recibo dicha cantidad en un plazo prudente, emprenderé acciones legales contra la empresa.

b. **Con tu compañero, escribe para Peter Burns la reclamación que, según su caso, debería presentar contra la empresa Lucendesa, situada en la calle Concejal Garzón 20, Barcelona 08003.**

15.a. **Elegid un espacio de la clase donde colocar un "tablón de quejas" en el que expongáis situaciones concretas en las que creéis que vuestros derechos como consumidores no han sido respetados.**

b. **Entre todos, elegid la más urgente o grave. Escribid la reclamación correspondiente y hacedla llegar a la empresa o institución responsable de esa situación.**

LENGUA Y COMUNICACIÓN

GESTIONES RELACIONADAS CON LA CONTRATACIÓN DE UN SERVICIO DOMÉSTICO

Contratar el servicio (el teléfono/la luz/el agua...)
Dar de alta/baja el servicio
Domiciliar el pago (a través de una cuenta bancaria)
Cambiar la domiciliación del pago
Cambiar el titular del contrato

VERBOS PARA TRANSMITIR INFORMACIONES, PREGUNTAS Y PETICIONES DE OTROS

Informaciones: decir, explicar, señalar, exponer, contar... + que + indicativo
Preguntas: preguntar + que + indicativo
Peticiones: pedir, exigir, solicitar, reclamar, sugerir... + que + subjuntivo

QUEJARSE Y RECLAMAR

Es inadmisible/lamentable
Es una vergüenza/un escándalo
Me parece (que es) inadmisible/lamentable /una vergüenza...
No se puede tolerar/admitir/permitir/consentir...
Lo que no se puede tolerar/admitir es
→ + que + subjuntivo / + infinitivo

No se puede entender/comprender cómo + indicativo

Cuesta comprender que
No hay derecho a que
Exijo/Solicito que
→ + subjuntivo

HACER UNA CONSULTA TELEFÓNICA AL SERVICIO DE ATENCIÓN AL CLIENTE

Quería hacer una consulta en relación al funcionamiento de...
Quería pedir/solicitar información sobre...
Le rogaría/pediría que me explicara...
Perdone, lo siento, no entiendo lo que me quiere decir. ¿Me lo podría repetir?
¿Cómo dice usted?/¿He oído bien?/¿Dice usted que...?
Quería poner una reclamación.

16.a. **Visualiza la casa donde vives durante dos minutos. Después, apunta en tu cuaderno diferentes objetos que tienes en casa para estas categorías.**

aparatos eléctricos

muebles

objetos de decoración

b. **Vuelve a leer las tres listas que has escrito y marca las cosas que has apuntado con los siguientes signos:**

(+) las cosas que te llevarías contigo independientemente del lugar al que te mudaras
(-) las cosas de las que te gustaría desprenderte aprovechando una mudanza
(=) las cosas que te resultarían indiferentes y que podrías comprar de nuevo en la nueva casa

c. **Tu compañero va a leerte, de manera desordenada, todas las cosas que ha incluido en sus listas. ¿Puedes imaginar qué le gustaría guardar y qué le gustaría tirar y por qué? Coméntaselo.**

● *Yo creo que las plantas te las llevarías, porque eres una persona muy cuidadosa y seguro que les has dedicado mucho tiempo.*

▲ *Pues no, la verdad. Me resultaría indiferente, porque no están muy sanas.*

d. **Y tú, ¿eres de los que prefieren guardar o de los que prefieren tirar cosas en una mudanza? ¿Por qué?**

e. **¿Crees que ese comportamiento en las mudanzas puede tener algo que ver con cómo somos para otras situaciones de la vida? ¿Estás de acuerdo con estas interpretaciones? Coméntalo con tus compañeros.**

Te gusta tirar: si aprovechas una mudanza para tirar todo lo que ya no te sirve y renovar las cosas de tu casa, probablemente te gusten los retos, los cambios, las experiencias nuevas y hacer nuevos amigos.

Te gusta guardar: si te gusta reproducir tu antigua casa en la nueva y te cuesta desprenderte de tus cosas, probablemente estés apegado a los recuerdos, a los amigos de siempre, a la familia, etc.

17. **¿Cuándo y cómo viviste tu última mudanza? Cuenta a tus compañeros alguna anécdota divertida o curiosa.**

18. **Lee este texto en el que una psicóloga habla de las implicaciones emocionales de las mudanzas y extrae información del mismo para completar estas frases.**

Una mudanza puede ser difícil porque...

Una mudanza puede ser una oportunidad para...

Cambio de piel

Por Ana María Trelancia

Todos sabemos que los cambios son parte esencial de la vida. Muchos son bienvenidos, como la aparición de una sombra de barba en el rostro de un adolescente, y otros son desastrosos, como cuando nos salen las primeras arrugas y no somos los únicos en notarlas... Pero de todos los cambios posibles en la vida, el cambio de lugar de residencia es quizás uno de los más traumáticos.

Una vez tomada la decisión de mudarse, cobra vida un engranaje de lo más complejo. ¿Qué llevamos a la nueva casa? ¿De qué hay que deshacerse? Generalmente, resulta muy sencillo desechar las cosas ajenas. Mi marido nunca entendió mi "capricho" por llevarme un antiguo mueble de tocador a nuestra nueva casa. Sin embargo, la mesa de ping-pong coja y desvencijada que nadie usa más, nos ha acompañado en nuestras once mudanzas a través de tres países y nueve casas.

Son pocas las personas que no acumulan objetos con el paso del tiempo. Los que hemos vivido una mudanza juramos no volver a guardar nada. Pero, una vez en nuestro nuevo hogar, empezamos a acumular objetos que "todavía pueden servir" o "que nos da pena botar". Y es que quizás, esos "cachivaches", como decimos en Lima, atenúan el inevitable dolor de arrancar nuestras raíces para volver a comenzar. Con objetos familiares cerca de nosotros, como soldados de la memoria, la transición se suaviza.

Así, nos movemos entre la pena de dejar la antigua casa, las sorpresas que nos brinda la nueva y las cajas llenas de mil objetos donde no encontramos nada. Pasamos los primeros días buscando las ollas, la llave de luz, y nos sorprendemos buscando el cubo de la basura debajo de la pila de la cocina, aunque ahora el cubo lo hemos puesto en la terraza...

Mudarse "duele" un poco, y las novedades no siempre amortiguan esa sensación de haber dejado atrás amigos, parientes, rincones queridos y hasta el sabor del pan en nuestro antiguo barrio. Por supuesto que aprendemos mucho con cada mudanza, sobre todo si es a otro país. No solo adquirimos otro idioma, otras costumbres, nuevos sabores y canciones. También crecemos, maduramos y constatamos que se puede querer a más gente, que podemos enamorarnos de otra comida, de otras calles, de otros cines. Y después, si sobreviene otra mudanza, el "período comparativo" se invierte y comenzamos a echar de menos hasta las calles de ese lugar al que tanto nos costó adaptarnos en un principio.

(adaptado de www.geocities.com)

19.a. **Piensa en los lugares donde has vivido durante tu vida y completa esta tabla.**

Lugar	¿Qué cosas nuevas descubriste allí?	¿Conociste a alguien especial en ese lugar?	¿Qué aprendiste?	¿Qué echas de menos de allí?

b. **Habla con tres compañeros. ¿Qué descubrieron ellos en los lugares donde vivieron? ¿A quién conocieron? ¿Qué aprendieron? ¿Qué echan de menos de esos sitios?**

- *Yo en Marruecos descubrí que la amistad puede ser, en algunos casos, tan fuerte como una relación familiar.*
- *¿Ah sí? ¿Y qué te hizo descubrirlo?*

B MÓDULO

UNIDAD 6

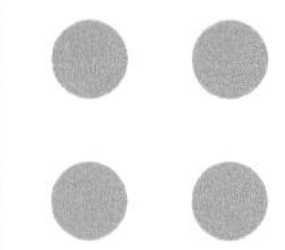

En esta unidad te proponemos:

¿TÚ QUÉ OPINAS?

Buscar respuestas a algunos misterios de la clase

Elaborar una revista de opinión

Comentar las diferencias y semejanzas entre los medios de comunicación de diferentes países

1.a. **Esta foto dio la vuelta al mundo. ¿Por qué se hizo famosa? ¿Sabes dónde fue tomada y cuándo? Coméntalo con tus compañeros.**

- *Estos son unos círculos que aparecieron en unos campos de trigo o de maíz, ¿no?*
- *Sí, creo que sí. ¿No viste la película con Mel Gibson?*

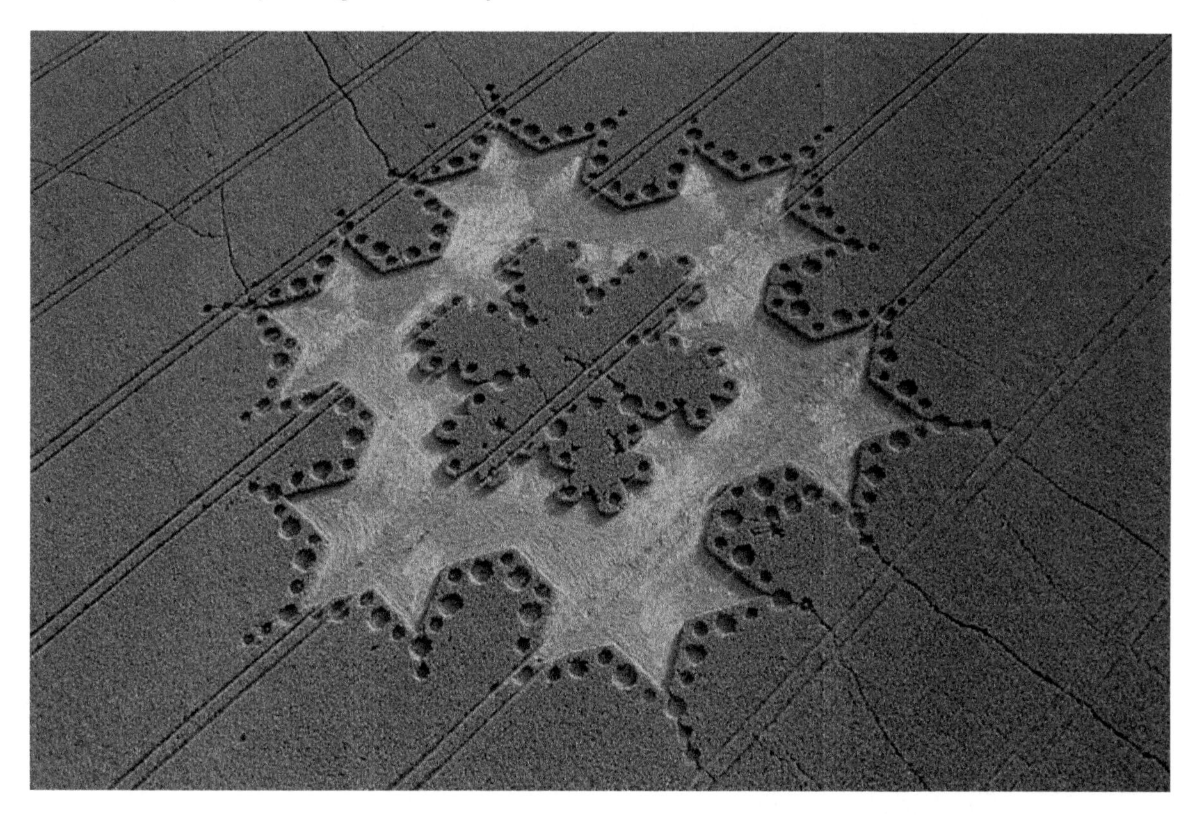

b. **Si lees noticias como estas en la prensa, ¿les das crédito? ¿Por qué? ¿Crees que hay vida en otros mundos? ¿Y crees en los OVNI? Coméntalo con tus compañeros.**

Avistamiento de OVNI sobre la ciudad de Xalapa

Una flota de al menos 14 objetos desconocidos sobresaltó un evento en Veracruz. La gente allí reunida señalaba al cielo gritando «¡OVNI, OVNI!» en un estado de total entusiasmo. Los policías también señalaban al cielo preguntándose qué podrían ser aquellos objetos desconocidos.

Busca vida inteligente en otros planetas

Gracias a la espléndida fortuna amasada por Paul Gallen, socio fundador de Macrosof, puede que estemos mucho más cerca de encontrar la respuesta a una de las preguntas que más veces se ha planteado en la historia del hombre: ¿estamos solos en el Universo?

Círculos de maíz, ¿"señales"desde arriba?

Según algunos expertos, los círculos son señales hechas por y para extraterrestres. No se trata simplemente de figuras sin sentido, sino de verdaderos mensajes codificados.

Un grupo de científicos asegura haber contactado con alienígenas

Tras años de estudio e investigación, un grupo de científicos de la Universidad de Bekelar asegura que ha recibido señales de radio procedentes del espacio que demuestran que hay vida inteligente en el Universo.

2.a. **Esta es la página web del programa *Enigmas*. ¿Sabes qué son esos dibujos? Lee las intervenciones del foro y comenta con tus compañeros qué hipótesis te parece más acertada.**

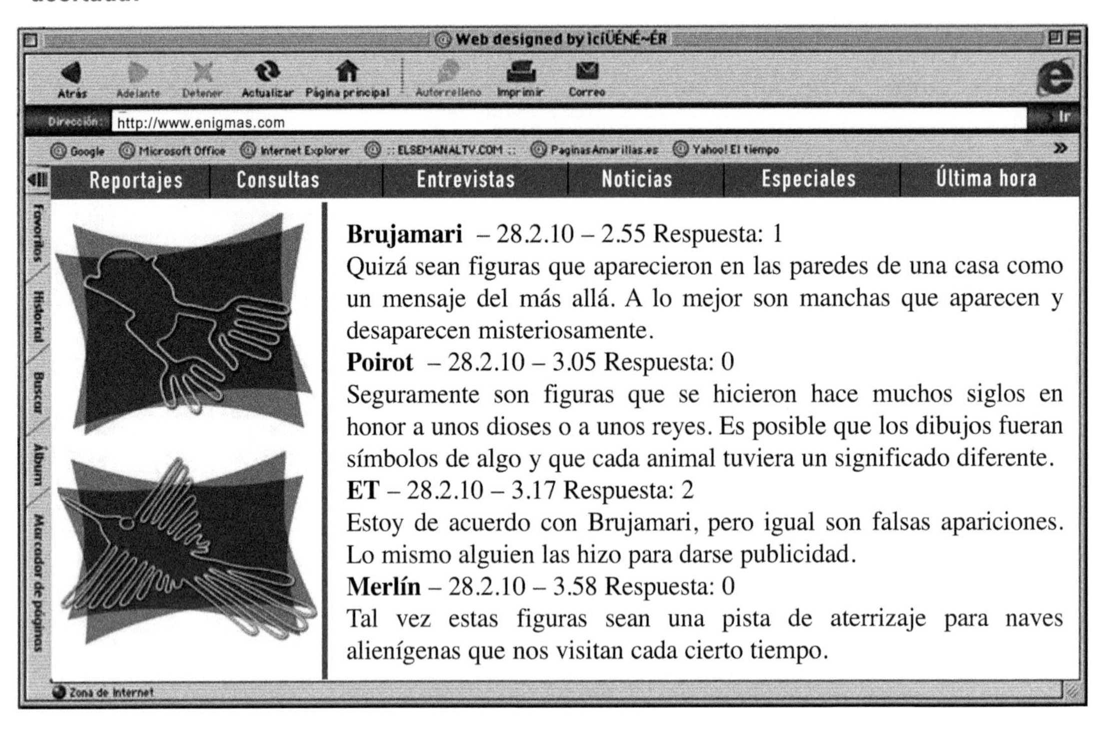

Brujamari – 28.2.10 – 2.55 Respuesta: 1
Quizá sean figuras que aparecieron en las paredes de una casa como un mensaje del más allá. A lo mejor son manchas que aparecen y desaparecen misteriosamente.

Poirot – 28.2.10 – 3.05 Respuesta: 0
Seguramente son figuras que se hicieron hace muchos siglos en honor a unos dioses o a unos reyes. Es posible que los dibujos fueran símbolos de algo y que cada animal tuviera un significado diferente.

ET – 28.2.10 – 3.17 Respuesta: 2
Estoy de acuerdo con Brujamari, pero igual son falsas apariciones. Lo mismo alguien las hizo para darse publicidad.

Merlín – 28.2.10 – 3.58 Respuesta: 0
Tal vez estas figuras sean una pista de aterrizaje para naves alienígenas que nos visitan cada cierto tiempo.

b. **¿Y tú? ¿Tienes alguna otra hipótesis? Escribe tu propio mensaje en el foro.**

c. **Escucha un fragmento del programa *Enigmas* y comprueba tus hipótesis.**

3.a. **En parejas. Leed estas situaciones y apuntad el mayor número de hechos que puedan explicarlas. Gana la pareja que pueda aportar más explicaciones.**

Grados de probabilidad
Quizás + indicativo/subjuntivo
A lo mejor + indicativo
Puede que + subjuntivo
Seguramente + indicativo
Probablemente + indicativo/subjuntivo

Los *fans* del grupo Rolling Stones llevan una hora esperando a que empiece el concierto.

Una chica llama a su novio y le dice que tiene que hablar con él a solas y urgentemente.

Dos personas están discutiendo en la calle y una de ellas tira a la otra unas fotos a la cara.

Un amigo llama a otro a las tres de la mañana.

b. **¿Qué opinan tus compañeros de tus hipótesis? ¿Y tú de las suyas? ¿Qué hipótesis te parecen más probables?**

- *Seguramente hay problemas técnicos.*
- ▲ *No creo. A lo mejor Mick Jagger está dormido.*

Reaccionar ante lo dicho por otro

Expresando acuerdo
Sí, quizá sí./Puede (ser).

Expresando duda o desacuerdo
¿Tú crees?/Lo dudo./Me extraña./

4.a. **Lee los siguientes titulares de sucesos. ¿En cuál de las noticias crees que van a aparecer estas palabras y expresiones?**

Pide que le aumenten la pena de 30 a 33 años por ser *fan* de Larry Bird

Lo secuestran para evitar una boda

el fiscal | el juez | una condena | la víctima | un delito de intento de asesinato

los abogados | denunciar | los sospechosos | una petición de rescate

b. **¿Qué crees que pueden contar las noticias de los titulares anteriores? Coméntalo con tu compañero.**

- *A lo mejor su ex novio no quería que se casara con su mejor amigo.*

c. **Lee estas noticias, relaciónalas con uno de los titulares anteriores y comprueba tus hipótesis.**

____

Cuatro personas fueron detenidas como sospechosas de denunciar un falso secuestro. Supuestamente, el motivo del secuestro era encubrir que la "víctima" no tenía dinero para la celebración de su boda. Según un comunicado, el pasado día 8, la madre del novio informó a la Policía de que una persona había secuestrado a su hijo seis días antes de su boda, aunque no se recibió petición de rescate. Dos días después, la Policía encontró al novio en la casa de su tío con las manos y las piernas atadas con una cuerda. Los familiares admitieron que lo habían atado y le habían dado un golpe en la espalda para que el secuestro pareciera "más auténtico". También planeaban liberarlo para que pudiera avisar a la Policía de que se "había escapado" de los secuestradores.

(adaptado de www.canarias7.es)

____

Un hombre solicitó que se le aumentara la condena a una duración superior a la que habían acordado sus abogados y el fiscal para que la duración de la misma coincidiera con el número que lucía en su camiseta el ex jugador de baloncesto Larry Bird.

Los abogados habían llegado a un acuerdo para una condena de 30 años por un delito de intento de asesinato y robo, pero Eric James Torpy solicitó que su pena fuera de 33 años para igualarla al número del ex jugador de los Celtics de Boston. «No había visto algo así en 26 años en los tribunales», reconoció el juez.

(adaptado de www.marca.com)

d. **Señala en las noticias anteriores otras palabras relacionadas con los sucesos.**

5.a. **En grupos, pensad en alguna noticia de sucesos que haya ocurrido en vuestra ciudad o que le haya ocurrido a alguien conocido y escribid un titular. Intentad que llame la atención del lector.**

b. **Mezclad todos los titulares y elegid los tres que os parezcan más interesantes. ¿Qué creéis que pudo ocurrir? Después, podéis confirmar vuestras hipótesis preguntando a vuestros compañeros.**

6.a. Unos amigos están viendo estas imágenes en la televisión, pero el botón del volumen no funciona. Escucha su conversación. ¿Quién hace cada una de estas preguntas?

¿Qué habrá pasado? → Javier
¿Y por qué lo habrán hecho?
¿Quién crees que habrá sido?
¿Tú crees que habrá sido su ex mujer?
¿Por qué lo querría matar Pamela?

Mercedes
Nuria
Javier

b. Escucha de nuevo la conversación y toma nota de lo que dicen para buscar posibles respuestas a las preguntas anteriores.

7.a. Imagínate que estás en clase y escuchas estos sonidos que vienen desde el pasillo, detrás de la puerta. Busca posibles respuestas a estas preguntas y escríbelas.

1. ¿Quién será? ¿Y qué querrá?	Será la secretaria, que querrá recordarnos que mañana no hay clase o...
2. ¿Qué habrá pasado?	
3. ¿Qué estarán haciendo?	
4. ¿Qué pasará en la clase de al lado?	
5. ¿Quién será? ¿Por qué correrá de un lado para otro?	

b. Escucha otra vez cada sonido y reacciona con tus hipótesis. Compara tus respuestas con las de tus compañeros. ¿Cuál es la más divertida?

● *¿Quién será?*
▲ *Me imagino que será la secretaria. Querrá recordarnos que mañana no hay clase.*
● *O será la novia del profesor, que querrá darle un beso.*

8.a. **Con tu compañero, haz una lista de algunas cosas que son un misterio para toda la clase.**

TAREA FINAL

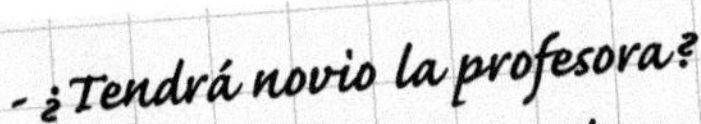

- ¿Tendrá novio la profesora?
- ¿Por qué el lunes pasado no vino James a clase?
- ¿Por qué Ulla llegará siempre tarde?
- ¿Por qué Tomoko habla tan bien?
- ...

b. **Pensad en posibles explicaciones para esos misterios y elegid las más probables. Luego, entregad la lista a otra pareja. Ellos tienen que hacer hipótesis hasta que adivinen la explicación que habéis elegido para cada misterio.**

● *¿Tendrá novio la profesora?*

▲ *No sé... Nunca nos ha dicho nada. A lo mejor tiene un novio secreto.*

● *Sí, igual es alguien de esta clase.*

LENGUA Y COMUNICACIÓN

EXPRESAR DIFERENTES GRADOS DE PROBABILIDAD

Seguro que/Seguramente A lo mejor Igual/Lo mismo	+ indicativo
Es probable/posible Puede (ser)	+ que + subjuntivo
Probablemente/Posiblemente Quizás/Tal vez	+ indicativo/subjuntivo

● *Igual son falsas apariciones.*

▲ *No sé, quizá sean figuras que aparecieron en las paredes*

HACER HIPÓTESIS

Para hacer hipótesis sobre algo que sucede en el presente, se puede usar el futuro simple.

Para expresar hipótesis sobre algo que ha sucedido, podemos usar el futuro compuesto.

● *La policía no sabe quién es el asesino.*

▲ *¿Será su ex mujer?*

● *Sí, es posible... ¿Y por qué crees que lo ha podido hacer?*

▲ *No sé... Lo habrá hecho por amor.*

REACCIONAR ANTE LO DICHO POR OTRO

Expresando acuerdo
Sí, quizá sí./Puede (ser).

Expresando duda o desacuerdo
¿Tú crees?/Lo dudo./Me extraña.
No creo./No puede ser./¡Anda ya!/¡Qué va!

● *Tal vez estas figuras sean una pista de aterrizaje para naves alienígenas.*

▲ *Lo dudo mucho. Seguro que tienen una explicación mucho más sencilla.*

VOCABULARIO RELACIONADO CON SUCESOS

una víctima
un secuestro
un secuestrador
una petición de rescate
un sospechoso
un atraco
un robo
un intento de asesinato
una orden de detención
un juez
un abogado defensor

denunciar
tener una coartada
secuestrar a alguien
cometer un delito/un crimen
atracar un banco
apresar a un (presunto) ladrón
darse a la fuga
celebrarse un juicio
aumentar una condena/una pena
un tribunal
un fiscal

9.a. **Un lector de la revista *¡Qué país!* ha escrito a la redacción para expresar su opinión acerca de la educación de los jóvenes. Lee su carta y responde a estas preguntas.**

1. ¿Qué opina de la educación que ha recibido su hija en colegios públicos?
2. ¿Qué le sorprende del colegio de su sobrina?
3. ¿Y tú? ¿Opinas lo mismo que él respecto a la educación de los niños? ¿Por qué?

b. **En la carta hay algunas palabras destacadas. Escribe cuáles significan lo mismo que...**

aunque: *a pesar de (que)*

sin embargo: .....

por ello: .....

por el contrario: .....

en realidad: .....

del mismo modo: *así mismo*

en resumen: .....

o sea: .....

así que: .....

Educación sexual en las aulas

Mi hija tiene trece años y, en general, estoy bastante satisfecho con la educación que recibe en su colegio, una institución privada conocida por la calidad de su sistema de enseñanza y por sus ideas educativas progresistas e innovadoras. **No obstante**, desde que estudia en este colegio, mi hija no ha recibido todavía una sola clase de educación sexual. Su prima, **en cambio**, está en un colegio público y, **a pesar de** la mala fama que tiene la educación pública en este país, recibe clases de educación sexual desde que tiene diez años.

Lo que ocurre con mi hija no es un caso aislado y así sucede en otros colegios, lo que viene a demostrar que, **en el fondo**, nuestra sociedad sigue teniendo prejuicios y miedos respecto a este tema.

Creo que, si queremos una formación integral para los más jóvenes, no podemos obviar su formación sexual como fin educativo y, **por lo tanto**, todos los centros educativos tendrían que ofrecer una educación sexual de calidad. Considero, **así mismo**, que los padres deberíamos tratar este tema con nuestros hijos sin tabúes, **es decir**, hablando con ellos de una forma clara y directa. Es nuestra responsabilidad, **de modo que** olvidemos nuestros prejuicios y hablemos de sexo con ellos.

En definitiva, considero imprescindible que los niños reciban una adecuada educación sexual para desarrollarse íntegramente. Esta educación debe realizarse, por supuesto, desde casa, pero también desde las aulas, ya sean públicas o privadas.

José Miguel Martín, Guadalajara

10.a. **Escribe un posible final, lógico y con sentido, para cada una de estas frases.**

Muchas ex parejas dicen que se odian, pero creo que, en el fondo...	En invierno, en Nueva York hace mucho frío. En cambio...	Hoy en día, la imagen de una persona es muy importante, a pesar de (que)...	Mucha gente dice que el dinero no da la felicidad. No obstante...
Para muchas personas es importante tener un trabajo estable y, así mismo...	Hay personas a las que no les resulta fácil hacer amigos, es decir...	Nuestro propósito es aprender muy bien el español. Por lo tanto...	Dicen que el próximo mes va a llover mucho, de modo que...

b. **Escucha las frases completas de dos compañeros. ¿Son lógicas? ¿Estás de acuerdo con lo que dicen?**

11.a. **Juan y Ana hablan sobre la piratería musical. Escúchalos y completa sus opiniones.**

Valorar información compartida

Valoración		Información compartida
(A mí) Me parece (Yo) Veo (Yo) Creo que es (Yo) Considero (Para mí) Es	(in)justo normal una tontería un delito ...	que + subjuntivo

1. Juan no ve bien que la gente compre discos piratas.
2. A Juan no le parece ..... que los autores pierdan dinero por culpa de la piratería.
3. Para Ana no es ..... que los discos cuesten más de 20 euros y le parece ..... que la gente quiera pagar menos dinero.
4. Ana reconoce que no está ..... que los cantantes jóvenes no puedan hacerse un espacio en el mercado por culpa de la piratería.
5. Juan considera ..... que la gente compre música pirata.
6. Los dos ven ..... que bajen los impuestos y los precios de los discos.

b. **Escribe cuatro o cinco frases que reflejen tu opinión sobre la piratería audiovisual y la fotocopia de libros.**

12.a. **Lee las siguientes noticias. ¿Qué opiniones te provocan? Toma nota.**

Expertos de todo el mundo debaten hoy sobre la posibilidad de legalizar las drogas

LA MEDIDA PODRÍA ACABAR CON EL NARCOTRÁFICO

EUROPA PRESS

Los 13 años, edad media en la que los jóvenes comienzan a fumar

A LOS 18 YA FUMA EL 40%

EFE

En iguales condiciones laborales, los hombres perciben un 34% más de sueldo que las mujeres

EN EL SECTOR PRIVADO LA DIFERENCIA LLEGA AL 50%

REUTERS

La ONU denuncia que sigue aumentando la brecha digital

HAY MÁS ORDENADORES EN EE.UU. QUE EN EL RESTO DEL MUNDO

FRANCE PRESS

b. **En pequeños grupos, comentad las noticias anteriores. ¿Estáis de acuerdo?**

13.a. **Los periodistas del programa de radio *Demasiado corazón* comentan unas declaraciones de la famosa cantante Lola Amores. Escucha y responde a estas preguntas.**

1. ¿Qué ha dicho Lola Amores esta tarde?
2. ¿Qué opina Ana Rosa?
3. ¿Y Boris?
4. Según Boris, ¿por qué Lola no acudió a la boda de su hija?
5. ¿Y por qué tardó en ver a su nieta?

b. **Lola Amores ha llamado al programa para desmentir y aclarar algunas de las cosas que se han dicho de ella. ¿Qué información confirma y cuál niega?**

Es verdad que...	No es verdad que...

Negar o poner en duda una información

Negación o duda	Información presupuesta
No creo No es verdad No es cierto No es exacto No me parece Dudo	que + subjuntivo

14. Algunos de estos datos no son ciertos. ¿Sabes cuáles? Coméntalo con tu compañero.

Hay más oxígeno en la corteza terrestre que en la atmósfera.

El elefante africano dedica 16 horas al día a comer hierba.

La Universidad de Columbia es quien más tierra posee en la ciudad de Nueva York.

El koala duerme 16 horas al día.

Es imposible estornudar con los ojos abiertos.

El presidente de Francia también es príncipe del Principado de Andorra.

Más del 90% de la población mundial vive en el hemisferio norte.

15.a. Máximo ha escrito en un foro sus opiniones acerca de los animales. ¿Qué opinas de sus ideas? ¿Y tus compañeros?

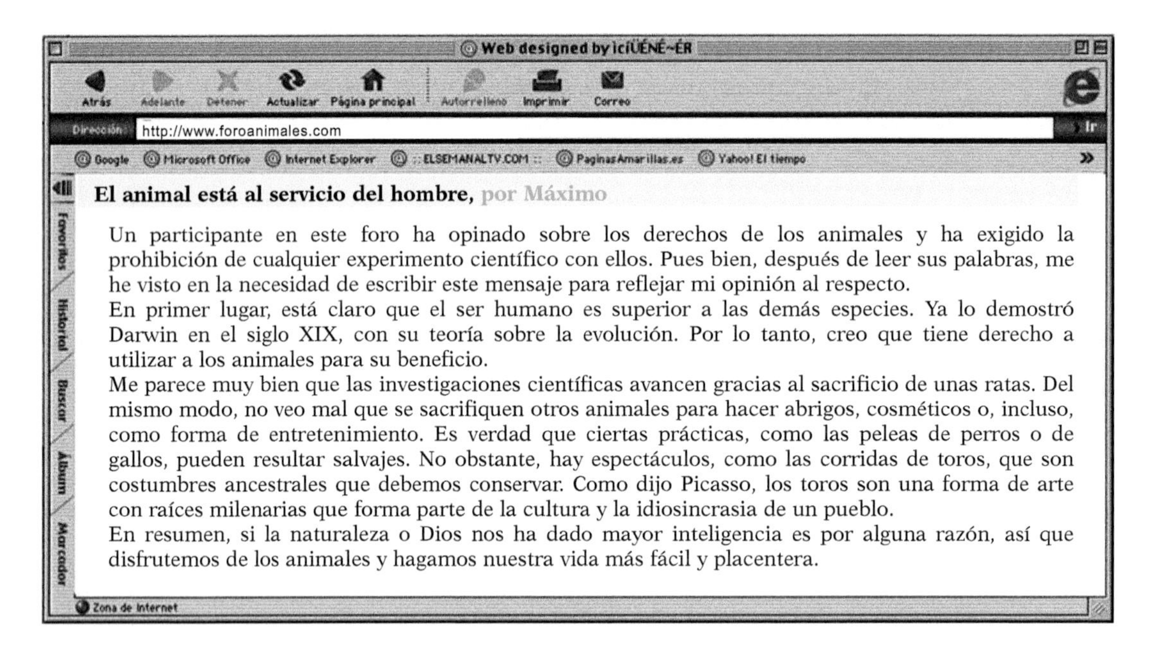

http://www.foroanimales.com

El animal está al servicio del hombre, por Máximo

Un participante en este foro ha opinado sobre los derechos de los animales y ha exigido la prohibición de cualquier experimento científico con ellos. Pues bien, después de leer sus palabras, me he visto en la necesidad de escribir este mensaje para reflejar mi opinión al respecto.
En primer lugar, está claro que el ser humano es superior a las demás especies. Ya lo demostró Darwin en el siglo XIX, con su teoría sobre la evolución. Por lo tanto, creo que tiene derecho a utilizar a los animales para su beneficio.
Me parece muy bien que las investigaciones científicas avancen gracias al sacrificio de unas ratas. Del mismo modo, no veo mal que se sacrifiquen otros animales para hacer abrigos, cosméticos o, incluso, como forma de entretenimiento. Es verdad que ciertas prácticas, como las peleas de perros o de gallos, pueden resultar salvajes. No obstante, hay espectáculos, como las corridas de toros, que son costumbres ancestrales que debemos conservar. Como dijo Picasso, los toros son una forma de arte con raíces milenarias que forma parte de la cultura y la idiosincrasia de un pueblo.
En resumen, si la naturaleza o Dios nos ha dado mayor inteligencia es por alguna razón, así que disfrutemos de los animales y hagamos nuestra vida más fácil y placentera.

b. Justo ha escrito una respuesta al mensaje de Máximo. ¿Cuál de los dos textos ofrece una mayor claridad argumentativa? ¿Por qué? Coméntalo con toda la clase.

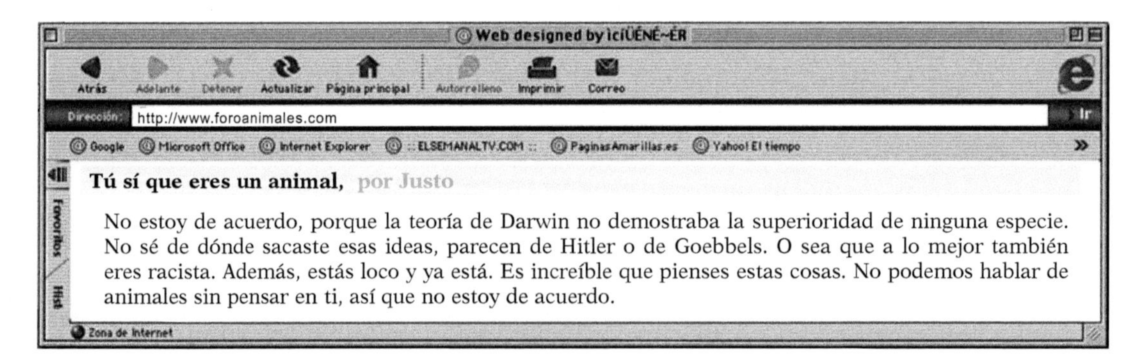

http://www.foroanimales.com

Tú sí que eres un animal, por Justo

No estoy de acuerdo, porque la teoría de Darwin no demostraba la superioridad de ninguna especie. No sé de dónde sacaste esas ideas, parecen de Hitler o de Goebbels. O sea que a lo mejor también eres racista. Además, estás loco y ya está. Es increíble que pienses estas cosas. No podemos hablar de animales sin pensar en ti, así que no estoy de acuerdo.

c. En parejas, ayudad a Justo a reformular su texto para que tenga mejor argumentación y para que sea más claro.

SOLUCIÓN ACTIVIDAD 14: La Iglesia católica es quien más tierra posee en Nueva York y un koala duerme 22 horas al día.

16.a. 

Vamos a elaborar una revista, con la opinión de todos los compañeros, sobre temas de actualidad. En primer lugar, escribid en la pizarra los temas de actualidad que os parezcan más interesantes.

b. Cada uno prepara algunas preguntas para entrevistar a un compañero y conocer su opinión sobre esos temas.

c. Ahora entrevista a tu compañero y toma nota de sus respuestas. Si queréis, podéis grabar la entrevista.

- *¿Qué opinas de lo que está ocurriendo en tu país?*
- ▲ *Pues mira, me parece increíble que en pleno siglo XXI sigan pasando estas cosas, aunque, la verdad, no creo que la situación sea tan grave como dicen.*

d. Escribe un artículo donde recojas las opiniones de tu compañero. Ponle un titular y, después, dáselo a tu profesor.

e. Cuando el profesor entregue la revista con todos los artículos, lee el que refleja tu opinión. ¿Hay algo que quieres desmentir o aclarar?

- *Me gustaría aclarar dos cosas. En primer lugar, es verdad que no me parece justo que Heath Ledger no haya ganado el Óscar, pero no es cierto que sea mi actor favorito...*

LENGUA Y COMUNICACIÓN

VALORAR INFORMACIÓN COMPARTIDA

	Valoración	Información compartida
(A mí) Me parece	(des)acertado	
(Yo) Veo	(in)justo	
(Yo) Creo que es	una injusticia	que + subjuntivo
(Yo) Considero	una tontería	
(Para mí) Es	un error	

Esta información es compartida (los interlocutores conocen esa información).

- *No **me parece bien** que la gente **compre** discos piratas.*
- ▲ *Sí, es verdad, pero no **es normal que** los discos **cuesten** más de 20 euros.*

CONECTORES DEL DISCURSO

aunque	a pesar de
sin embargo	no obstante
debido a	por lo tanto
por el contrario	en cambio
del mismo modo	así mismo
o sea	es decir
así que	de modo que

NEGAR O PONER EN DUDA UNA INFORMACIÓN

Negación o duda	Información presupuesta
No creo	
No es verdad	
No es cierto	que + subjuntivo
No es exacto	
No me parece	
Dudo	

Alguien presupone esta información.

- *¿Qué opinas de las fotos que han aparecido?*
- ▲ ***No creo que** esas fotos **existan** y, si existen, **dudo que sean** reales.*

RECURSOS PARA ORGANIZAR EL DISCURSO

A continuación...	En primer lugar...
Seguidamente...	En segundo lugar...
Por una parte...	Respecto a...
Por otra (parte)...	En lo que se refiere a...
Para concluir...	En definitiva...
Para terminar...	En resumen...

- ***A continuación**, me gustaría aclarar algunos datos que se han dicho sobre mí. **En primer lugar, respecto a** mi nacionalidad, quisiera dejar claro que soy uruguaya, pero de padres españoles. **En***

17. **En general, ¿qué opinión tienes de los siguientes medios de comunicación de tu país? ¿Crees que tienen calidad? ¿Por qué? Coméntalo con un compañero.**

● *En mi país hay periódicos muy buenos, pero algunos están muy politizados.*

▲ *¿Por ejemplo?*

18.a. **Este es un fragmento de una noticia aparecida en *El País*, pero la tinta se ha borrado y no se puede leer. ¿Qué crees que ocurrió? Haz hipótesis con tus compañeros.**

● *Seguramente alguien quiso robar en un banco.*

▲ *No sé... Yo no creo que fuera en un banco.*

PERE RÍOS (Barcelona). Un … un cuchillo … secuestrados ayer durante casi cuatro horas a 20 … en L'Hospitalet de Llobregat (Barcelona). N. A. M., de 17 años, … el pago de 1,5 millones de euros para … . A las dos horas del secuestro, … y los otros cuatro, entre los que se encontraba su propia hermana, … a las 19:20 h., cuando un policía … repartidor de pizzas … .

(adaptado de *El País*, 19 de noviembre de 2002).

b. **Dos amigos comentan la noticia. Escúchalos y comprueba si alguna de vuestras hipótesis es correcta.**

c. **¿Qué motivos tendría el protagonista de la noticia anterior para actuar de ese modo? ¿Cuál te parece más probable? ¿Y a tus compañeros?**

- ❏ Quiso llamar la atención de su familia.
- ❏ Necesitaba el dinero para ayudar a su familia.
- ❏ Quiso imitar a alguien que vio en la tele.
- ❏ Tenía problemas psicológicos o psiquiátricos.
- ❏ Quiso llamar la atención de su novia.
- ❏ Estaba buscando la fama.

d. **Escucha a los dos amigos que siguen comentando la noticia y buscan una posible explicación a lo ocurrido. ¿Coincide su hipótesis con la tuya?**

19.a. Lee este artículo sobre la televisión que ven los niños españoles y ponle un título.

Según un estudio realizado por la Asociación de Telespectadores y Radioyentes (ATR), en el corto plazo de una semana, los niños españoles contemplan 670 homicidios, 420 tiroteos, 48 secuestros, 30 actos de tortura, 19 suicidios, 18 imágenes relacionadas con el consumo y tráfico de drogas y 11 robos de variada tipología. Estos datos se suman a un informe de la Asociación Española de Pediatría, el cual recoge que los niños de entre dos y cinco años ven televisión 25 horas a la semana, con una media de 32 escenas de violencia por día, lo que supone al año 12 000 referencias violentas, 14 000 sexuales y 2000 de incitación al consumo de bebidas alcohólicas.

La brutal competencia por incrementar los índices de audiencia es el motor de esta escalada sin precedentes. Desafortunadamente, los niños prefieren los programas más violentos, como ha puesto de manifiesto un estudio de la Universidad Complutense realizado sobre 452 niños españoles de ocho a doce años. Según este estudio, el consumo de violencia en la pantalla vuelve a los niños inmunes al horror y es nefasto para ellos, pues la aceptan como mecanismo válido para la resolución de problemas.

Según el sociólogo español Andrés González, «el verdadero problema es que los niños ven la televisión solos y cuentan cada vez menos con el filtro de la opinión adulta para distinguir la ficción de la realidad».

(adaptado de "A solas con el asesino", de Gloria Garrido e Isabel Navarro, *El Semanal*, 29/12/2002).

b. ¿Crees que en tu país sucede lo mismo que en España? Comentadlo en pequeños grupos.

20.a. ¿Cómo es la televisión del lugar donde estudias? Haz dos listas, una con las emisiones que te parecen más educativas y otra con las que menos.

b. Comentad las listas en pequeños grupos. ¿Estáis de acuerdo?

● *Para mí, los documentales de National Geographic son muy buenos y muy educativos.*

▲ *A mí también me parecen muy buenos, lo malo es que solo los ponen a las tres de la tarde o de madrugada.*

21.a. ¿Has visto la televisión de otros países? ¿Qué diferencias encontraste con la televisión de tu país? ¿Y qué similitudes? Coméntalo con tus compañeros.

● *En España me llamó la atención que hubiera muchos programas iguales a los de mi país. También me sorprendió que hubiera tantos* reality shows*.*

b. ¿Encuentras similitudes y diferencias en otros medios de comunicación?

MÓDULO B

UNIDAD 7

En esta unidad te proponemos:

POR AMOR AL ARTE

Presentar a los compañeros de clase la obra de arte favorita de cada uno

Diseñar la camiseta de la clase

Crear una obra que represente a una ciudad

1.a. Mira estas entradas de diferentes museos. Comenta con tu compañero qué tipo de museo crees que es cada uno y qué obras crees que se pueden encontrar en ellos.

- ❑ museo de escultura y pintura
- ❑ museo de cine
- ❑ museo de carrozas para funerales
- ❑ museo de arte moderno
- ❑ museo etnográfico
- ❑ museo de arte precolombino

- *El museo Pablo Ducrós Hicken es de cine. Me imagino que habrá salas dedicadas a directores del cine argentino.*

b. Escucha y relaciona cada grabación con uno de los museos anteriores.

c. Si tuvieras la ocasión, ¿cuál de estos museos visitarías? ¿Por qué?

- *A mí me gustaría visitar Ciudad Botero. Las esculturas de Botero me encantan y, además el museo debe de ser impresionante.*

d. ¿Sueles visitar museos o exposiciones? ¿Cuál es la exposición o el museo más extraño o curioso que has visto? ¿Y el museo o exposición más impresionante? Coméntalo con tus compañeros.

- *A mí me encantan las exposiciones de fotografía. Una vez estuve en una que mostraba fotos de la India que se habían hecho desde un tren.*

2.a. **Escucha y señala a qué obra de las imágenes de esta página se refieren las personas que hablan.**

Sensaciones y emociones
tristeza/alegría
ternura/crueldad
fortaleza/debilidad
miedo/valentía
frialdad/entusiasmo
felicidad/horror
insignificancia/grandeza
angustia/serenidad
tranquilidad/intranquilidad

b. **Ahora tú. Mira durante 30 segundos cada una de estas tres obras de arte. ¿Qué sensaciones te producen? ¿Por qué? Coméntalo con tus compañeros.**

- *A mí el Peine del viento me produce una sensación de tranquilidad y de serenidad.*
- *Ah, ¿sí? Pues a mí me resulta frío.*

c. **Estas son las descripciones técnicas de las tres obras. ¿Qué significado tienen los elementos señalados en cada imagen para los autores de cada descripción?**

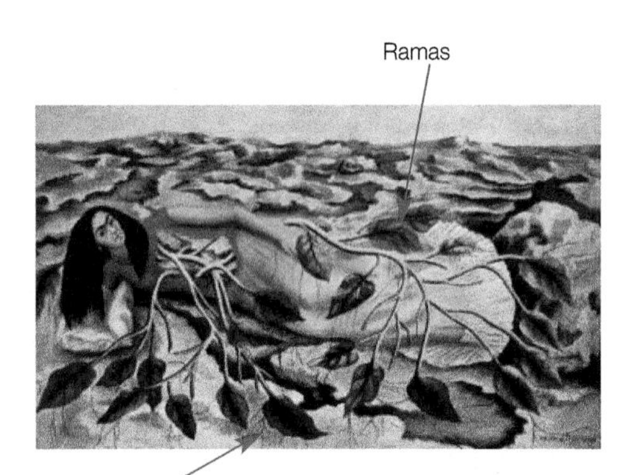

Raíces (Frida Kahlo)
Lo pintó Frida Kahlo después de casarse por segunda vez con el amor de su vida, Diego Rivera, y simboliza su reencuentro como pareja. En su cuerpo se abre una ventana de la que salen unas ramas de helecho por las que fluye la sangre como símbolo de su vida. Una curiosa forma de representar los años de sufrimiento y la fortaleza de su unión con el pintor mexicano. Aparece tumbada en el suelo y echando raíces en un paisaje solitario y rocoso que representa el suplicio provocado por su estado físico (se sometió a 32 operaciones quirúrgicas tras el terrible accidente que rompió su columna en mil pedazos). Un cuadro impresionante que, en 2006, batió el récord de la obra de arte latinoamericano mejor pagada al alcanzar los 5,6 millones de dólares en una subasta.

Comentado por: Rosario del Pino

El color
Altura de las torres
Formas cilíndricas

La Sagrada Familia (Antonio Gaudí)
Este proyecto arquitectónico está presidido por las formas cilíndricas con las que Gaudí quería imitar a la naturaleza. Entrar en el interior de la catedral es como si uno se adentrara en un bosque: sus columnas inclinadas son como árboles. La increíble altura de las torres, que parecen hechas de arena, es toda una metáfora para plasmar la majestuosidad y la grandeza de Cristo. La catedral está presidida por la luz y el color (la piedra de la fachada está salpicada de motivos decorativos en cerámica de diversos tonos y de vidrieras que proyectan un sinfín de matices cromáticos). Y es que, para Gaudí, el color representaba la vida. La Sagrada Familia fue el proyecto más ambicioso y perfecto del arquitecto catalán, a pesar de ser su obra inacabada, porque murió antes de concluirlo.

Comentado por: Álvaro Izaguirre

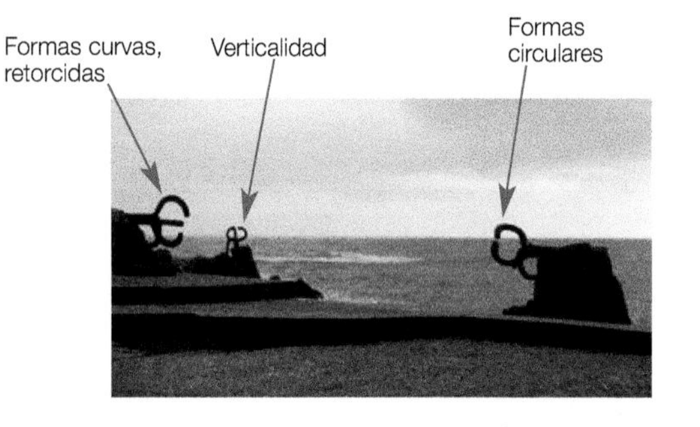

Peine del viento (Eduardo Chillida)
El Peine del viento es un conjunto escultórico formado por tres inmensas piezas de acero que Chillida ubicó en la playa de Ondarreta (San Sebastián). La verticalidad del primer Peine del viento produce una sensación estática y de apego a la tierra. Las formas retorcidas del segundo transmiten la impresión de fuerza y movimiento. En el tercero, el escultor forma un círculo casi completo para representar la armonía de la fusión entre el mar, el viento y las rocas. Es posible que Chillida en esta obra transcriba al metal sus propias palabras: «Los hombres somos de un lugar; es muy importante que tengamos las raíces en un sitio, pero lo ideal es que nuestros brazos lleguen a todo el mundo, que nos valgan las ideas de cualquier cultura.»

Comentado por: Ane Solís

3.a. **En grupos de cuatro, elegid una escultura, un cuadro y una obra arquitectónica que pueden ser conocidas por toda la clase. Luego, presentádselas al resto de compañeros y señalad los materiales de que están hechas y las formas que predominan en ellas.**

b. **¿Qué sensaciones te transmiten las obras de arte que han presentado tus compañeros? ¿Son sensaciones parecidas a las que les producen a ellos? ¿Qué elementos de esas obras crees que te han producido esas sensaciones?**

- *Pues a mí* La Gioconda *me transmite serenidad. Puede ser por los colores suaves del cuadro o por las formas redondeadas de los labios de la mujer.*

Materiales

madera, hierro, acero, aluminio, bronce, oro, plata, latón, cristal, vidrio, metacrilato, piedra, materiales reciclados, barro, cerámica, cemento

Formas

Líneas curvas/rectas/inclinadas/diagonales/paralelas/perpendiculares/suaves/gruesas/redondeadas...
Formas geométricas/redondeadas/cuadradas/rectangulares/circulares/triangulares/cilíndricas...

4. **Mira la paleta del pintor uruguayo Luis Berruti y clasifica en las siguientes categorías los colores y las tonalidades que utiliza. Luego, compáralo con tus compañeros.**

- ❑ cálidos
- ❑ fríos
- ❑ pastel
- ❑ intensos
- ❑ neutros
- ❑ chillones
- ❑ suaves

Tonalidades y gamas de color

color marfil/rosa fucsia/ocre...
azul claro/oscuro/celeste/marino...

5.a. **Escucha a dos estudiantes de Bellas Artes haciendo una encuesta en la que les preguntan sobre sus artistas favoritos del siglo XX. ¿Qué elogios hacen de ellos?**

b. **Y a ti, ¿qué figura del siglo XX te llama especialmente la atención por su trayectoria artística? Piensa en un pintor, arquitecto, músico, bailarín, etc., y en la trascendencia que crees que ha tenido en el arte del siglo XX, y preséntaselo a tus compañeros.**

Datos de su vida:
Campo del arte en el que desarrolló su producción:
Características más importantes de sus obras:

Obras por las que ha destacado:
Importancia / relevancia de su obra:

6. **¿Te atreves a hacer un cuadro abstracto? Déjate guiar por tus sentimientos y plásmalos usando colores y formas geométricas. Luego ponle un título y muéstraselo a tus compañeros para que lo valoren y te digan qué les sugiere tu obra.**

7.a. Escucha las reacciones de varias personas ante la música que escuchan. A partir de lo que dicen, señala el significado de sus reacciones, relacionando un elemento de cada columna.

1. «¡Impresionante! Me ha puesto los pelos de punta.»
2. «Parece que este cantante está empezando.»
3. «A mí no me dice nada.»
4. «¡Muy bien! ¡Fantástico! Lo habéis hecho bárbaro.»
5. «¡Qué bueno! ¡Qué bonito!»

- No le ha gustado nada.
- No le ha llamado mucho la atención. Le ha dejado indiferente.
- Le ha gustado mucho.
- Le ha encantado.
- Le ha emocionado.

b. Escucha la grabación. ¿Qué comentarios harías después de escuchar estos fragmentos musicales?

8. En este *blog*, varios internautas hablan de sus escenas de cine favoritas. Lee sus intervenciones. ¿Sabes a qué películas corresponden las escenas descritas?

Sopa de ganso
Leo McCarey (1933)

Aliens
James Cameron (1996)

Una noche en la ópera
Sam Wood (1935)

King Kong
Merian C. Cooper y Ernest B. Schoedsack (1933)

ET, el extraterrestre
Steven Spielberg (1982)

La bella y la bestia
Gary Trousdale y Kirk Wise (1991)

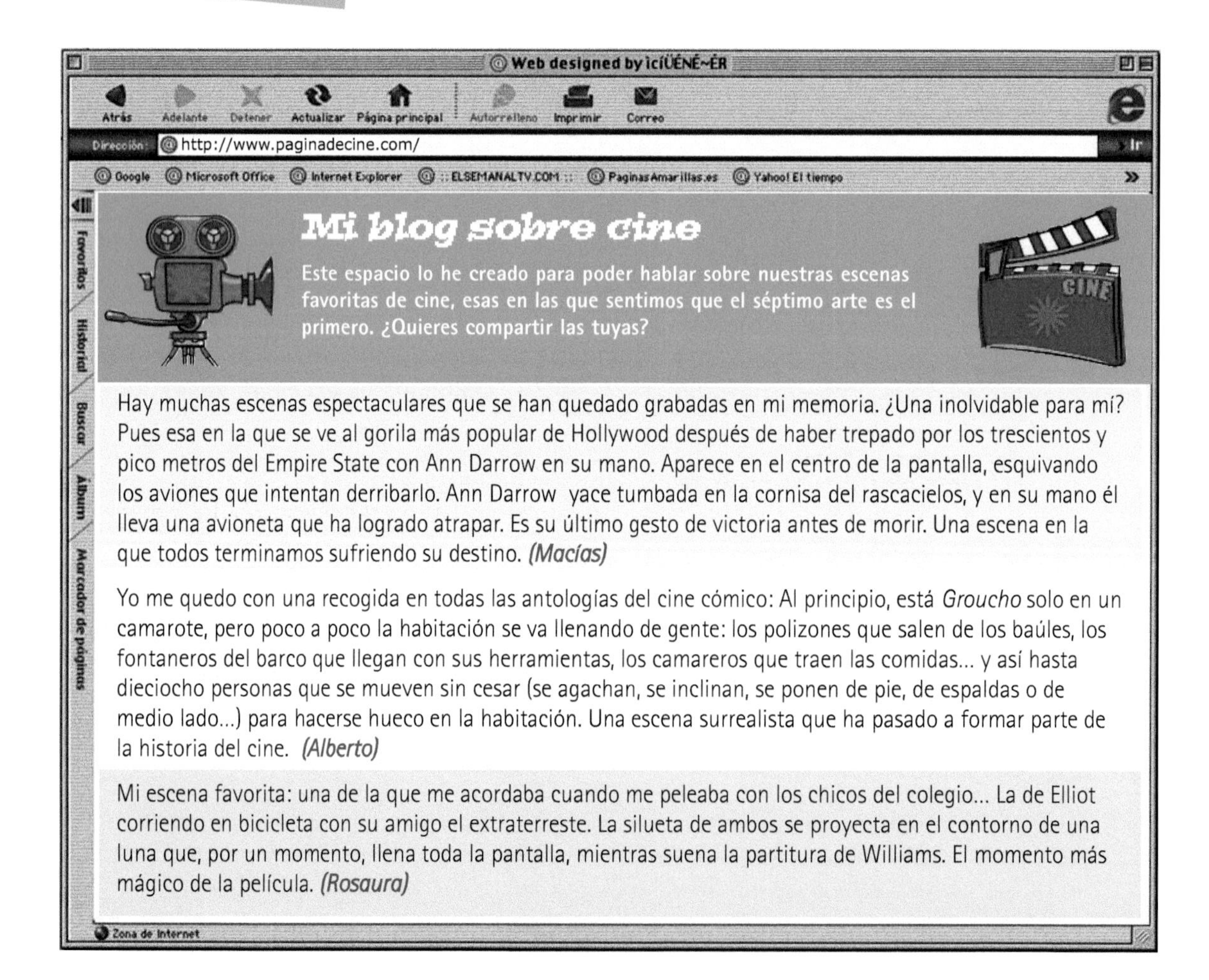

Mi blog sobre cine

Este espacio lo he creado para poder hablar sobre nuestras escenas favoritas de cine, esas en las que sentimos que el séptimo arte es el primero. ¿Quieres compartir las tuyas?

Hay muchas escenas espectaculares que se han quedado grabadas en mi memoria. ¿Una inolvidable para mí? Pues esa en la que se ve al gorila más popular de Hollywood después de haber trepado por los trescientos y pico metros del Empire State con Ann Darrow en su mano. Aparece en el centro de la pantalla, esquivando los aviones que intentan derribarlo. Ann Darrow yace tumbada en la cornisa del rascacielos, y en su mano él lleva una avioneta que ha logrado atrapar. Es su último gesto de victoria antes de morir. Una escena en la que todos terminamos sufriendo su destino. *(Macías)*

Yo me quedo con una recogida en todas las antologías del cine cómico: Al principio, está *Groucho* solo en un camarote, pero poco a poco la habitación se va llenando de gente: los polizones que salen de los baúles, los fontaneros del barco que llegan con sus herramientas, los camareros que traen las comidas… y así hasta dieciocho personas que se mueven sin cesar (se agachan, se inclinan, se ponen de pie, de espaldas o de medio lado…) para hacerse hueco en la habitación. Una escena surrealista que ha pasado a formar parte de la historia del cine. *(Alberto)*

Mi escena favorita: una de la que me acordaba cuando me peleaba con los chicos del colegio… La de Elliot corriendo en bicicleta con su amigo el extraterreste. La silueta de ambos se proyecta en el contorno de una luna que, por un momento, llena toda la pantalla, mientras suena la partitura de Williams. El momento más mágico de la película. *(Rosaura)*

9. **Formad pequeños grupos y poneos de acuerdo para representar en la clase una escena de cine muy famosa. Uno de vosotros hace de director y da instrucciones exactas a otros para representarla. Los demás tienen que adivinar de qué película se trata.**

- *Vosotros siete os ponéis ahí, al fondo, e imagináis que estáis encima de un escenario. Sois músicos y vais a interpretar una canción. Estáis todos en fila, de pie...*

10.a. **Selecciona un cuadro, un monumento, una canción, etc. de un autor conocido o de alguien anónimo y elabora una ficha como la siguiente.**

Datos del autor (breve biografía, trayectoria artística, importancia y significación): Nació en Calzada de Calatrava. (...) Desde su primera película, en 1982, ha ganado dos Óscar, un festival de Cannes (...) Está considerado uno de los mejores directores de cine español.(...)

Fecha de realización: A principios de los años noventa.

Breve descripción: Es una película de realismo social, que refleja la dura realidad de las barriadas de Madrid en los ochenta, pero de una manera alegre y eminentemente original. (...)

Describir la escena de una película
Arriba, abajo, en el centro, a la derecha/izquierda, en el ángulo superior derecho, en la parte superior/inferior derecha/izquierda
En primer plano, al fondo

Posiciones
Estar/Permanecer/Ponerse/Colocarse... de pie, sentado, de rodillas, agachado, de frente, de espaldas, de perfil, de lado...

b. **Prepara la presentación de esa "obra de arte" a tus compañeros. Elige el formato para la presentación (póster, *collage*, presentación en *Power Point*, grabación de casete o CD, vídeo, etc.).**

c. **Expón a tus compañeros la obra que has elegido. Explica por qué te gusta, qué impresiones te produce y con qué otras obras la relacionas. Comenta con ellos qué les parece.**

LENGUA Y COMUNICACIÓN

REACCIONAR FRENTE A UNA OBRA ARTÍSTICA

¡Admirable!/¡Increíble!/¡Impresionante!/¡Magnífico/a!
¡Qué bueno/a!/¡Qué bonito/a!
Lo encuentro + adjetivo
Lo que más me llama la atención es + sustantivo / oración

HABLAR DE LAS REACCIONES QUE NOS PROVOCA UNA OBRA DE ARTE

Me produce/Me transmite + sustantivo
Me recuerda a.../Me transporta a... + sustantivo/cuando + oración
Me hace pensar en... + sustantivo/oración
Me inspira/Me evoca + sustantivo/oración
Es (un poco) como si + imperfecto de subjuntivo

ELOGIAR A UN ARTISTA

Es insuperable/extraordinario/sensacional/fabuloso/magnífico...
Un trabajo increíble/incomparable.
No hay otro igual.
No hay palabras para describirlo.
Consiguió/Hizo/Se hizo...
Llegó a ser/hacerse/convertirse en...
Su obra fue fundamental/de referencia para...
Se ha convertido en un referente...
Su aportación fue...

DESCRIBIR UNA ESCENA DE UNA PELÍCULA

Estar / Permanecer / Ponerse / Colocarse / Aparecer / Verse

de pie, sentado, de rodillas, agachado...
de frente, de espaldas, de perfil, de medio lado...
frente a, cerca de, lejos de, enfrente de, junto a, sobre, a un lado (de)...
en medio de, entre... y...
arriba, abajo, en el centro, a la derecha...
en primer plano, al fondo

11.a. **Mira los siguientes *graffiti*. ¿Qué ideas y sensaciones te producen? ¿Cuál te gusta más? ¿Por qué?**

- *A mí me gusta el primero. El dibujo es impresionante.*
- *Pues a mí, ninguno me gusta mucho y lo que me producen es enfado.*

b. **Escucha una conversación sobre el primer *graffiti* y apunta cuáles de estas expresiones para matizar y argumentar opiniones se utilizan.**

- *En general sí, pero...*
- *Es verdad que..., pero de ahí a decir que...*
- *Que* + subjuntivo, *no significa que* + subjuntivo
- *Sí, pero no por eso...*
- *Yo no diría que* + subjuntivo, *en todo caso.../si acaso...*

c. **Vuelve a escuchar la conversación. En parejas, uno toma nota de los argumentos a favor de los *graffiti* y el otro, de los argumentos en contra. ¿Qué pareja ha anotado más?**

d. **¿Cuál es tu opinión sobre los *graffiti*? ¿Te parece bien que multen a los que los hacen? ¿Y que habiliten zonas para hacerlos? Coméntalo con tu compañero.**

12. **Lee estas afirmaciones sobre el arte contemporáneo, comenta con tu compañero si estás o no de acuerdo y matiza tu opinión.**

A mí me parece que las fotos de cuerpos desnudos la mayoría de las veces están más cerca de la pornografía que del arte.

Creo que algunas obras de arte o películas deberían censurarse, porque son ofensivas para muchas personas.

Ahora en la música prima lo comercial, es imposible crear si no haces algo mayoritario, simple, vendible. Eso ha acabado con la originalidad y la creatividad: todo es copia e imitación de lo anterior. Solo les preocupa el dinero.

El cine es el arte más completo, porque puede incluir a todas las demás artes: música, texto, imágenes... No hay ninguna experiencia como el cine.

- *La verdad es que el cine incluye muchas disciplinas, pero de ahí a decir que es el arte más completo...*

13.a. **En este artículo de la revista *Ociarte* se habla de un peculiar centro comercial. Subraya las palabras utilizadas para describir el lugar y sus productos. ¿Conoces algún sitio parecido? ¿Dónde está? Cuéntaselo a dos compañeros.**

El mercado de Fuencarral se ha convertido en uno de los espacios más innovadores de Madrid. En el mercado hay sitio para todos: centros de tatuajes y *piercing*, tiendas de modernísimos muebles, peluquerías alternativas, *boutiques* de ropa de marca, galerías de arte... Rosa, una clienta habitual, nos da su opinión: «No creo que Fuencarral sea precisamente un centro artístico. Su objetivo es esencialmente comercial, pero sí es innovador y moderno». Sergio, un joven diseñador, discrepa: «Las artes decorativas son también arte y aquí se concentra lo más impactante, arriesgado, innovador y divertido de la moda y el diseño contemporáneos. Es lamentable que no se le dé la importancia que tiene». Pero además, como señala su amiga Beth, no es un ambiente frívolo, como podría parecer, sino que también hay lugar para las tiendas solidarias y los productos reivindicativos: «Es sorprendente que un espacio fundamentalmente comercial luche tan desinteresadamente por un comercio justo».

b. **Fíjate en las opiniones o los juicios recogidos en el texto anterior. ¿Están de acuerdo los entrevistados? Coméntalo con un compañero.**

● *Beth no parece estar muy de acuerdo con Rosa.*

14.a. **Escucha las conversaciones de unos clientes del mercado de Fuencarral. ¿De qué objeto hablan en cada conversación?**

Imperativo con pronombres de CI y CD

Con las formas del imperativo afirmativo, los pronombres se colocan detrás del verbo, formando con él una sola palabra.
Llévatela.

Con las formas del imperativo negativo, los pronombres se colocan delante del verbo.
No te la lleves ahora.

b. **En parejas, indicad a qué objeto se refieren las personas que dan estos consejos en las conversaciones. Luego, comprobad las respuestas con la clase.**

1. No me las compraría ahora.
2. Yo no me la llevaba aunque me la regalaran.
3. ¿Te la tienes que llevar hoy mismo? Déjalo para otro día.

15.a. **Escribe los nombres de tres objetos de regalo en tres papeles y dóblalos. En grupos de cinco, juntad los papeles.**

b. **Id sacando cada uno un papel, leedlo y dádselo a la persona que os indique vuestro compañero de la derecha.**

● *Una camiseta del Fútbol Club Barcelona con el número 10, de Ronaldinho.*

▲ *Ah, dásela a Louise, que le encanta el fútbol.*

16.a. **En grupos de tres, relacionad estas camisetas con los tipos de mensajes.**

humorísticos / reivindicativos / poéticos / publicitarios / infantiles / románticos

b. **¿Recuerdas alguna camiseta graciosa o curiosa? En parejas, traducid sus mensajes al español y clasificadlos según los tipos anteriores. Si quedan categorías vacías, cread mensajes para ellas. Luego, elegid el mejor mensaje entre toda la clase.**

- *Yo tenía una camiseta en la que ponía "Odio el colegio". Eso sería un mensaje infantil, ¿no?*

17.a. **¿A qué tipo de empresas crees que pertenecen los siguientes eslóganes? ¿Por qué? Comentadlo en grupos de tres.**

telefonía	banca	tarjeta de crédito	turismo	yogur

¿Hablamos?

Actívate

¡Vívela!

La vida es móvil

No te la dejes en casa

b. **¿Qué imagen o mensaje se quiere transmitir con cada eslogan? Coméntalo con tu compañero.**

abierta	dinámica	joven	divertida	accesible	frívola
sofisticada	sobria	espontánea	eficiente	creativa	solidaria

- *Yo creo que da la imagen de una empresa abierta, en la que se escucha al cliente.*

18. **Un grupo de artistas está pensando soluciones a la piratería musical. En parejas, clasificad las propuestas de más a menos útiles y comparad vuestra clasificación con otra pareja. ¿Se os ocurren otras soluciones?**

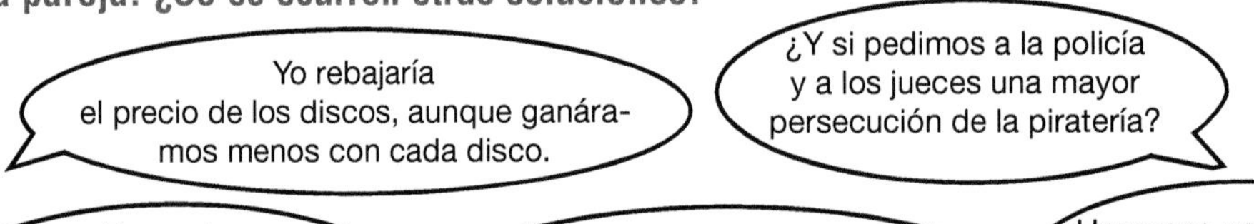

¿Por qué no incluimos en nuestros discos algún regalo, como fotos?

Podríamos incluir en los discos un número para un sorteo de entradas para un concierto.

¿Hacemos una campaña para concienciar del mal que se está haciendo a la música?

Soluciones 17.a.
Telefonía: La vida es móvil. Banca: ¿Hablamos? Tarjeta de crédito: No te la dejes en casa. Turismo: ¡Vívela! Yogur: Actívate.

19. **Vuestra escuela se ha planteado revitalizar la actividad artística de los estudiantes y profesores, y os quiere pedir consejo. En grupos, haced cuatro propuestas.**

1. ¿Por qué no habilitamos un espacio para hacer graffiti *en algún aula?*

20.a. **Vamos a diseñar la camiseta de la clase. En grupos, pensad en las características de la clase o en algo que os una a todos, como anécdotas, palabras, costumbres, etc.**

TAREA FINAL

● *Yo creo que somos una clase muy participativa y divertida.*

▲ *Sí, pero creo que lo que más nos une a todos son las bromas en la pausa del café.*

b. **Presentad vuestra caracterización ante los demás grupos. Matizad lo que han dicho ellos.**

● *Yo no diría que somos muy risueños; si acaso, que tenemos sentido del humor, pero normalmente estamos demasiado dormidos como para reírnos.*

c. **En grupos, diseñad la camiseta de la clase. Pensad en un dibujo o símbolo, los colores, una frase o eslogan, etc.**

● *¿Por qué no ponemos una cadena, como símbolo de la unión del grupo?*

d. **Presentad vuestro diseño al resto de la clase para votar, entre todos, cuál va a ser la camiseta "oficial".**

Lengua y comunicación

MATIZAR UNA OPINIÓN

En general sí, pero...
Yo no diría que...; en todo caso.../si acaso...
Que + subjuntivo, no significa que + subjuntivo
Es verdad que..., pero de ahí a decir que...
Sí, pero no por eso...

CARACTERÍSTICAS DE UN GRUPO O EMPRESA

homogéneo/a	heterogéneo/a
alternativo/a	cooperativo/a
comunicativo/a	solidario/a
dinámico/a	moderno/a
creativo/a	innovador/+ a
espontáneo/a	frívolo/a
revolucionario/a	eficiente
divertido/a	accesible
reivindicativo/a	joven
abierto/a	sofisticado/a

IMPERATIVO CON PRONOMBRES DE CI Y CD

Con las formas del imperativo afirmativo, los pronombres se colocan detrás del verbo, formando con él una sola palabra.
- *Llévatela.*

Con las formas del imperativo negativo, los pronombres se colocan delante del verbo.
- *No te la lleves ahora.*

PROPONER UNA ACCIÓN CONJUNTA

¿Por qué no + 1ª persona plural del presente?
¿Y si + 1ª persona plural del presente?
Yo + condicional
Podríamos + infinitivo
¿1ª persona plural del presente?
- *¿Por qué no hacemos algo práctico?*

21.a. Este teletipo sobre una exposición callejera en Las Palmas ha llegado desordenado a la redacción del diario *Hoy*. Con tu compañero, ordena los párrafos y ponle un titular para un posible artículo de periódico.

La alcaldesa situó el germen de esta exposición en su viaje de hace un año a Nueva York, donde tuvo ocasión de contemplar inmensas manzanas decoradas e imaginó un proyecto similar para Las Palmas. **2**

Estas decoraciones, añadió finalmente, reflejan el carácter heterogéneo de una isla que los distintos artistas han cifrado en su alegría, en su gusto por los disfraces y el carnaval, en su equipo de baloncesto, en su naturaleza tropical, en su casino o en su carácter apasionado. ☐

Pensó entonces que el símbolo ideal sería el perro presa (conocido por kan-ara o perro oveja), que según diversas teorías dio nombre a las islas y que está estrechamente ligado a la historia de Canarias. En la antigüedad era enterrado con los aborígenes para que los guiara a la ciudad de los muertos y desde el siglo XVI aparece en los escudos de las islas. ☐

Después de justificar el símbolo elegido, la alcaldesa indicó que los viandantes encontrarán en la calle perros para casi todos los gustos, pues los hay rosados, plateados, azules o de color fuego; con amapolas, lentejuelas, corazones, margaritas de colores, collares de perlas o ruletas de casino; elegantes, psicodélicos, cargados con el puerto a sus lomos, disfrazados de tigre, equipados para jugar al baloncesto o leyendo el plano de la ciudad; y cubiertos de césped, trozos de postales, letras o periódicos. ☐

Grandes perros presa canarios decorados por 53 artistas poblarán durante meses las calles de Las Palmas de Gran Canaria, dentro de la exposición *Nuestros canes*, compuesta por 55 esculturas, según anunció la alcaldesa ayer en rueda de prensa. ☐

b. ¿Cuáles de estos rasgos se mencionan en el texto para caracterizar a Las Palmas?

❏ flora	❏ gente	❏ arquitectura	❏ comida	❏ lengua
❏ música	❏ diseño	❏ espectáculos	❏ geografía	❏ diseño urbanístico
❏ comercio	❏ economía	❏ industria	❏ tiendas	❏ restaurantes y bares
❏ fiestas	❏ deporte	❏ carácter		
❏ artesanía	❏ tráfico	❏ monumentos históricos		❏ otros: ________

22. **Relaciona estos textos descriptivos con la imagen correspondiente.**

1. Esta escultura refleja una de las características de Las Palmas y de las Islas Canarias en general: la vida en la playa disfrutando del sol y del mar, y que evocan el amarillo intenso y azul cielo con que se ha pintado este can. La obra constituye un homenaje a la identidad canaria simbolizada en ese C-7 (son siete las Islas Canarias) que ha sido grabado tantas veces en el lomo del perro.

2. Este can constituye una defensa del arte callejero y un ataque a la separación existente entre el arte culto y el arte popular. El color gris metálico evoca la tonalidad de las ciudades cosmopolitas, modernas, inquietas, en las que la vida de sus habitantes brilla con intensidad entre el asfalto. Entre el asfalto y el mar en el caso de Las Palmas.

3. El artista que ha decorado este can ha cifrado el carácter de la ciudad en su diseño urbanístico. El espacio que organiza y enmarca la vida de los ciudadanos se hace arte.

4. Este llamativo can rojo parece evocar la pasión, la osadía y el carácter cálido y vital de la ciudad y sus habitantes. Las patas reflejan la variedad y alegría características de Las Palmas.

Ⓐ 

Ⓑ 

Ⓒ 

Ⓓ 

23.a. **Entre toda la clase, haced una lluvia de ideas de los rasgos característicos de la ciudad en la que estáis. A continuación, discutid y matizad esos rasgos para elegir solo cinco.**

● *Es una ciudad muy verde, llena de parques y poco contaminada.*

▲ *Sí, además es una ciudad bastante activa. Pasan muchas cosas.*

b. **¿Cómo representaríais esos rasgos? Entre todos, decidid el símbolo que mejor los representa.**

● *Yo creo que un panal de abejas podría ser un buen símbolo.*

c. **En parejas, elegid los motivos, colores y formas para decorarlo, y haced la figura.**

● *¿Por qué no lo pintamos de verde, que es el color predominante en la ciudad?*

d. **Escribid un texto breve que explique vuestra figura y colgadlo junto a ella en la pared, como si se tratara de una sala de exposiciones. Mirad qué han hecho vuestros compañeros y comentadlo.**

B MÓDULO

UNIDAD 8

En esta unidad te proponemos:

QUEREMOS CAMBIAR EL MUNDO

Crear una asociación y presentar sus objetivos y proyectos

Contar algunas predicciones que nos han hecho sobre nuestro futuro

Comentar lo que nos han contado de otros países y lo que hemos aprendido de nuestros contactos interculturales

1.a. **¿Sabes qué objetivos persiguen estas ONG? ¿Conoces otras ONG que luchen por estos mismos objetivos?**

Greenpeace

Intermón Oxfam

Payasos sin fronteras

Médicos sin fronteras

b. **¿Alguna vez has participado o colaborado con una ONG o asociación? ¿Cómo?**

● *Durante un tiempo estuve trabajando como voluntario en una ONG de mi país.*
▲ *¿Y qué hacías?*
● *Dábamos información legal a los inmigrantes para poder regularizar su situación.*

c. **En parejas, pensad en la formación, cualidades o aptitudes de otros dos compañeros. ¿Qué tipo de trabajo podría desarrollar cada uno en una asociación, ONG, etc.? ¿Por qué?**

● *Yo creo que Carmelina podría ayudar a gente que está sola y necesita compañía, porque es una persona muy paciente y sabe escuchar a los demás.*
▲ *Sí, es verdad. Nunca me lo había planteado.*

2.a. **Relaciona cada uno de estos titulares con uno de los temas sociales del cuadro.**

Mujeres y niños lideran la escala de la pobreza en el mundo

ONG africanas critican las pocas ayudas a la inmigración

INTERVIDA y la UNESCO aúnan esfuerzos en favor de la alfabetización de las mujeres para un desarrollo sostenible

Universitarios europeos preocupados por el calentamiento global

Cada vez hay más personas mayores que viven solas sin ningún tipo de ayuda ni asistencia

Temas sociales

los derechos humanos
la discriminación
la violencia doméstica
la alfabetización
la ayuda humanitaria
la falta de atención a...
la defensa de...
las ayudas a...
la protección de...

el medio ambiente
la tercera edad
la infancia
la flora y fauna
los inmigrantes
los discapacitados
los drogodependientes

b. **¿Qué temas sociales son los que más te preocupan en un futuro inmediato? ¿Por qué? Comentadlo en pequeños grupos y tomad nota de los temas en los que coincidís.**

● *A mí uno de los temas que más me preocupa es la falta de protección a las personas maltratadas porque, por desgracia, muchas de ellas vuelven a ser maltratadas o incluso asesinadas.*

c. **Escribid en la pizarra los temas en los que coinciden todos los miembros de cada grupo.**

3.a. Estas personas sueñan con un futuro mejor para el mundo. Relaciona cada uno de sus deseos con una de las imágenes.

A
Sería estupendo que todos respetáramos más la naturaleza y que cuidáramos más nuestros recursos naturales. Por eso, estaría muy bien que todo el mundo recibiera, desde pequeño, una buena educación medioambiental. Lo ideal sería que las autoridades educativas introdujeran la Ecología en los planes de estudios. De ese modo, creo que habría una mayor conciencia ecológica.

1

B
No creo que vaya a ocurrir, pero ojalá los gobiernos estuvieran más preocupados por invertir en el estudio y el desarrollo de energías alternativas que no contaminen. Me encantaría que en el futuro desapareciera la contaminación de nuestras ciudades, ríos, mares y bosques, pero me temo que este problema no va a tener una pronta solución.

C
Ojalá haya cada vez más entendimiento entre las culturas y así podamos convivir sin problemas. Espero que nuestros hijos y nietos puedan vivir en un mundo sin ningún tipo de discriminación racial.

2

3

b. Y a ti, ¿cómo te gustaría que fuera el mundo en el futuro? En dos minutos, haz un dibujo representativo de tus deseos para un mundo mejor.

c. Observa el dibujo de tu compañero. ¿Qué deseos crees que quiere expresar? Escríbelo. Después, habla con él para ver si has acertado.

Me encantaría que la gente fuera más respetuosa con la inmigración.
Ojalá haya menos discriminación racial.

- *Creo que te encantaría que, en el futuro, la gente fuera más respetuosa con los inmigrantes.*
- ▲ *Sí, es verdad. Ojalá la gente se dé cuenta de que los inmigrantes merecen todo nuestro respeto.*

Expresar sueños y deseos

Me gustaría/encantaría
Estaría (muy) bien
Sería estupendo / maravilloso / fantástico / ideal
— que + imperfecto de subjuntivo

Espero que + presente de subjuntivo
Ojalá + presente/imperfecto de subjuntivo

4.a. En un foro digital, varias personas discuten sobre la polémica construcción de un macro hotel en una zona de alto interés ecológico. Lee las intervenciones y señala si están a favor (AF) o en contra (EC) de la construcción del hotel.

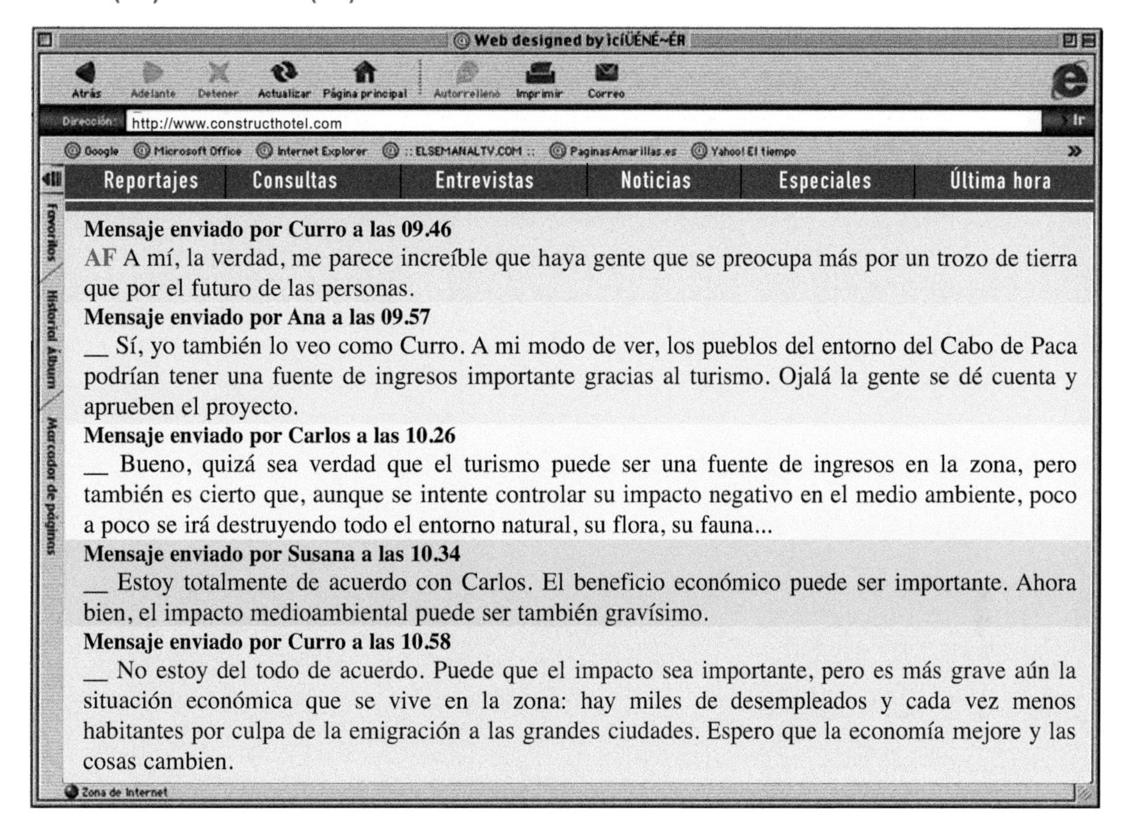

Mensaje enviado por Curro a las 09.46
AF A mí, la verdad, me parece increíble que haya gente que se preocupa más por un trozo de tierra que por el futuro de las personas.

Mensaje enviado por Ana a las 09.57
__ Sí, yo también lo veo como Curro. A mi modo de ver, los pueblos del entorno del Cabo de Paca podrían tener una fuente de ingresos importante gracias al turismo. Ojalá la gente se dé cuenta y aprueben el proyecto.

Mensaje enviado por Carlos a las 10.26
__ Bueno, quizá sea verdad que el turismo puede ser una fuente de ingresos en la zona, pero también es cierto que, aunque se intente controlar su impacto negativo en el medio ambiente, poco a poco se irá destruyendo todo el entorno natural, su flora, su fauna...

Mensaje enviado por Susana a las 10.34
__ Estoy totalmente de acuerdo con Carlos. El beneficio económico puede ser importante. Ahora bien, el impacto medioambiental puede ser también gravísimo.

Mensaje enviado por Curro a las 10.58
__ No estoy del todo de acuerdo. Puede que el impacto sea importante, pero es más grave aún la situación económica que se vive en la zona: hay miles de desempleados y cada vez menos habitantes por culpa de la emigración a las grandes ciudades. Espero que la economía mejore y las cosas cambien.

b. En el programa de debate *Opina en 39 segundos*, unos representantes de la Plataforma de Vecinos y de la Asociación Ecovida discuten sobre la construcción del macro hotel. Escúchalos y completa sus argumentos.

1. La Plataforma de Vecinos, en realidad, no defiende la construcción del hotel, sino...
2. La Asociación Ecovida cree que el turismo quizá sea una solución a corto plazo. Ahora bien,...
3. La Plataforma de Vecinos no solo se preocupa por la economía de la zona sino que...
4. Ecovida cree que es verdad que el turismo genera empleo, pero...

c. Dividid la clase en dos grupos para participar en el programa de debate *Opina en 39 segundos*.

GRUPO A: VECINOS

Eres un vecino de uno de los pueblos cercanos al Cabo de Paca. Estás a favor de la construcción del hotel.

Pensad en diferentes argumentos para defender vuestra opinión en un debate y anotadlos.

Después pensad en los posibles argumentos que van a dar los ecologistas en contra de la construcción del hotel y tomad nota de posibles contra-argumentos para defender vuestro punto de vista.

GRUPO B: ECOLOGISTAS

Eres un ecologista que está en contra de la construcción del hotel en el Cabo de Paca.

Pensad en diferentes argumentos para defender vuestra opinión en el debate y anotadlos.

Después pensad en los posibles argumentos que van a dar los vecinos a favor de la construcción del hotel y tomad nota de posibles contra-argumentos para defender vuestro punto de vista.

d. Cada estudiante, en turnos de 39 segundos, expresa su opinión y replica a las palabras del estudiante anterior.

5.a. **En este artículo aparecen algunos voluntarios que colaboran con varias ONG. ¿En qué consiste exactamente su trabajo? Búscalo en el texto y subráyalo.**

Voluntarios con ganas

Millones de personas en nuestro país realizan una labor tan callada como necesaria. Es el voluntariado, un colectivo heterogéneo en el que predominan las mujeres y los jóvenes, sobre todo con estudios superiores, pero en el que poco a poco ganan terreno los jubilados.

Juan (21 años, estudiante): cree que otro mundo es posible. «En nuestra ONG trabajamos para que se respeten los derechos de las personas que llegan a nuestro país. Creemos que se tendría que educar más a la gente y, por ello, tenemos pensado hacer una campaña de concienciación social.»

Claudia (50 años, ingeniera industrial): emplea su tiempo libre ayudando al Tercer Mundo. «Creemos que el gobierno debería dedicar el 0,7% del PIB a ayudas al desarrollo y, por ello, hacemos diferentes movilizaciones para conseguir el apoyo de la sociedad. El próximo mes tenemos la intención de hacer una concentración pacífica ante el parlamento.»

Mario (35 años, cocinero): le quita el sueño el derroche de energía y de agua. «Nosotros trabajamos para que la gente tome conciencia de la importancia de nuestros recursos naturales. Creemos, por ejemplo, que todo el mundo debería moderar su consumo de agua y ahora queremos elaborar una campaña a fin de que tanto los pequeños como los grandes consumidores ahorren agua.»

b. **En pequeños grupos, comentad para qué causas creéis que pueden trabajar las personas que colaboran en estas asociaciones.**

- Fundación de Estudiantes contra los trabajos manuales
- Plataforma Stop a las melodías de los móviles
- Confederación Estatal de Amigos del Periquito
- Liga contra los trajes y los lazos para perros
- Asociación contra el papeleo y la burocracia
- Liga Salvemos al enano de jardín
- Cocineros sin fronteras

▲ *Creo que la Fundación de Estudiantes trabaja para que no haya explotación infantil, ¿no?*

6.a. **En pequeños grupos, imaginad que formáis parte de la Asociación de Estudiantes de Español. Haced una lista con los problemas del centro donde estudiáis que os afectan.**

● *Uno de los problemas que hay en nuestra escuela es que no hay ninguna cafetería para que podamos reunirnos a charlar y tomar un café.*

b. **¿Qué podríais hacer para solucionar esos problemas? ¿Qué propuestas haríais al director? Escribid una carta exponiéndolas.**

Estimado Sr. Director:
Nos preocupa el problema de la falta de zonas en el centro para que los estudiantes podamos charlar y hemos pensado que podría habilitarse una sala a fin de que podamos tener un espacio

c. **Presentad vuestras propuestas al resto de la clase y, entre todos, elegid aquellas que pensáis que el director podría aceptar.**

TAREA FINAL

7.a. **En pequeños grupos, pensad qué asociaciones os gustaría crear teniendo en cuenta vuestros intereses y preocupaciones, y haced una lista.**

b. **Elige la asociación que te parezca más importante o necesaria de la lista anterior. Piensa en argumentos para defender tu postura ante tus compañeros e intenta convencerlos.**

c. **Votad para elegir la asociación que vais a crear y presentádsela al resto de la clase teniendo en cuenta estos puntos:**

- Nombre de la asociación.
- Imagen o logotipo que represente su espíritu.
- Deseos de la asociación y objetivos que persigue.
- Proyectos que vais a llevar a cabo.
- etc.

d. **Cada uno elige la asociación con la que más le gustaría colaborar. ¿Cuál es la que ha conseguido más colaboradores?**

LENGUA Y COMUNICACIÓN

EXPRESAR DESEOS PARA EL FUTURO

Me gustaría/encantaría que
Lo ideal sería que
Sería estupendo/maravilloso que
| + imperfecto de subjuntivo

Espero que la gente + presente de subjuntivo
Lo que más deseo es que + presente de subjuntivo
Ojalá + presente/imperfecto de subjuntivo

- Dicen que habrá más ayudas sociales. ***Ojalá sea*** *cierto.*
- ***Lo ideal sería que hubiera*** *más conciencia social, pero la gente es muy egoísta.* ***Ojalá*** *las cosas* ***fueran*** *diferentes.*

HACER PROPUESTAS Y SUGERENCIAS

Deberíamos/tendríamos que
Se debería/tendría que
Sería conveniente/recomendable
Proponemos/recomendamos
| + infinitivo

Sería conveniente/recomendable que + subjuntivo
Proponemos/Recomendamos que + presente de subjuntivo

- Proponemos que ***se organice*** *un festival de teatro a fin de recaudar dinero para la creación de un polideportivo.*

RECURSOS PARA ARGUMENTAR

Matizar una opinión o argumento

Es verdad que...	ahora bien, + contra-argumento
Puede (que)...	pero + contra-argumento
Quizá...	pero también + contra-argumento

Aclarar una opinión o argumento
En realidad...
Lo que quiero/quería decir es que...
Me gustaría aclarar que...

Expresar acuerdo y desacuerdo
Yo también lo veo como X
X tiene razón
Estoy (totalmente) de acuerdo con...

HABLAR DE PLANES E INTENCIONES

Tener pensado + infinitivo
Tener la intención de + infinitivo

- En verano ***tenemos la intención de*** *hacer una concentración ante el parlamento y también* ***tenemos pensado*** *hacer manifestaciones en todo el país.*

EXPRESAR FINALIDAD

Cuando ambas oraciones tienen el mismo sujeto gramatical
Para + infinitivo/A fin de + infinitivo (más formal)
*- Trabajamos (****nosotros****) para ayudar (****nosotros****) a los que sueñan con una segunda oportunidad.*

Cuando los sujetos de las oraciones son diferentes
Para que + subjuntivo/A fin de que + subjuntivo (más formal)
*- Trabajamos (****nosotros****) a fin de que el gobierno tome (****él****) conciencia de la importancia de cuidar los recursos naturales.*

8. **Begoña habla con una amiga sobre planes y proyectos que tiene con su pareja. Escúchalas y relaciona el principio de cada frase con su final correspondiente.**

1. Piensan buscar otra casa más grande...
2. Van a hacer un viaje a Asia...
3. Se casarán...
4. Les gustaría abrir una librería...
5. Él seguirá haciendo horas extra en el trabajo...

a. ... a lo mejor dentro de un par de años, cuando vivan más tranquilos.
b. ... en cuanto tengan al niño.
c. ... antes de que empiecen los trámites de la adopción.
d. ... hasta que decidan a qué empresa le dan el proyecto.
e. ... en breve, después de que ella termine su máster.

9.a. **¿Cuándo crees que ocurrirán estas cosas? Completa estas frases en tarjetas de diferente color, tal y como se indica a continuación.**

Los viajes turísticos por el espacio serán habituales...	en cuanto...
Nuestro profesor se irá de vacaciones...	tan pronto como...
Cambiará el tiempo en nuestra ciudad...	antes de que...
El petróleo dejará de ser la principal fuente de energía...	después de que...
La esperanza de vida llegará a ser superior a los 100 años...	cuando...

Relacionar cronológicamente acciones futuras

Cuando En cuanto Tan pronto como Antes de que Después de que Hasta que	+ presente de subjuntivo

Voy a abrir mi propio negocio **en cuanto tenga** unos ahorros.

b. **Pon tus tarjetas y las de tu compañero boca abajo. Después, cada uno coge una tarjeta blanca y otra de color para formar una frase y la lee. ¿Es una frase con sentido o es un disparate?**

10. **Completa una tabla como esta con cinco o seis preguntas para entrevistar a tu compañero sobre su futuro. Después, entrevístalo y escribe sus respuestas en la tabla.**

	No	Sí	¿Cuándo?
¿Crees que volverás a hacer otro curso de español?			
¿Piensas tener un hijo (u otro hijo)?			
...			

11. **La ONG GREENLEAF, está elaborando una campaña para concienciar a la gente del cambio climático. Con tu compañero, ayúdalos a redactar la parte positiva de su folleto.**

¿Podremos evitar el cambio climático?

Tus nietos no se merecen esto

El imparable aumento del uso de energías no renovables está provocando cambios en el clima. Si no hacemos nada para evitarlo, antes de que llegue el año 2050 el planeta habrá alcanzado un deterioro climático irreversible y sufriremos condiciones meteorológicas extremas, como sequías e inundaciones. Las zonas polares habrán sufrido deshielos, el nivel del mar habrá aumentado y se habrán perdido los arrecifes de coral. Así mismo, nuestras reservas de agua seguirán disminuyendo y algunas zonas del planeta, como el sur de Europa, dejarán de tener vegetación y se habrán convertido en un desierto.

Pero si los gobiernos, empresas e individuos comenzamos a sustituir, poco a poco, las energías no renovables por otras más ecológicas, antes de que lleguemos a la mitad de este siglo, habremos conseguido ________
____
____
____
____

Se merecen esto

Así, nuestros hijos habrán crecido en un planeta mejor y nuestros nietos nos lo agradecerán toda su vida.

12.a. **Unos amigos está haciendo predicciones sobre el futuro del director de cine Pedro Banderas. Escúchalos y responde a estas preguntas.**

1. ¿Qué creen que habrá hecho antes de cumplir los 60 años?
2. ¿Qué dicen que hará cuando se retire del cine?
3. ¿Y qué dejará de hacer, según ellos?

Futuro compuesto

Para referirnos a acciones anteriores a un momento futuro, empleamos el futuro compuesto.

Antes de 2050 las zonas polares **habrán sufrido** deshielos y **se habrán perdido** los arrecifes de coral.

b. **En pequeños grupos, pensad en diferentes artistas y famosos de la actualidad. ¿Qué habrán hecho antes de cumplir 60 años? ¿Y vuestro profesor?**

● *Yo creo que antes de cumplir 60 años, la escritora Céline Curiol habrá ganado el Nobel.*

▲ *Y yo creo que Madonna se habrá divorciado otra vez.*

c. **¿Y tú? ¿Qué crees que habrás hecho dentro de 10 años? ¿En qué habrá cambiado tu vida? ¿Hay cosas qué seguirán siendo igual que ahora?**

● *Dentro de 10 años ya me habré marchado de aquí y estaré viviendo en Italia. También supongo que me habré vuelto más maduro, aunque no dejaré de jugar con mi PlayStation.*

Hablar de cambios

Hacerse + mayor, millonario/a, periodista, escritor/+a, monje/a, vegetariano/a...

Volverse + más/muy maduro/a, simpático/a, responsable...
un(a) hipócrita, un(a) egoísta...

13.a. **Estas personas hicieron las siguientes predicciones y profecías. Con tu compañero, ¿puedes intentar descubrir quién hizo cada predicción?**

Paco Rabanne

Nostradamus

Bill Gates

Darwin

1. Predijo que el rey Enrique II de Francia moriría en un torneo.
2. Dijo que, dentro de poco tiempo, habrá un PC en cada hogar del planeta.
3. Pronosticó que, en el futuro, la especie humana desaparecerá de la Tierra, como lo hicieron los dinosaurios.
4. Anunció que la estación espacial MIR iba a caer sobre París el 1 de enero de 2000.
5. Dijo que cualquier ordenador personal tendría suficiente memoria con 640 Kb.
6. Anunció que el apocalipsis se producirá en el año 3797.
7. Dijo que la democracia terminará en España después de que el rey muera en un atentado.

b. **Clasifica las predicciones y profecías anteriores en una tabla como esta. ¿Qué diferencias observas en el uso de los tiempos verbales?**

Predicciones que ya no están vigentes	Predicciones que todavía están vigentes
Predijo que Enrique II moriría en un torneo.	Darwin dijo que la especie humana desaparecerá del planeta.

c. **Ahora escucha a dos amigos que comentan las profecías vigentes de Nostradamus y señala qué tiempos verbales utilizan cuando transmiten sus palabras.**

- Él cree que puede ocurrir lo que dijo Nostradamus y utiliza...
- Ella no cree que vaya a ocurrir lo que dijo Nostradamus y utiliza...

CONDICIONAL (dijo que sería.../anunció que habría...)

IMPERFECTO DE IR + A + INFINITIVO (dijo que iba a ser.../anunció que iba a haber...)

FUTURO (dijo que será.../anunció que habrá...)

PRESENTE DE IR + A + INFINITIVO (dijo que va a ser.../anunció que va a haber...)

14.a. **¿Recuerdas las promesas que hiciste a estas personas? Apúntalas.**

A ti mismo/a — A un/a amigo/a — A un familiar — A tu pareja — A tu jefe/a — A tu hijo/a

b. **Comenta con tu compañero si cumpliste esas promesas o no. ¿Quién ha cumplido o va a cumplir más promesas?**

● *Ayer le dije a mi madre que iré a visitarla el fin de semana.*

▲ *Yo también le prometí que iba a ir, pero no creo que pueda hacerlo.*

SOLUCIÓN DE LA ACTIVIDAD **13.a:** 1, 6 y 7: Nostradamus; 3: Charles Darwin; 2 y 5: Bill Gates; 4: Paco Rabanne.

15.a. 

Piensa en preguntas sobre tu futuro que te gustaría hacerle a un adivino y escríbelas en un papel con tu nombre.

CHRIS
- ¿Conoceré al hombre de mi vida? ¿Cuándo?
- ¿Cuándo conseguiré mi carné de conducir?
- ¿Qué cosas habrán cambiado en mi vida dentro de tres años?
- ...

b. Vamos a imaginar que somos adivinos. En parejas, intercambiad los papeles que habéis escrito con otra pareja y buscad posibles respuestas a sus preguntas indicando en qué momento creéis que ocurrirán esas cosas.

● *Mira, Chris pregunta que cuándo conocerá al hombre de su vida. Podríamos decirle que en cuanto deje de estudiar tanto español.*

▲ *¡Ja, ja! ¿Y si le decimos que antes de que acabe el año, para que se anime?*

c. Escribid las predicciones junto a las preguntas de los compañeros y después entregadle su papel a cada uno.

d. Lee las respuestas a tus preguntas. ¿Crees que podrá ocurrir lo que te dicen o no? Señálalo y, después, coméntalo con tu compañero.

● *A mí me han dicho que, antes de que acabe el año, conocería al hombre de mi vida pero, evidentemente, no creo que eso ocurra.*

▲ *¿Sí? A mí me han dicho que antes de cinco años conoceré a la mujer de mi vida y que tendré un hijo. Y creo que puede ser cierto... ¿Por qué no?*

LENGUA Y COMUNICACIÓN

RELACIONAR CRONOLÓGICAMENTE ACCIONES FUTURAS

Cuando En cuanto Tan pronto como Antes de que Después de que Hasta que	+ presente de subjuntivo

*- Voy a abrir mi propio negocio **en cuanto tenga** unos ahorros.*

HABLAR DE CAMBIOS

<u>Vitales y profesionales</u>

hacerse	mayor raro/a millonario/a periodista escritor/+a monje/a vegetariano/a

<u>De carácter</u>

madurar

volverse	maduro/a simpático/a (más/muy) responsable (in)tolerante un(a) egoísta un(a) hipócrita

<u>Físicos</u>

adelgazar, engordar, envejecer

REFERIRSE A ACCIONES FUTURAS

Me dijo que Predijo que Contó que Anunció que Prometí que Le juré que	+ condicional + imperfecto de ir + a + infinitivo

Si la acción referida todavía está vigente o si creemos que va a ocurrir, también se puede usar:
+ futuro
+ presente de ir + a + infinitivo

● *Nostradamus anunció que Enrique II de Francia **moriría** en un torneo y también predijo que el fin del mundo **será** en el año 3797.*

▲ *Sí, dijo que **sería** en ese año, pero yo no creo en esas cosas.*

REFERIRSE A ACCIONES PREVIAS A UN MOMENTO FUTURO

<u>Futuro compuesto</u>

(yo)	habré	+ participio
(tú)	habrás	
(él, ella, Ud.)	habrá	
(nosotros/as)	habremos	
(vosotros/as)	habréis	
(ellos/as, Uds.)	habrán	

*- Antes de 2050 las zonas polares **habrán sufrido** deshielos y se **habrán perdido** los arrecifes de coral.*

16. **En la revista *Latinos en el mundo* entrevistan a un estudiante universitario de Colombia. Léela y responde a las siguientes preguntas.**

1. ¿Qué supuso, para la vida de Fredy, trasladarse a estudiar a Nueva York?
2. ¿Qué destaca Fredy como positivo de su contacto con otras culturas? ¿Y qué no le parece tan positivo?
3. ¿Qué le habían contado de Nueva York antes de que viajara a esa ciudad? ¿Y qué piensa de la ciudad después de tener la experiencia de vivir en ella?
4. ¿Qué planes tiene para el futuro próximo, después de terminar sus estudios en Nueva York?
5. ¿Qué le han dicho de Barcelona? ¿Qué es lo que no quiere creerse hasta que no esté allí?

Un colombiano en la Gran Manzana

Esta semana entrevistamos a Fredy González, un antioqueño que a sus 28 años estudia Medicina en la ciudad de los rascacielos.

Fredy, ahora vives en Nueva York. ¿Recuerdas qué idea tenías de la ciudad antes de venir por primera vez?

Lo poco que sabía de Nueva York era por medio de la televisión o de las películas. Por eso me imaginaba que llegaría a una ciudad caótica y con un ritmo de vida muy acelerado.

¿Y fue así?

Sí, pero lo que no imaginaba es que iba a conocer a tanta gente de otros países. Ahora me parece increíble tener amigos y conocidos de tantas nacionalidades. El contacto con ellos me ha hecho descubrir otras culturas y formas de vivir la vida, de ver el mundo... pero también me ha permitido reflexionar y descubrir muchos aspectos de mi propia cultura.

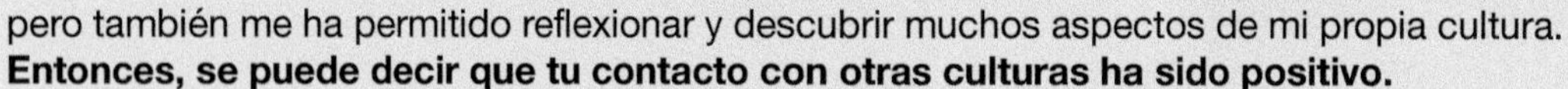

Entonces, se puede decir que tu contacto con otras culturas ha sido positivo.

Sí, en general, ha sido muy positivo y me ha vuelto mucho más tolerante. Sin embargo, también he descubierto que hay aspectos de otras culturas que me resultan muy difíciles de comprender y, en ocasiones, he tenido choques culturales. Por otro lado, hay gente que solo habla conmigo basándose en prejuicios o estereotipos que tienen de mi país. Muchos no se molestan en descubrir cuánto hay de cierto y cuánto hay de falso en cada estereotipo.

Antes de llegar, ¿te había hablado alguien de la vida en la ciudad?

Sí, un amigo que vivía acá me dijo que la vida sería mucho más fácil, pero enseguida descubrí que él tenía una visión idealizada de Nueva York. No creo que la vida sea más fácil acá. También me dijo que tardaría mucho tiempo antes de encontrar amigos pero, en mi caso, no fue así. En cuanto llegué conocí a varias personas que se convirtieron enseguida en muy buenos amigos. Creo que la dificultad de conocer gente está en nosotros mismos y no en la ciudad. Si nos volvemos más tolerantes, abiertos y comunicativos tendremos más posibilidades de encontrar amistades.

¿Y qué sueños o proyectos tienes ahora?

Uno de ellos es que pienso seguir estudiando y tratar de hacer un doctorado en Barcelona. No conozco la ciudad, pero me han dicho que es preciosa, antigua y moderna al mismo tiempo, y muy cosmopolita. Creo que sus universidades reciben un montón de estudiantes de diferentes nacionalidades, así que seguiré en contacto con gente que vive la vida de otra manera. Y si pudiera, me quedaría a trabajar allá una temporada, aunque me han contado que en España ahora no hay mucho trabajo para médicos. Bueno, ¿quién sabe? También me han dicho que Barcelona no tenía demasiado interés cultural y que en Cataluña casi nadie hablaba castellano, y eso no me lo creo.

17.a. **Entre todos los países que todavía no conoces, ¿cuáles te gustaría visitar? ¿Qué te han contado de esos países, de sus habitantes, del modo de vida...? Escríbelo en la tabla.**

Me gustaría visitar...	Me han contado que...

b. **¿Crees que es cierto lo que te han dicho de esos países? ¿Qué opinan tus compañeros?**

● *A mí me dijeron que en Argentina la gente es muy amable y que saben disfrutar del tiempo libre.*

▲ *Pues a mí algunas personas me han dicho que era un país con poco interés, pero no creo que sea cierto.*

Transmitir informaciones dichas por otros

Para transmitir informaciones dichas por otros, se puede utilizar esta estructura:

Me han dicho/contado que + imperfecto

Me dijeron/contaron que + imperfecto

Si creemos que esa información es cierta, también se puede usar:

Me han dicho/contado que + presente

Me dijeron/contaron que + presente

A mí me contaron que España no **tenía** mucho interés arquitectónico, pero no lo creo. También me dijeron que **se come** muy bien.

18.a. **¿Has estado en contacto continuado con personas de otras culturas? ¿Con quién y en qué ocasiones? Anótalo en esta tabla.**

En tu propio país	En otros países
Compartí un piso con dos libaneses.	Hice un intercambio con una estudiante rusa.

b. **Antes de entrar en contacto con esas personas, ¿qué pensabas de sus países y culturas? ¿Ahora piensas lo mismo? Coméntalo con tus compañeros.**

● *Yo ya sabía que en Rusia había mucha sensibilidad hacia el arte y la literatura, pero allí descubrí que hablar de música clásica, de pintura, de poesía... es bastante habitual.*

▲ *Sí. Y muchos aprenden a tocar un instrumento musical desde pequeños.*

c. **¿Qué has aprendido gracias a tus contactos interculturales? Coméntalo con tus compañeros.**

● *Yo, cuando compartí apartamento con los libaneses, aprendí a comer mejor y, al mismo tiempo, descubrí que algunos hábitos de alimentación de mi país no son muy sanos.*

B
MÓDULO

REPASO 2

MI PORTFOLIO DE ESPAÑOL

1.a. Reflexiona sobre tu experiencia como aprendiente de lenguas y completa esta tabla.

		Motivos que me han llevado a esa situación			Motivos que me han llevado a esa situación
Lenguas que hablo			Lenguas con las que he estado o estoy en contacto		
Lenguas que he estudiado o estudio					

b. Piensa en las semejanzas que existen entre las lenguas que has recogido en la tabla. ¿Esas semejanzas te han ayudado a aprender? Busca ejemplos y coméntalo con tus compañeros.

● *El holandés y el alemán tienen palabras similares, y eso me resulta muy útil.*

▲ *Y a mí, saber francés me ayuda mucho a aprender los verbos en español, porque se parecen bastante.*

c. En grupos, escribid junto a cada una de las lenguas de la tabla otras lenguas que os parezcan similares o próximas.

● *El portugués es una lengua muy cercana al español; hay palabras como* leite *para decir* leche, *o* muito, *que significa* mucho.

2. En cinco minutos, piensa con tu compañero en palabras o expresiones que conozcas de lenguas que no hablas.

Palabra o expresión	Lengua	Significado	Motivo
spider	inglés	araña	Personaje: Spiderman
giro	italiano	vuelta	Giro de Italia (ciclismo)

● *Yo sé que la expresión* ez erre *significa* no fumar *en vasco. La veía todos los días en un cartel de la escuela de San Sebastián donde hice un curso de español.*

▲ *Pues yo he aprendido algunas palabras y expresiones en inglés gracias a las canciones de los Beatles.*

3. Piensa ahora en situaciones en las que conseguiste comunicarte en otro idioma gracias a tus conocimientos de otras lenguas. ¿Qué ocurrió? Coméntalo con tus compañeros.

● *En una ocasión, por motivos de trabajo, tuve que alojarme con una familia que no hablaba mi lengua ni yo la suya y conseguimos comunicarnos gracias al lenguaje corporal.*

4.a. Aquí tienes algunas opiniones acerca del conocimiento y el contacto con varias lenguas y culturas. ¿Las compartes? Añade dos opiniones propias y ordénalas todas en función de su importancia. Después, coméntalo con tus compañeros.

1. El conocimiento de otras lenguas me da la posibilidad de conocer otros países y culturas y me ayuda a la hora de viajar y moverme por el mundo.

2. Aprender otra lengua ha despertado en mí una conciencia intercultural que me facilita la comunicación con personas de otra cultura y me da otra visión de la realidad, que me permite respetar otras maneras de pensar y de actuar.

3. Cuando tengo que comunicarme en una lengua que no conozco, intento hacerlo siendo consciente de lo que sé de otros idiomas y culturas.

4. Soy consciente de que todas mis experiencias con las distintas lenguas y culturas se relacionan entre sí.

5. ....

6. ....

- *Cuando aprendo una lengua extranjera, aprendo una nueva cultura y eso me enriquece muchísimo; además, me parece muy motivador.*
- *Pues yo cada vez que viajo al extranjero vuelvo con una perspectiva distinta de las cosas; veo todo de forma muy diferente, pero no sé explicárselo a mis amigos.*

b. En grupos, recoged las ideas principales de la puesta en común y escribid "los principios" del ciudadano plurilingüe. Podéis incluir este trabajo en la sección "Dossier" de vuestro Portfolio. Después comparad vuestros "principios" con el resto de la clase.

Principios del ciudadano plurilingüe

1. Estar en contacto con gente que habla otras lenguas es muy enriquecedor.

2.

3.

5.a. ¿Recuerdas algunas de las cosas que hemos hecho en estas cuatro unidades del módulo B? Asocia cada una con el dibujo correspondiente.

- Lista de normas para la convivencia dentro de clase
- Conversación sobre cosas que descubriste en lugares donde has vivido
- Revista de opinión sobre temas de actualidad
- Entrevista a un compañero sobre los temas de actualidad más interesantes (grabación en audio)
- Póster, *collage*, presentación,... de tu "obra de arte" favorita
- Camiseta "oficial" de la clase
- Creación y presentación de objetivos y proyectos de una asociación (grabación en audio o vídeo)
- Mensaje con propuestas para solucionar los problemas del centro donde estudias español
- Narración de predicciones que nos han hecho sobre nuestro futuro (grabación en audio)

CHRIS
- ¿Conoceré al hombre de mi vida? ¿Cuándo?
- ¿Cuándo conseguiré mi carné de conducir?
- ¿Qué cosas habrán cambiado en mi vida dentro de 3 años?
- ...

1

2

NORMAS DE CONVIVENCIA DE LA CLASE:
Solo se podrá hablar español, excepto cuando el profesor permita hablar en otro idioma.

3

4

5

6

7

8

Estimado Sr. Director:
Nos preocupa el problema de la falta de zonas en el centro para que los estudiantes podamos charlar y hemos pensado que podría habilitarse una sala a fin de que podamos tener un espacio

9

b. De todos los trabajos realizados hasta ahora, ¿cuáles te gustaría incluir en la sección "Dossier" de tu Portfolio? ¿Por qué? Coméntalo con tus compañeros.

- *Yo voy a incluir el mensaje que escribimos con las propuestas para solucionar los problemas del centro, porque me parece muy positivo para el desarrollo del curso.*

Tipo de documento

una entrevista, un mural, un cartel, una lista, un mensaje, una exposición, un dibujo, una carta de presentación, una grabación de una conversación, de una anécdota...

c. Elabora la lista de los trabajos que vas a incluir en el "Dossier" de tu Portfolio. Señala para cada uno el tipo de documento, la fecha de elaboración y el modo de realización.

ML
Nº 2
MUNDO LATINO

El valle de Manduriacos Ecuador

Turismo solidario: Un viaje diferente

Futbolistas hispanos

¿Quién ha sido el mejor de todos los tiempos?

El cómic, arte en estado puro

Anuncios clasificados

Los mejores profesionales del hogar en nuestra sección de anuncios de servicios, dedicada esta vez al área de Sevilla (España).

El viaje seleccionado esta semana es...

... el valle de Manduriacos, con Ecuador Amigo

En agosto, un grupo de diez personas visitamos Ecuador en un viaje de "turismo solidario", organizado por la agencia Ecuador Amigo, una idea surgida de un grupo de cooperantes ecuatorianos que decidieron hace unos años aunar esfuerzos para desarrollar esta forma de turismo alternativo. El viaje planteaba una forma diferente de conocer Ecuador: los miembros de las comunidades o aldeas que íbamos a visitar nos acogerían en sus hogares y compartiríamos con ellos tiempo, mesa y conversación. El viaje, así mismo, se planteaba desde el respeto absoluto a la naturaleza y la conservación de un entorno privilegiado, en muchos casos virgen, lo que lo hacía aún más atractivo.

Nuestro viaje por Ecuador nos permitió disfrutar de lugares maravillosos. Desde ciudades como Otavalo y Baños a zonas de la Amazonía, donde visitamos la selva en compañía de las comunidades indígenas. Pero, para mí, la parte más emocionante de la ruta fue, sin duda, el valle de Manduriacos, donde nos quedamos diez días.

El acceso al valle debe hacerse en mula, dado lo escarpado del terreno. Mereció la pena el esfuerzo: el paisaje al llegar es conmovedor, de una belleza exuberante. Los habitantes de esta zona nos contaron que, pese a las dificultades de acceso, el valle se halla amenazado por la especulación minera. También nos explicaron cómo ellos, conscientes de la riqueza natural de sus tierras, se las arreglan para combatir este deterioro y han puesto en marcha una serie de actividades económicas autosostenibles, respetuosas con el entorno, como el proyecto del Taller de Lufa (esponja vegetal), que da ocupación a unas 500 familias de la zona; el del Taller de Maní, en el que se elabora crema de cacahuete y piensos animales; o el proyecto Pro-Mujeres, en el que se procesan fibras naturales y se elabora ropa. Entre estos proyectos se inscribe también el turismo como fuente de ingresos.

Mi experiencia en Ecuador aquel verano cambió mi modo de plantearme las vacaciones. Visitas a entornos naturales privilegiados, acercamiento a la realidad social del país, colaboración al desarrollo de proyectos concretos, respeto al medio ambiente... Un viaje así lo tiene todo para mí. Se lo recomendaría a todo aquel que desee hacer turismo de un modo alternativo.

Texto enviado por Rosa Gaona, lectora de Zaragoza (España)

- ✔ ¿Te interesa descubrir la naturaleza cuando vas de vacaciones? ¿Has visitado algún parque natural protegido?
- ✔ ¿Has visitado alguna vez Ecuador? ¿Y algún otro país andino?
- ✔ ¿Has participado alguna vez en viajes de "turismo solidario" o "turismo responsable"? ¿Conoces alguna organización o agencia especializada en ese tipo de viajes?
- ✔ ¿Qué aspecto de los viajes solidarios, como el que se presenta en el texto, te parece más atractivo?
- ✔ Si tuvieras que organizar un viaje solidario en tu país, ¿cuál sería el destino? ¿Qué actividades solidarias podrían llevarse a cabo?

El mejor **futbolista hispano** de todos los tiempos

La magia "divina" de Maradona, la técnica de Di Stéfano, la garra de Raúl... De todos es conocida la enorme popularidad de algunos futbolistas hispanos, pero si hubiera que decantarse por uno de ellos como nuestro mejor representante en el panorama del fútbol internacional, ¿quién sería el elegido?

Frente a la fama cosechada en su día por Hugo Sánchez –el jugador extranjero con más goles anotados en la Liga española, que ostenta el récord, compartido con Telmo Zarra, de más goles en una sola temporada– Diego Armando Maradona y Alfredo di Stéfano son, por su parte, dos de los argentinos más internacionales. Sus hazañas en el terreno de juego los han convertido en auténticas leyendas vivas del balompié de todos los tiempos.

Estos son los tres finalistas de la encuesta que iniciamos hace un año. ¿Quién cree usted que debe ser el elegido?

Di Stéfano

Fecha y lugar de nacimiento: 4/06/1926 (Buenos Aires)

Debut en Primera División: 1945 en el River Plate (Argentina)

Palmarés individual: Balón de Oro 1957 y 1959, Medalla de Oro al Mérito Deportivo 1996, Súper Balón de Oro 1989, Trofeo al Mejor Futbolista de los 35 Años 1990, Gran Cruz de la Orden del Mérito Deportivo 1999

Campeonatos Internacionales: Copa Intercontinental 1960 (Real Madrid), Copa de Europa 1956, 1957, 1958, 1959 y 1960 (Real Madrid), Copa Latina 1957 y 1955 (Real Madrid), Copa América 1947 (Selección Argentina)

Hugo Sánchez

Fecha y lugar de nacimiento: 11/07/1958 (Ciudad de México)

Debut en Primera División: 1975 en los Pumas de la UNAM (México)

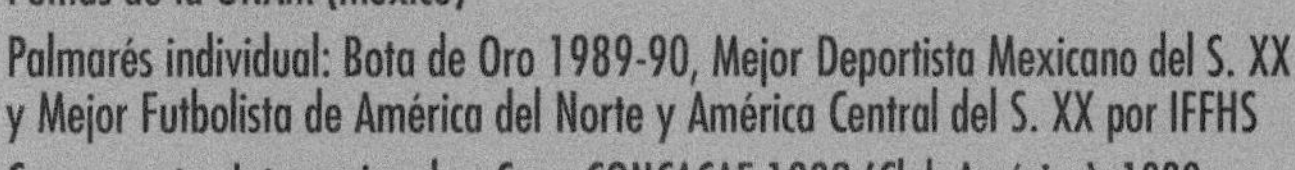

Palmarés individual: Bota de Oro 1989-90, Mejor Deportista Mexicano del S. XX y Mejor Futbolista de América del Norte y América Central del S. XX por IFFHS

Campeonatos Internacionales: Copa CONCACAF 1992 (Club América), 1980 (Pumas) y 1977 (Selección Mexicana), Copa UEFA 1985-86 (Real Madrid), Copa Interamericana 1981 (Pumas)

Maradona

Fecha y lugar de nacimiento: 30/10/1960 (Lanús, Argentina)

Debut en Primera División: 1976 en el Argentinos Junior (Argentina)

Palmarés individual: Mejor jugador de todos los tiempos (Fifa Internet Award 2000), Mejor Deportista Latinoamericano del S. XX por la agencia periodística Prensa Latina (2003), FIFA 100 (2004)

Campeonatos Internacionales: Copa Mundial de Fútbol Juvenil 1979 (Selección Argentina), Campeonato Mundial FIFA México 1986 (Selección Argentina), Copa UEFA 1989 (SSC Nápoli), Copa Artemio Franchi 1993 (Selección Argentina)

Resultados de la encuesta* sobre el "mejor futbolista hispano de todos los tiempos"

1. Maradona (Argentina)	75,69%
2. Di Stéfano (Argentina)	19,97%
3. Hugo Sánchez (México)	4,34%

*Realizada entre nuestros lectores entre enero y mayo de 2006.

- ✔ ¿Eres o has sido alguna vez aficionado al fútbol? ¿Eres o has sido hincha de algún equipo en particular? ¿De cuál?
- ✔ ¿Cuántos futbolistas conoces? ¿Conoces a alguno hispano? ¿Y a los futbolistas mencionados en el artículo?
- ✔ A juzgar por sus fichas, ¿quién crees que merecería el título de "mejor futbolista hispano de todos los tiempos"?
- ✔ En tu opinión, ¿qué otros deportistas merecerían el apelativo de "mejor deportista de todos los tiempos"? ¿Por qué?

El cómic, **arte** en estado puro...

El director de cine Guillermo del Toro, la novelista Lucía Etxebarría o el cantante Nacho Canut (del grupo Fangoria), entre otros representantes del mundo de la cultura, han confesado abiertamente su devoción por los comics. Y es que el cómic, que constituye para algunos entendidos una auténtica forma de expresión artística, atrae cada vez a más adeptos y consigue interesar, como pocos géneros han logrado, a los sectores más jóvenes del público lector.

Conocidos también como *historietas* o *tebeos* (España), *monitos* (México y Chile), *muñequitos* (Cuba) o *comiquitas* (Venezuela), los comics ocupan un gran segmento en el mercado editorial, así como en Internet. Pasando por los clásicos –entre los que se encontrarían hoy *Tintín, Astérix, Los 4 Fantásticos, Supermán, Batman, Spiderman, El Guerrero del Antifaz, El Capitán Trueno* o *Mortadelo y Filemón*– hasta las versiones más actuales del cómic *underground* o el *manga* japonés y sus subgéneros, hay comics para todos los gustos y para todas las edades; la temática es de lo más variopinta, casi tanto como lo son sus destinatarios. Algunos reconocen que su mayor atractivo consiste en que son historias fáciles de leer, rápidas, directas, sin "literatura"; otros, por el contrario, se sienten cautivados por el arte del dibujo. Hay autores de cómic que aúnan el arte de dibujar y el de contar historias, como los argentinos Quino (con *Mafalda*) y Maitena (con *Mujeres alteradas*) o el español Quim Bou (con *Haciendo café* y *Oro Rojo*), pero es también frecuente encontrar "matrimonios artísticos" formados por un dibujante y un historietista que se reparten el trabajo (es el caso, por ejemplo, de Manuel Castaño y Manuel Bartual en *Con amigos como estos*).

En el ámbito hispanohablante, conocidas revistas monográficas (*El Jueves, El Wendigo, Malavida, Makoki, El Víbora*, etc.) y editoriales independientes aseguran la supervivencia de este género alternativo. A su vez, numerosos festivales nacionales e internacionales reúnen en salones monográficos a profesionales y aficionados del mundo del cómic periódicamente y acercan a muchas ciudades las novedades del sector.

Y es que el cómic es un género en alza, que ha logrado sobrevivir al paso del tiempo.

- ✔ Cuando eras más joven, ¿leías algún cómic? ¿Cuál? ¿Y ahora lees alguno con frecuencia?
- ✔ ¿Conoces a alguno de los autores y personajes citados en el texto? ¿Has leído algo de ellos?
- ✔ Y a ti, ¿te parece que el cómic es una forma de expresión artística? ¿Por qué?
- ✔ ¿Por qué crees que gusta tanto al público joven? Apunta algunas ideas.
- ✔ ¿Para ti qué es más importante en un cómic, el dibujo o la historia que cuenta? ¿Por qué?
- ✔ ¿Tienes otras aficiones relacionadas con el mundo del arte? ¿Cuáles?
- ✔ ¿Asistes a festivales, congresos o ferias relacionadas con tus aficiones artísticas o culturales?

RAPI2 REFORMAS, reparaciones urgentes: fontanería, albañilería y pintura, averías eléctricas. Siempre con la máxima calidad. Sevilla (95 5778231)

Amplia experiencia en reformas integrales del hogar: pisos, chalets, etc.

Confíenos sus sueños y los haremos realidad. Alcalá de Guadaira (95 5678352)

SOS

S.O.S. Maestros cerrajeros, cristaleros y persianistas. Reparamos e instalamos cerraduras, cierres (aperturas urgentes), persianas y cristalería. Sanlúcar La Mayor (95 5623555)

ANTONIO SILVANO S.L.

Ingeniería e instalaciones eléctricas, industriales, aire acondicionado y climatización. Energía solar, calefacción, fibra óptica, domótica. Informática, electrodomésticos, TV, vídeo, antenas, etc. Atendemos 24 horas, incluso festivos. Total garantía. San Juan de Aznalfarache (95 5789766)

AQUA SERVICIOS S. A. Limpieza de oficinas, naves, comunidades de vecinos, edificios, tiendas, almacenes, talleres. Desinfección, desratización, desinsectación. Se presta servicio en toda Andalucía. Sevilla (95 5795543)

Fabricamos, montamos y construimos casas de madera y casas mixtas. Servimos a toda el área de Levante. Consulte nuestro catálogo en www.ecologic-homes.es.

ALTA PRESIÓN S.L.

Actividad en inundaciones, atascos, inspecciones en alcantarillado. Limpieza con agua a alta presión. Servicio a particulares y a empresas. Carmona (95 58536678)

Montaje y asistencia técnica de aire acondicionado (doméstico e industrial), calefacción, ventilación y refrigeración. Écija (95 5236678)

microCLIMATIZACIÓNS.a.

PLURIPARQUET S.L.

Colocación y restauración de todo tipo de parquet, tarima y rodapiés. También especialistas en puertas, armarios y trabajos de escayola. Llame y pida presupuesto sin compromiso. Marchena (95 5862419)

- ¿Recuerdas algún problema relacionado con el edificio o las instalaciones de tu casa? ¿Qué ocurrió y cómo lo resolviste?
- ¿Qué tipo de trabajos de reparación, reforma o instalación haces tú mismo en casa? ¿Te consideras un manitas o crees que eres un manazas?
- ¿Cuáles de los servicios de los profesionales de los anuncios has tenido que usar en tu casa? Y, en breve, ¿necesitarás recurrir a alguno de estos profesionales? ¿Qué piensas hacer?
- ¿Alguna vez has tenido un problema con alguna empresa o profesional del hogar? ¿Qué pasó? ¿Hiciste una reclamación?
- ¿Qué tipo de servicios no encontrarías nunca anunciado en una publicación de tu país? ¿Por qué?

C
MÓDULO

UNIDAD 9

En esta unidad te proponemos:

LA SALUD ES LO PRIMERO

Confeccionar carteles para una campaña a favor de la salud de la clase

Elegir un proyecto de investigación científica que apoyaríamos económicamente

Hablar de los profesionales de la salud y de diferentes tipos de medicina

1.a. **Hay cosas que, a lo largo de la historia, han tenido aplicaciones médicas que hoy nos parecen curiosas. ¿Sabes para qué se han utilizado las de las fotografías? Coméntalo con tu compañero.**

● *A lo mejor las telarañas se utilizaban para curar quemaduras.*

▲ *No sé... ¿Y para curar heridas? A mí me suena haber oído algo así.*

b. **Comprueba si habéis acertado. Para ello, escucha y relaciona los siguientes datos.**

	¿Qué aplicación ha tenido en medicina?	¿Quién lo usaba?
las telarañas	para que los marineros se curaran del escorbuto	un médico inglés
las hormigas	para coser las heridas	los mayas
el limón	para que la gente no sintiera dolor en la consulta del dentista	el doctor Wells
el éter	para que las heridas no sangraran demasiado	los médicos de la India

c. **¿Conoces otros productos naturales que se utilizan para combatir o prevenir enfermedades? ¿Cuáles? ¿Y tus compañeros? Coméntalo con ellos.**

● *Yo he oído que las propiedades del té ayudan a retrasar el envejecimiento.*

▲ *Sí, eso dicen, pero creo que el único té que sirve para eso es el té verde.*

2.a. **Aquí tienes una serie de expresiones relacionadas con la salud. Indica las que son positivas y las que son negativas.**

Estamos que no nos tenemos. Estaba como una rosa. No levanta cabeza.
Están que se caen. Los he visto mejor que nunca. Estuvo hecho polvo mucho tiempo.
Estoy peor que nunca. Está sana como una manzana. Luisa ayer tenía el ánimo por los suelos.

b. **En la revista *Tu salud* ha aparecido este artículo sobre trastornos a los que no se suele dar importancia, pero que pueden ser graves. ¿De cuál habla cada recorte?**

síndrome de las piernas inquietas síndrome de cansancio ocular síndrome de fatiga crónica

No tan sanos como las manzanas...

Hay muchas enfermedades que apenas se conocen. Algunas provocan síntomas tan comunes que a veces no les damos importancia. Lee con atención, porque puedes creer que estás sano como una manzana y no estarlo tanto...

¿Has olvidado los tiempos en que te sentías como una rosa? ¿Tienes la sensación de estar continuamente hecho polvo? Si te notas especialmente cansado, no levantas cabeza, tienes el ánimo por los suelos, te sientes así por lo menos desde hace seis meses y no tienes otros problemas de salud, puedes estar padeciendo un trastorno. Si tus fuerzas y tu capacidad para las actividades diarias han disminuido como en un 50%, consulta a tu médico. Puedes tener un virus, o un problema en el sistema respiratorio que se conoce con el nombre de...

¿Notas a menudo un hormigueo en los pies que no te deja parar? Sentado, ¿estás continuamente moviendo las piernas? Y en la cama, ¿es como si tuvieras el baile de san Vito? ¿No pegas ojo y al día siguiente estás que te caes? Si tienes sensaciones desagradables en las piernas (incómodas o dolorosas), solo te sientes aliviado al moverte, y por ello duermes mal, te aconsejamos que vayas al médico. Aunque se desconoce la causa de lo que puedes estar padeciendo y los remedios son pocos, es posible que los médicos te diagnostiquen...

¿Te duele la cabeza cuando llevas horas delante del ordenador? ¿Te pican los ojos y no se te pasa? ¿Parpadeas muchas veces para ver con claridad la pantalla? Ten cuidado... La era digital está provocando trastornos oculares a la mayor parte de la población. Los más leves consisten en una sensación de cansancio o de picor en los ojos, en la aparición de lágrimas y dolor de cabeza. Pero otros más serios pueden dar lugar a visión doble y necesitar tratamiento. Así que, si pasas muchas horas frente al ordenador y tienes algunos de estos síntomas, ve pidiendo una cita con el oftalmólogo para descartar que padeces el...

c. **Debido a tu salud, ¿te has sentido alguna vez de estas formas? Apúntalo en un papel.**

Como si te hubieran quitado veinte años de encima. Con el ánimo por los suelos.
Como si fueras un sonámbulo durante el día, porque por la noche no pegabas ojo.
Con la sensación de no tener fuerzas para hacer nada. Como una rosa.

d. **Ahora descríbele a tu compañero cómo te encontrabas y, si estabas enfermo, qué síntomas tenías. A ver si descubre a qué situación de las anteriores te estás refiriendo.**

● *Me había roto una pierna y había estado dos meses casi sin poder moverme, así que el día que me quitaron la escayola me sentí estupendamente.*

▲ *Ya... Seguro que te sentías como si te hubieran quitado veinte años de encima.*

3.a. **Escucha a estas personas que están en la consulta del médico. ¿Qué les pasa? Apunta el nombre técnico del diagnóstico que les hace el doctor.**

1.__________ 2. __________ 3. __________ 4. __________

b. **¿Sabes cuál es el nombre común con que se conocen las enfermedades de estos pacientes? Relaciona esta información.**

Términos médicos

Nombres científicos		Nombres comunes	
cefalea	nefrolitiasis	almorranas	diarrea
ictus	hipoacusia	dolor de cabeza	derrame cerebral
gastroenteritis	glaucoma	sordera	piedras en el riñón
hemorroides trombosadas		tensión ocular	

c. **Vuelve a escuchar los diálogos. Apunta ahora los síntomas de las enfermedades que tienen los pacientes.**

4.a. **En un anecdotario de humor médico se han incluido estos textos. Léelos y discute con tus compañeros qué crees que pudo ocurrirles a estos pacientes.**

1. Un médico prescribe a un paciente unas pastillas y, como el medicamento era fuerte y le podía hacer daño al estómago, en la receta apunta esta indicación: Una pastilla al día con 2 o 3 tres galletas. Al cabo de veinticuatro horas, la mujer del paciente le llama diciendo: «Mi marido aguanta hasta cuarenta y cinco galletas, pero a partir de ahí, ya no le entran más, no hay manera, doctor.»

2. Un paciente va a al médico con un ojo irritado y el médico le dice que se ponga agua de manzanilla. Al día siguiente vuelve con el ojo completamente pegado.

3. Un paciente acude a la consulta del médico con la siguiente queja: «La pastilla que me ha recetado no sirve, no se deja tragar. Cada vez que me tomo una es que me ahogo. Y cuando me la tomo y después bebo agua, peor: empiezo a echar espuma por la boca.»

Expresar probabilidad

a lo mejor + indicativo
seguramente + indicativo
quizás + indicativo/subjuntivo
probablemente + indicativo/subjuntivo
es posible/probable que + subjuntivo
puede que + subjuntivo

b. **Y tú, ¿tienes alguna anécdota médica que quieras compartir con tus compañeros?¿Alguna vez has tenido algún malentendido con el médico o te han hecho un diagnóstico equivocado?**

● *Una vez fui al médico porque me encontraba mal, sin fuerzas, con la sensación de estar cansado todo el día, y me dijo que lo que me pasaba era que necesitaba unas vacaciones.*

▲ *¿Y no era verdad?*

● *Pues no del todo. Insistí en que me hicieran unos análisis y lo que me pasaba era que tenía anemia.*

Soluciones: 1. El médico escribió la letra *o* un poco más grande y el paciente entendió que debía tomarse 203 galletas. **2.** El paciente se lavó el ojo con manzanilla, pero con las tres cucharadas de azúcar con que se la tomaba normalmente. **3.** El paciente no sabía que se trataba de una pastilla efervescente que es preciso disolver antes de tragar.

5. **¿Qué les ha prescrito el médico a estos pacientes? Gana el equipo que descifre antes estas recetas.**

6.a. **Lee las siguientes noticias publicadas en un portal dedicado a la salud y la ciencia y escribe un titular para cada una.**

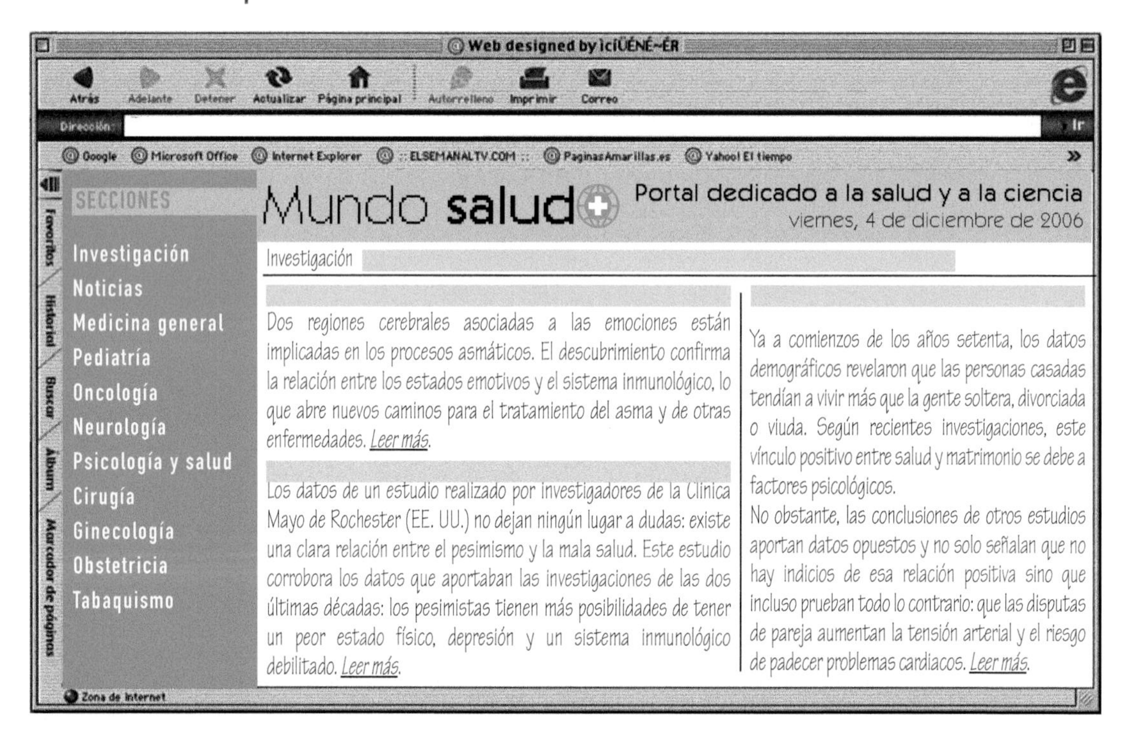

Mundo salud — Portal dedicado a la salud y a la ciencia
viernes, 4 de diciembre de 2006

SECCIONES: Investigación, Noticias, Medicina general, Pediatría, Oncología, Neurología, Psicología y salud, Cirugía, Ginecología, Obstetricia, Tabaquismo

Investigación

Dos regiones cerebrales asociadas a las emociones están implicadas en los procesos asmáticos. El descubrimiento confirma la relación entre los estados emotivos y el sistema inmunológico, lo que abre nuevos caminos para el tratamiento del asma y de otras enfermedades. Leer más.

Los datos de un estudio realizado por investigadores de la Clínica Mayo de Rochester (EE. UU.) no dejan ningún lugar a dudas: existe una clara relación entre el pesimismo y la mala salud. Este estudio corrobora los datos que aportaban las investigaciones de las dos últimas décadas: los pesimistas tienen más posibilidades de tener un peor estado físico, depresión y un sistema inmunológico debilitado. Leer más.

Ya a comienzos de los años setenta, los datos demográficos revelaron que las personas casadas tendían a vivir más que la gente soltera, divorciada o viuda. Según recientes investigaciones, este vínculo positivo entre salud y matrimonio se debe a factores psicológicos.
No obstante, las conclusiones de otros estudios aportan datos opuestos y no solo señalan que no hay indicios de esa relación positiva sino que incluso prueban todo lo contrario: que las disputas de pareja aumentan la tensión arterial y el riesgo de padecer problemas cardiacos. Leer más.

b. **Compara ahora con tus compañeros los titulares que has escrito para cada texto. ¿Cuál es el más adecuado para cada noticia? Después, buscad un único titular para todas esas noticias.**

c. **¿Crees que en la salud pueden influir nuestras emociones? Comenta con tus compañeros algún caso que conozcas de alguien que haya padecido alguna enfermedad psicosomática.**

7.a. **Lee estos consejos para llevar una vida más saludable y escribe otros tres que recojan tus propias sugerencias.**

¿Cómo armonizar la salud y prevenir la enfermedad?

1. Busque momentos para descansar y relajarse. La falta de sueño y el estrés reducen la función inmune del organismo.
2. Haga el amor (lo ideal sería que lo practicara no menos de tres veces a la semana). Los médicos orientales de hace dos milenios hablaban ya de la importancia del amor y del sexo para la salud.
3. …
4. …
5. …

Dar consejos y hacer sugerencias

Verbo en imperativo

Es bueno / conveniente / necesario / saludable + que + presente de subjuntivo

Sería bueno / conveniente / necesario / saludable + que + imperfecto de subjuntivo

b. **En grupos de cuatro, seleccionad los diez mejores consejos y escribid vuestro propio decálogo para armonizar la salud y las actividades de la vida diaria.**

8. **En pequeños grupos, elaborad distintos carteles para una campaña para velar por la salud de la clase.**

1. Pensad en las partes del cuerpo en las que consideráis que se localizan los problemas de salud más habituales de la clase y repartidlas entre los distintos grupos.
2. Escribid los problemas de salud asociados a esas partes del cuerpo y pensad en hábitos saludables para prevenirlos.
3. Haced un listado de actividades que podrían realizarse durante las clases para prevenir o combatir esos problemas.
4. Haced un cartel, incluyendo fotografías y dibujos atractivos.

Lengua y comunicación

REFERIRSE AL USO DE ALGO

Se usa/se utiliza/se emplea/sirve para
Se usaba/se utilizaba/se empleaba/servía para | + infinitivo/ sustantivo

- *Lo utilizaban los marineros **para prevenir** el escorbuto.*

Se usa/se utiliza/se emplea/sirve para que + presente de subjuntivo

- *La anestesia se usa **para que** el paciente **no sufra** dolor durante la operación.*

Se usaba/utilizaba/empleaba/servía para que + imperfecto de subjuntivo

- *Se utilizaba **para que** las heridas **no sangraran** demasiado.*

SENSACIONES REFERIDAS A LA SALUD

Positivas y negativas
estar/sentirse como si + imperfecto de subjuntivo
tener/notar una sensación de…
ser como una especie de + sustantivo

Positivas
estar/sentirse como una rosa
estar/sentirse rejuvenecido
estar mejor que nunca
estar sano como una manzana

Negativas
estar/sentirse hecho polvo
estar (alguien) que no se tiene
no levantar cabeza
no pegar ojo
estar (alguien) que se cae
estar con/tener el ánimo por los suelos
estar peor que nunca

NOMBRES COMUNES Y CIENTÍFICOS DE ALGUNAS ENFERMEDADES

piedras en el riñón (nefrolitiasis)
sordera (hipoacusia)
derrame cerebral (ictus)
diarrea (gastroenteritis)
tensión ocular (glaucoma)
almorranas (hemorroides trombosadas)
dolor de cabeza (cefalea)

REFERIRSE A DESCUBRIMIENTOS CIENTÍFICOS Y A HECHOS CONSTATADOS O DEMOSTRADOS

Se ha podido comprobar/corroborar/establecer/determinar...
Se ha puesto de manifiesto la relación entre… y…

Está comprobado/claro que
Se ha constatado/demostrado/probado que
Hay evidencia/ indicios de que…
Todo apunta a que… | + indicativo

No está comprobado/claro que
No se ha constatado/demostrado/probado que | + subjuntivo

9.a. **¿Qué órganos, tejidos y partes del cuerpo crees que se pueden donar? Coméntalo con tu compañero.**

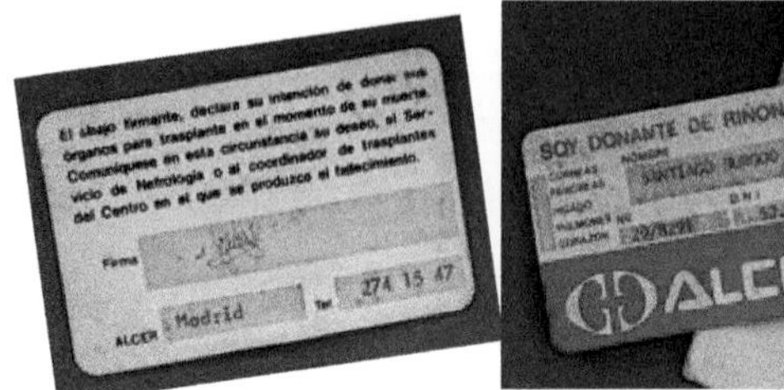

Órganos	**Tejidos**
el riñón	las córneas
el hígado	los tendones
el corazón	las válvulas cardiacas
los pulmones	la piel
el páncreas	los vasos sanguíneos
el intestino	la médula ósea
el colon	los músculos
la próstata	los huesos

b. **En el programa de radio «Pasa la vida», hoy están tratando el tema de los trasplantes. Escucha y anota la información que te sorprenda. Luego, compara tus anotaciones con las de tus compañeros.**

● *Yo no sabía que se hacían tantos trasplantes en España.*

▲ *Yo tampoco, y no tenía ni idea de que hubiera tanta gente en lista de espera.*

Reaccionar ante una información desconocida

No sabía que No tenía ni idea de que No me podía imaginar que	+ imperfecto de indicativo + imperfecto de subjuntivo
Es increíble/ estupendo que	+ presente de subjuntivo

10.a. **El hospital La Gracia está haciendo un sondeo sobre posibles eslóganes para su campaña de donación, y ha seleccionado algunos a partir de los testimonios de varias personas. Complétalos.**

Si se hicieran más campañas, todos estaríamos concienciados. Por desgracia, nosotros no lo estuvimos.

Sin su solidaridad, todo lo que me rodea no existiría.

Gracias por darnos la oportunidad de donar.

Otros pueden vivir con lo que tú puedes darles.

1. «El trasplante de hígado renovó mi vida cuando estaba caducada. Mi segundo hijo nació un año más tarde y ahora, cuatro años después, no puedo olvidar a mi donante. .... Gracias a todos por el valor de la donación.»
(Jaime, Almería)

2. «El recuerdo de la donación ha sido clave para que mi madre supere el trágico suceso que inundó nuestra casa de dolor. .... Ahora todos somos donantes.»
(José María, Madrid)

3. «Dijimos *no* sin reflexionar. Ahora no entendemos por qué y sentimos que sus órganos se hayan destruido sin ayudarle a él ni a nadie. ....»
(Juan Carlos, Málaga)

4. «Nuestro hijo tenía muerte encefálica. Me resultaba impensable aceptar que la vida se le había ido tan rápido, pero tenemos la satisfacción de saber que ....» (María, Málaga)

b. **¿Qué frase seleccionaríais para la campaña de donación del hospital? ¿Por qué?**

- *A mí me ha emocionado lo que dice Juan Carlos de que sienten que los órganos de su familiar se destruyeran sin haber ayudado a nadie.*

c. **¿Qué harías si te encontraras en la situación de estos familiares de donantes? Háblalo con tus compañeros.**

- *Nunca lo había pensado, pero creo que si me viera en esa situación diría que sí.*
- ▲ *Pues yo también diría que sí, pero si alguien de mi familia no estuviera de acuerdo no intentaría convencerle de nada, todos tendríamos que estar de acuerdo.*

d. **En grupos de tres, leed los eslóganes que han sido más votados, elegid el que más os guste y haced un cartel con un dibujo y una historia que lo ilustren. Luego, presentadlo a la clase.**

Regala vida...
¡Hazte donante!

Él vive gracias a su madre, a su padre y a un donante.

Salvas una vida y eres un héroe.
Salvas tres y eres un donante.

Se pierde
lo que no se da.

11.a. **En la revista *Mañana* están preparando un reportaje sobre "deseos" que queremos que nos conceda la ciencia. Relaciona las fotos de algunas de las personas entrevistadas con el pie de foto que crees que les corresponde.**

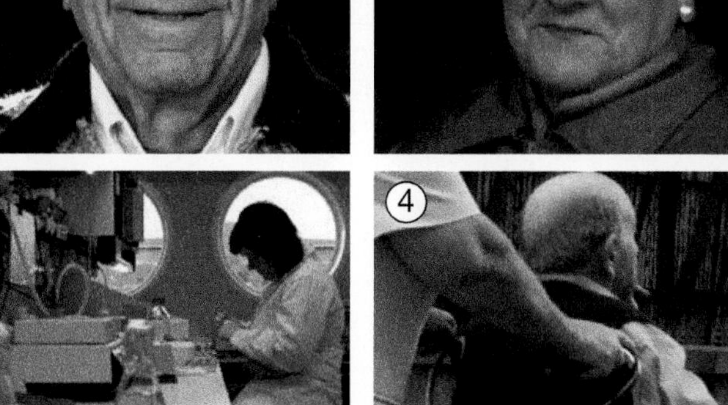

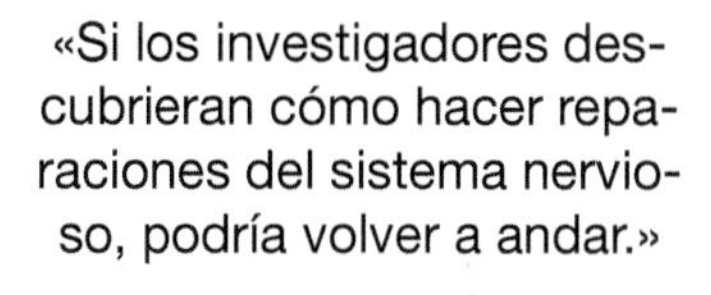

«Si los investigadores descubrieran cómo hacer reparaciones del sistema nervioso, podría volver a andar.»

«Sería estupendo que descubrieran una fórmula para no envejecer. Así podría ver también a mis bisnietos y a mis tataranietos.»

«Espero que encontremos pronto una vacuna efectiva para el sida.»

«Ojalá inventaran un medicamento para no engordar y con el que se pudiera comer lo que uno quisiera.»

b. **¿Qué le pedirías a la comunidad científica para mejorar las condiciones de vida en el mundo? Escribe en la pizarra tus deseos y después elegid los tres que os parezcan más importantes.**

- *Yo les pediría que inventaran una vacuna para el sida.*

12.a. **Estos son algunos titulares de prensa que podrían publicarse en el futuro. ¿Cuáles consideras que podrían resultar polémicos?**

Aprobada la ley de clonación humana

Más del 50% de la población opta por la congelación cuando se le diagnostica una enfermedad incurable

Nace el primer bebé gestado en el peritoneo de un hombre

En Marte hay vida inteligente

- ● *Pues yo creo que sería muy polémica la clonación humana.*
- ▲ *Sí, desde luego, habría muchísima gente que estaría en contra.*

b. **Piensa en algunos inventos y descubrimientos científicos que podrían producirse en los próximos años y que podrían resultar polémicos por algún motivo (ético, moral, político, social, económico...). Con dos compañeros, comenta por qué lo serían. ¿En qué circunstancias serían aceptados por la sociedad y por la comunidad científica?**

- ● *A mí me parece que si dentro de unos años se descubriera una forma de alargar bastante nuestra vida, eso daría lugar a un problema demográfico tremendo, ¿no?*
- ▲ *Bueno, no habría problema siempre que hubiera comida para todos.*

13.a. **En grupos de tres, cada uno lee una de estas historias y se la cuenta a sus compañeros. Después, pensad entre todos en un titular que resuma la vida y obra de estos científicos, escribidlos en un papel y pasádselo a otro grupo.**

Miguel Servet (1511-1553). En 1538 empieza a estudiar Medicina en la universidad de París y allí descubre la circulación pulmonar: la sangre es bombeada a los pulmones, en estos se aclara y de allí, la sangre renovada vuelve al corazón y es enviada al resto del cuerpo a través de las arterias. Sus ideas provocan una seria oposición en la facultad de Medicina, lo que está a punto de costarle el título. Este descubrimiento lo describe en la obra *Christianismi Restitutio*, que firma con el sobrenombre de Villanueva. Calvino, que durante un tiempo fue amigo suyo, reconoce que Servet es el autor de la obra y lo hace detener. Es condenado por hereje y quemado vivo junto a sus libros el 27 de octubre de 1553.

Galileo Galilei (1564-1642). En 1613 escribe un tratado en el que defiende la teoría de Copérnico y afirma que la Tierra gira alrededor del Sol. El cardenal jesuita Roberto Belarmino ordena a Galileo que no defienda el concepto de que la Tierra se mueve. No obstante, en 1632 consigue publicar con licencia de los censores de la Iglesia católica de Roma un libro en el que aborda las hipótesis de Tolomeo y Copérnico y que lleva por título *Diálogo sobre los sistemas máximos*. A pesar de todo, la Inquisición le llama a Roma con la intención de procesarle por "sospecha grave de herejía". En 1633 le condenan a prisión perpetua y queman los ejemplares del *Diálogo*.

Charles Robert Darwin (1809-1882). En 1856 Darwin comienza a trabajar en su estudio sobre la evolución de las especies, pero cuando se halla hacia la mitad del trabajo, recibe un manuscrito del naturalista A. R. Wallace, que expone una teoría de la evolución por selección natural que coincide con la visión de Darwin. Este piensa en destruir sus escritos, pero siguiendo el consejo de sus colegas, los presenta el 1 de julio de 1858, junto con el trabajo de Wallace. En 1859 se publica con una gran acogida. La obra defiende que el hombre apareció sobre la Tierra por medios naturales, idea que tuvo una fuerte oposición por sus implicaciones teológicas.

b. **Leed los titulares de vuestros compañeros e intentad descubrir a qué científico se refiere cada uno. ¿Os parece que se ajustan a la historia o propondríais algún cambio?**

14. **Estos son algunos de los galardonados con el Premio Príncipe de Asturias en Investigación Científica y Técnica. Escucha y relaciona a cada uno con el ámbito de sus aportaciones científicas.**

Antonio Damasio (2005)
Jane Goodall (2003)
Equipo Investigador de Atapuerca (1997)
Instituto de Biodiversidad de Costa Rica (1995)

Etología
Comprensión de las culturas y el comportamiento. Protección de la vida salvaje en África.

Neurología
Comprensión de la conducta humana, lenguaje y memoria. Tratamientos para el Parkinson y el Alzheimer.

Biología
Protección de la vida sobre el planeta y de la diversidad de especies.

Paleoantropología
Conocimiento sobre el origen y naturaleza de las primeras poblaciones de homínidos en Europa.

15.a. **Has jugado a la lotería con un compañero y os ha tocado un premio de 600 millones de euros. Habéis decidido que el 50% del premio lo vais a dedicar a financiar un proyecto de investigación científica. Pensad y definid:**

- el ámbito de investigación (Física, Química, Medicina, Ingeniería espacial...)
- en qué consistiría el proyecto
- los resultados esperables
- si pondríais algunas condiciones para la investigación
- un eslogan para anunciarlo y convocar a los equipos que presenten su candidatura

b. **Presentad vuestro proyecto a la clase y justificadlo para conseguir más financiación. ¿Cuál os parece que aportaría más a la historia de la humanidad? Votad para elegirlo.**

Lengua y comunicación

OPINAR SOBRE LAS PALABRAS DE OTROS

Me gusta/emociona/sorprende + lo que dice de que/ cuando dice que/cuando cuenta que/cuando da las gracias por...

- *Me ha emocionado **lo que dice** Juan Carlos **de que** sienten que los órganos de su familiar se destruyeran sin ayudar a nadie.*

EXPRESAR DESEOS REFERIDOS AL FUTURO

Espero que + presente de subjuntivo
Ojalá + presente/imperfecto de subjuntivo
Sería estupendo/fantástico/maravilloso que + imperfecto de subjuntivo
Me gustaría que + imperfecto de subjuntivo

- ***Ojalá inventaran** un medicamento para no engordar.*

EXPRESAR HIPÓTESIS REFERIDAS AL FUTURO

Si + imperfecto de subjuntivo + condicional simple
- ***Si me viera** en esa situación, **diría** que sí.*

Condicional simple
- *Yo les **pediría** que inventaran una vacuna para el sida.*

EXPRESAR CONDICIONES PARA QUE OCURRA ALGO

Tendría(n) que... / Debería(n)... / Habría que... + infinitivo

- *(Para decir "sí") Todos **tendríamos que estar** de acuerdo.*

Condicional + a condición de que/siempre que/si + imperfecto de subjuntivo
- *No habría problema **siempre que hubiera** comida para todos.*

16. **En un minuto, apunta todas las ideas relacionadas con la palabra *médico* que te vengan a la mente. Luego, coméntalo con tus compañeros. ¿Compartís alguna idea?**

● *Yo he escrito* televisión, *porque me encantan las series de médicos y hospitales.*

▲ *Pues yo he escrito* familia, *porque mi padre y dos de mis tíos son médicos.*

17.a. **Lee este artículo sobre la valoración social de algunas profesiones. ¿Crees que en tu país las valoraciones que se hacen son semejantes? Si son muy diferentes, ¿a qué crees que se debe?**

Los médicos son los profesionales más valorados por los españoles

Según el barómetro de junio del Centro de Investigaciones Sociológicas (CIS), la profesión más valorada por los españoles es la de médico.
Cuando se pregunta por los médicos, los enfermeros, los profesores o los policías, los españoles destacan que son profesiones socialmente útiles. Sin embargo, la mayoría considera que estos profesionales están mal pagados. Por el contrario, en el caso de la abogacía y la arquitectura, se destaca en primer lugar que están bien pagadas y, en segundo, su prestigio social.
Si tuvieran que recomendar una profesión a sus hijos o a un amigo, la mayoría se decantaría por la de médico. Solo uno de cada diez recomendaría ser juez o empresario.

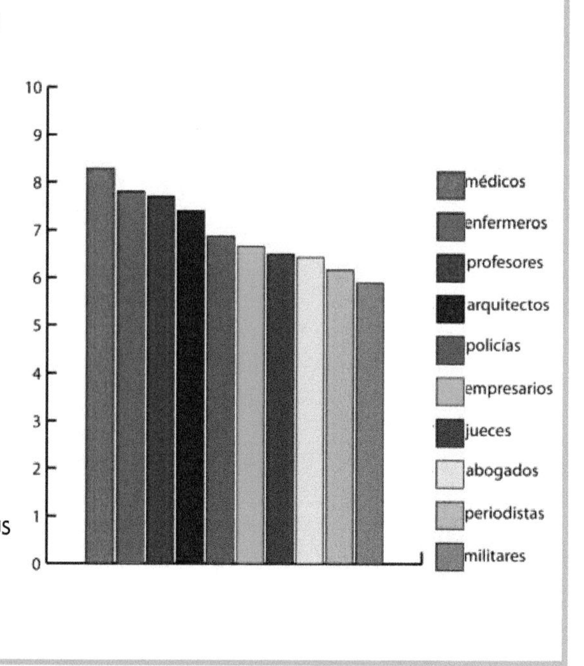

● *En mi país, a muchos padres les gustaría que un hijo suyo estudiara Medicina. Los médicos, en general, están muy bien valorados.*

▲ *Pues en el mío no tienen muy buena fama; la gente los critica porque a muchos les falta vocación y se dedican a la medicina solo porque se gana bastante dinero.*

b. **Durante las entrevistas del CIS, algunos encuestados hicieron estos comentarios sobre los médicos. ¿Qué puntuación (de 1 a 10) crees que les dio cada una de estas personas? ¿Por qué? ¿Compartes alguna de estas valoraciones?**

Parece que la ciencia lo puede todo, que pueden curarnos, diagnosticarnos cualquier enfermedad... y a veces no saben lo que tienes. Cuando no pueden ponerle nombre, resulta que es un virus.

No sé quién decía que la diferencia entre Dios y un médico es que Dios no se cree un médico.

Yo admiro muchísimo el trabajo que hacen los médicos, la verdad. Es una profesión que respeto mucho. Creo que hace falta mucha vocación, estudiar mucho y ser una persona paciente, sensible y constante.

Yo les pediría que hicieran un esfuerzo por escribir con letra más clara y explicarnos las cosas para que las podamos entender.

Yo tengo muy buen concepto de ellos, en general. Creo que tenemos muy buenos profesionales y es una pena que algunos, quizá los mejores, se tengan que marchar a otros países para trabajar y desarrollar investigaciones.

18.a. Da una puntuación (del 1 al 10) a estos profesionales de la salud según consideres que su trabajo es más o menos eficaz para el tratamiento de diferentes dolencias. Después, compara tu valoración con la de tus compañeros.

farmacéuticos enfermeros herboristas curanderos masajistas psicólogos profesores de yoga acupuntores hipnoterapeutas

b. ¿A qué personas acudes tú cuando tienes problemas de salud? ¿Por qué?

19.a. Estos son algunos tipos de medicina alternativa. ¿Sabes algo de este tipo de tratamientos? En grupos de tres, completad esta tabla.

	¿En qué país nació?	¿Cómo entiende la enfermedad y el cuerpo humano?	¿Qué remedios y terapias utilizan?	Otros datos
Homeopatía				
Ayurvédica				

b. Lee estos fragmentos sobre medicinas alternativas y comprueba tus hipótesis. Después, comenta con tus compañeros la información que más te ha sorprendido.

La homeopatía fue creada por el doctor alemán Samuel Hahnemann y significa, traducido literalmente, "curar con lo semejante". Se basa en un concepto parecido al de la vacuna, ya que se utilizan dosis infinitesimales de una sustancia que, en cantidades mayores, provocarían enfermedades en cualquier individuo. De este modo, al detectar estas sustancias, el organismo reacciona y activa mecanismos para estar alerta y recuperar el equilibrio. El homeópata observa los síntomas físicos y psicológicos de la enfermedad, y prescribe el medicamento adecuado para ese paciente en particular.

(adaptado de www.psicologia-madrid.com)

Ayurveda significa "ciencia de la vida". La medicina ayurvédica es la medicina tradicional de la India. Esta medicina considera nuestro ser como cuerpo, mente y espíritu y plantea la actuación curativa en estos tres niveles. Toda experiencia positiva o negativa en el cuerpo tiene su efecto sobre la mente y viceversa. El ayurveda propone un plan integral para mantener y restablecer el equilibrio mente-cuerpo en función de la alimentación, la actividad física, la armonía mental y el desarrollo espiritual utilizando el apoyo de hierbas medicinales y de técnicas de desintoxicación. El tratamiento consiste en aceites naturales, masajes y técnicas depurativas acompañadas de una alimentación controlada.

(adaptado de www.bagua.es)

c. ¿Has probado algún tratamiento de medicina alternativa? ¿Conoces a alguien que lo haya hecho? Cuéntales a tus compañeros cómo ha sido la experiencia. ¿Te animarías a probar alguna nueva? ¿Cuál y para qué?

d. ¿Conoces otras medicinas alternativas? ¿En qué consisten? ¿Cómo son valoradas por la gente en tu país? Coméntalo con tus compañeros.

MÓDULO C

UNIDAD 10

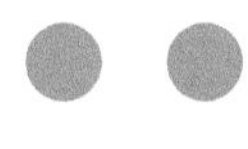

En esta unidad te proponemos:

CIUDADES EN MOVIMIENTO

Elaborar un programa de mejoras para la ciudad en la que estáis

Diseñar un permiso *por puntos*

Reflexionar sobre lo que asociamos con determinados lugares en distintas culturas

1.a. **En parejas, pensad en distintos lugares de una ciudad donde podrían encontrarse estos carteles con prohibiciones. Gana la pareja que haga más asociaciones.**

SE PROHÍBE FIJAR CARTELES
(Responsable la empresa anunciadora)

Prohibida la consumición de bebidas alcohólicas

PROHIBIDO TRAER COMIDA DE FUERA

Prohibida la entrada a menores de 18 años

Está terminantemente prohibido dar de comer a los animales

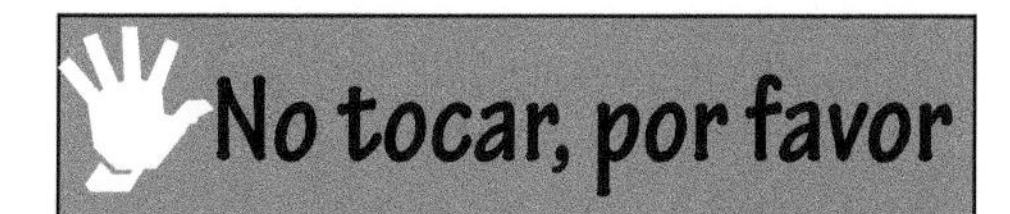

Se ruega guardar silencio.

GRACIAS

PROHIBIDO PISAR EL CÉSPED

Prohibido hablar con el conductor

No se permitirá la entrada una vez iniciada la función

Prohibido cantar

- ● *El cartel de* Prohibido cantar *puede estar en un bar.*
- ▲ *Sí, y el de* No tocar, por favor, *en una tienda.*

b. **¿En tu país también hay estas prohibiciones? Comentadlo en grupos de tres.**

- ● *En mi país no suelen verse carteles de* Prohibido pisar el césped. *De hecho, no está prohibido.*
- ▲ *Claro, porque llueve mucho y hay mucho césped. Yo creo que en países más secos suele estar prohibido.*

2.a. **Lee este artículo del periódico *El alavés*. ¿Qué aspectos de Vitoria destaca el articulista? ¿Qué otros le parecen mejorables?**

Vitoria-Gasteiz, una ciudad de ensueño

Vitoria-Gasteiz

Según un estudio que se ha publicado esta semana, Vitoria-Gasteiz es la segunda ciudad española donde mejor se vive, por detrás de Gerona y por delante de Palma de Mallorca. Los criterios que se han utilizado para elaborar este *ranking* valoraban, con indicadores cuantificables, la vida cultural, el clima, el medio ambiente, el deporte, los servicios de sanidad, la asistencia y los servicios para mayores y niños, la viabilidad y el transporte, la participación electoral, la densidad de población, la renta, la ocupación, los tipos de contratos, el acceso a la vivienda y la seguridad ciudadana.

Del análisis, destaca que Vitoria dedica el 12% de su presupuesto a programas de atención y reinserción social para diferentes colectivos, como los excluidos sociales, la tercera edad y los discapacitados (destacan las mejoras en accesibilidad). Además, es la ciudad con la mayor *ratio* de verde (14 m²) por habitante en toda la Península. También realiza una buena política medioambiental con relación al agua, aprovechando las aguas residuales para riego, controlando los vertidos en el río y renovando las infraestructuras para mejorar su aprovechamiento y su distribución. Las zonas peatonales abarcan en Vitoria todo el casco histórico y parte del ensanche, y los carriles-bici suman ya cuarenta kilómetros. Se fomenta el uso del transporte público y se han introducido tecnologías ambientales en los vehículos y el combustible.

El estudio es esperanzador, pero queda mucho por hacer. Vitoria tendría que mejorar la recogida de basuras, facilitando la separación de la materia orgánica y el reciclado de plásticos. Los carriles-bici son extraordinarios, pero necesitaríamos que se realizara una campaña de concienciación para que se utilicen más. También habría que estudiar el efecto de la ampliación de zonas verdes en los ecosistemas locales. Por último, sería necesario buscar soluciones arquitectónicas que mejoren la eficiencia energética.

Vitoria tiene un gran trayecto por delante, pero va por el buen camino. Posiblemente podamos recorrerlo en bicicleta y a la sombra de los árboles.

(información extraída de www.habitat.aq.upm.es y www.elmundo.es)

b. **¿Qué ciudades de tu país crees que obtendrían las mejores puntuaciones en un estudio de este tipo? ¿Por qué? Coméntalo con un compañero.**

- *Yo creo que, en mi país, ciudades como San Francisco serían las más valoradas, porque el clima es bueno, hay mucha oferta cultural, poca inseguridad...*

c. **En parejas, valorad la ciudad en la que estáis del 1 al 5 según los criterios del artículo. ¿Qué puntuación total obtiene? Comparad vuestra puntuación con la clase.**

d. **¿Qué tendría que cambiar para que la ciudad subiera en el *ranking* de ciudades donde mejor se vive?**

- *Se tendría que mejorar el transporte público.*
- ▲ *Sí, tendría que ser más regular. Siempre hay que esperar un montón de tiempo en las paradas.*

Establecer requisitos

habría que + infinitivo
se tendría que + infinitivo
se debería + infinitivo
sería necesario + sustantivo/infinitivo
sería necesario que + subjuntivo
necesitaríamos + sustantivo/infinitivo
necesitaríamos que + subjuntivo

3.a. **Juan Detállez es el mánager del *Águilas Fútbol Club* y está preparando con su secretaria la concentración del equipo para la pretemporada. Escúchalo y toma nota de sus deseos para cada uno de estos aspectos.**

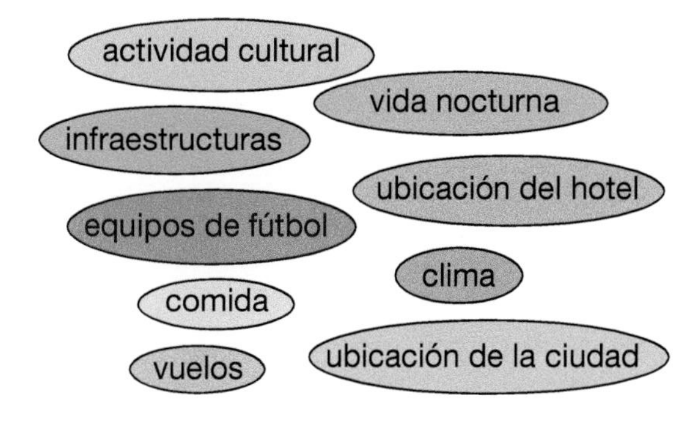

Expresar deseos y peticiones

Me gustaría que...
Me encantaría que...
Querría que...
Necesitaría que...
+ imperfecto de subjuntivo

Necesitaría que el lugar donde durmiéramos estuviera separado del centro.

b. **Tenéis que buscar y acondicionar un lugar para convivir un mes todos juntos. En grupos de cuatro, expresad vuestros deseos sobre los requisitos que debería cumplir y llegad a un acuerdo sobre cinco de ellos.**

- *Con respecto al clima, a mí me gustaría que hiciera unos veinte grados centígrados.*

4.a. **En la ciudad en la que estáis se celebra un acto multitudinario y tu empresa lo organiza. En grupos de tres, elegid el acontecimiento y diseñad el dispositivo de seguridad, transporte y emergencias.**

- *Tenemos que poner ambulancias cada cincuenta metros, por si alguien se desmaya.*

Anticipar una situación posible (para estar preparado)

por si + presente de indicativo

Anticipar una situación improbable (para estar preparado)

por si + imperfecto de subjuntivo

Debería haber vuelos frecuentes, por si algún jugador tuviese que regresar urgentemente.

b. **Explicad vuestro dispositivo a la clase, dando la razón de vuestras decisiones. Los compañeros os harán preguntas y recomendaciones de mejora.**

- *Sería necesario poner ambulancias cada cincuenta metros, por si alguien necesita atención médica.*

5.a. **En la redacción del periódico *La mañana* se han recibido muchas cartas al director y hay que clasificarlas rápidamente. Lee esta por encima e indica a qué grupo pertenece.**

- ❑ Quejas sobre urbanismo
- ❑ Quejas y propuestas de urbanismo
- ❑ Quejas sobre escuelas y educación
- ❑ Quejas y propuestas de medio ambiente

CARTAS AL DIRECTOR

No es tan difícil

Maravillas pretende edificar un estacionamiento subterráneo para ochocientos vehículos y un pequeño polideportivo en el parque de las Acacias.

De llevarse a cabo la "brillante idea", el parque, uno de los más hermosos y emblemáticos de la ciudad, perdería una cuarta parte de su superficie y sus perspectivas. Muchos árboles morirían y otros serían talados. Las pistas de baloncesto y petanca, públicas y gratuitas, serían sustituidas por un recinto cerrado de *paddle* con acceso de pago.

La Junta aduce como motivo de esta "remodelación" la degradación de parte del parque y la necesidad de plazas de aparcamiento en el barrio. Es verdad que el parque no está como sería de desear, debido a las fiestas de los jóvenes de los fines de semana, a los excrementos de perro y al lamentable estado de las plantas. Si quieren solucionar estos problemas, la Junta debería, para empezar, impedir que los jóvenes bebieran en lugares públicos. Se podrían organizar actividades de fin de semana en instalaciones cerradas para que tengan otras opciones de ocio. Para evitar la degradación, solo habría que poner un poco de vigilancia que impusiera el respeto a las normas mínimas de convivencia, o al menos un servicio de limpieza que adecentase el parque por las mañanas. También bastaría con poner unas pequeñas rejas protectoras para que los perros no destrozaran las plantas y los jóvenes no las pisotearan. Un jardinero de vez en cuando tampoco vendría mal. Si quieren solucionar los problemas de aparcamiento, lo que tendrían que hacer es instalar parquímetros, sistema que ha funcionado en otros barrios. Ah, y si les preocupa que el barrio disponga de un polideportivo, les recomendaría que restaurasen el ruinoso de la calle Prim, que está a unos escasos doscientos metros del parque. No es tan difícil.

Juan López Riera y cincuenta firmas más. Asociación de vecinos del barrio Maravillas.

b. **¿Qué finalidad tiene cada una de las medidas que propone el remitente? Subráyalas.**

c. **En parejas, haced un resumen de cinco líneas de la carta y comparadlo con el de otra pareja. ¿Habéis incluido lo mismo?**

6. **En parejas, haced una lista de aspectos mejorables en la distribución, decoración o dotación de la clase. Escribid una carta al profesor expresando vuestros deseos y proponiendo mejoras.**

- *Nos gustaría que en la clase hubiera algún póster, para que no fuera tan triste.*

7.a. **Sois los representantes de un barrio de la ciudad en la que os encontráis y estáis reunidos con el alcalde. En grupos de cuatro, haced dos propuestas para cada uno de estos ámbitos con deseos, sugerencias y peticiones de acciones para mejorar la ciudad.**

Servicios sociales | Cultura, educación y deporte | Urbanismo, transporte y medio ambiente | Protección civil

- ● *En cuanto al medio ambiente, yo pondría más transporte urbano por la noche, para que los jóvenes no tuvieran que sacar el coche.*
- ▲ *Pues para mí sería mucho más importante que hubiera más zonas verdes.*

b. **Presentad las propuestas a vuestros compañeros, que tomarán nota de las que más les gusten.**

c. **Entre toda la clase, elegid las ocho mejores propuestas, justificando vuestros votos.**

- ● *A mí me gusta la propuesta de poner policías en bicicleta en el centro, porque es una medida de protección civil que también es buena para el medio ambiente y el turismo.*

d. **Entre todos, redactad una carta con esas propuestas y mandadla a un periódico local o colgadla en algún foro de Internet sobre vuestra ciudad.**

Lengua y comunicación

EXPRESAR DESEOS Y PETICIONES

Me gustaría que...
Me encantaría que...
Querría que...
Necesitaría que...
+ imperfecto de subjuntivo

- ***Necesitaría que*** *nuestro hotel* ***estuviera*** *separado del centro.*

EXPRESAR LA FINALIDAD

para que + presente/imperfecto de subjuntivo

- *Necesitamos policías* ***para que*** *nadie* ***entre*** *en el estadio con armas.*
- *Habría que poner unas rejas* ***para que*** *los perros no* ***destrozaran*** *las plantas.*

PREVER UNA SITUACIÓN POSIBLE (PARA ESTAR PREPARADO)

por si + presente de indicativo

- *Tendríamos que poner ambulancias,* ***por si*** *alguien se* ***desmaya****.*

PREVER UNA SITUACIÓN IMPROBABLE (PARA ESTAR PREPARADO)

por si + imperfecto de subjuntivo

- *Debería haber vuelos frecuentes,* ***por si*** *algún jugador* ***tuviese*** *que regresar urgentemente.*

ESTABLECER REQUISITOS

Habría que + infinitivo
Se tendría que + infinitivo
Se debería + infinitivo
Sería necesario + sustantivo/infinitivo
Sería necesario que + subjuntivo
Necesitaríamos + sustantivo/infinitivo
Necesitaríamos que + subjuntivo

- ***Sería necesario que se buscaran*** *soluciones arquitectónicas.*

HABLAR DE LAS CIUDADES

el distrito
el barrio
la zona peatonal
el casco histórico
el ensanche
el carril-bici
las zonas verdes
el polideportivo
el estacionamiento (subterráneo)
el parquímetro
la plaza de aparcamiento
las infraestructuras
la accesibilidad
la recogida de basuras
la atención/reinserción social
la remodelación
la degradación
la campaña de concienciación
las aguas residuales
los vertidos

8.a. **Este es un anuncio sobre un nuevo sistema de sanciones por infracciones de las normas de tráfico: el permiso por puntos. ¿Sabes en qué consiste? ¿Cómo crees que funciona? ¿Conoces algún sistema similar?**

b. **En parejas, vais a descubrir algunas de las infracciones que están penalizadas con pérdida de puntos. Para ello, relacionad un elemento de cada columna.**

1. Si conduces con un exceso del 50% o más en el número de plazas autorizadas, excluido el conductor, ...
2. Si paras o estacionas en zonas de riesgo para los peatones o en los carriles...
3. Si no respetas las señales de los agentes...
4. Si usas manualmente el teléfono móvil, auriculares o cualquier otro aparato...
5. Si conduces superando en más del 50% el límite de velocidad máxima autorizada, ...
6. Si conduces bajo los efectos de estupefacientes, psicotrópicos, estimulantes o cualquier sustancia...
7. Si te saltas un stop, un semáforo en rojo o...
8. Si adelantas poniendo en peligro o entorpeciendo...
9. Si no te pones el cinturón, el casco y ...
10. Si usas cualquier sistema de detección de radares...

a. ... que están destinados al transporte público urbano.

b. ... para eludir la vigilancia de los agentes de tráfico.

c. ... que no te permita estar atento mientras conduces.

d. ... demás dispositivos de seguridad obligatorios.

e. ... no respetas la prioridad de paso.

f. ... a quienes circulan en sentido contrario o en lugares o circunstancias de visibilidad reducida.

g. ... que regulan la circulación.

h. ... salvo que se trate de autobuses urbanos o interurbanos.

i. ... siempre que ello suponga superar, al menos, en 30 km/h dicho límite.

j. ... que produzca efectos análogos.

c. **Las infracciones que has leído están penalizadas con la pérdida de dos, tres, cuatro o seis puntos. En grupos de tres, poneos de acuerdo sobre los puntos con los que penalizaríais cada una de esas infracciones.**

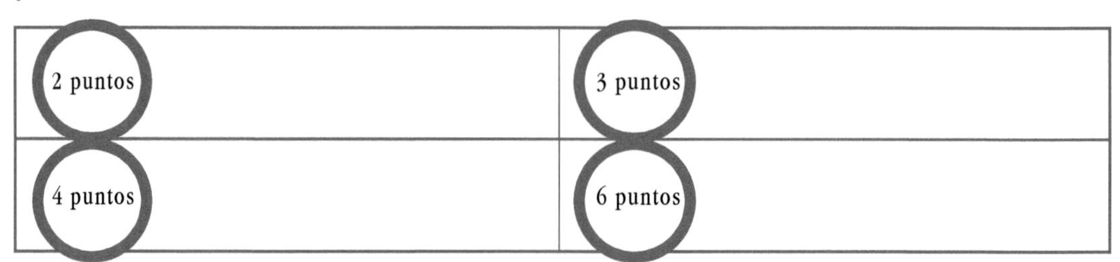

2 puntos	3 puntos
4 puntos	6 puntos

d. **Escucha la entrevista realizada a un responsable de tráfico y comprueba cuántos puntos se retiran realmente por cada infracción. ¿Quién ha sido más estricto: vosotros o la DGT?**

e. **¿Son las siguientes acciones infracciones? Piensa en qué condiciones deben darse para que lo sean. Complétalas y compáralas con tres compañeros.**

No parar el vehículo...

Llevar a un menor de doce años como pasajero de tu motocicleta...

Tocar el claxon...

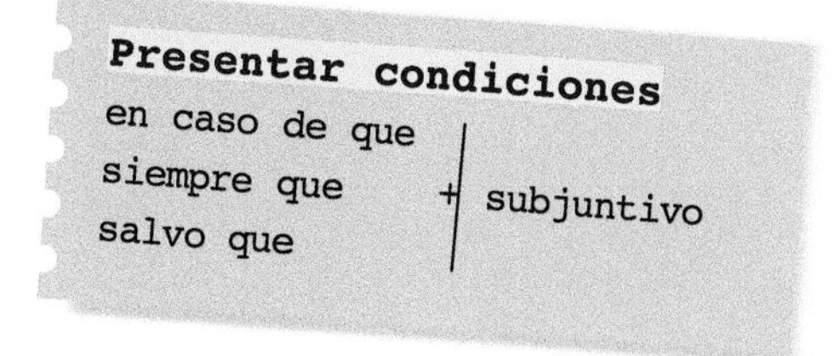

f. **En parejas, pensad en otra conducta de un conductor o de un peatón que se deba penalizar y con cuántos puntos la penalizaríais. Redactadla y pasádsela a las demás parejas para que decidan cuántos puntos le asignarían. Luego, recogedlas y comentad, entre todos, las coincidencias o diferencias en las decisiones.**

9.a. **Estas señales se pueden encontrar en una playa. Con tu compañero, decide qué mensajes transmite cada una.**

- *Yo creo que la primera informa de que en la playa hay socorrista.*
- *¿Sí? Pues yo creo que informa de que es una playa limpia.*

b. **En parejas, pensad en algún sitio de la ciudad o de la escuela donde debería haber una señal y no la hay. ¿Qué debería indicar? Describídsela a los demás.**

- *Creemos que en los ascensores debería haber una señal que obligara a sonreír y saludar a los otros ocupantes. La pondríamos donde se viera bien, en las puertas, por ejemplo. Sería una señal divertida y que tuviera un diseño moderno.*

c. **De todas las señales que habéis propuesto, elegid la más necesaria y, en parejas, diseñadla; recordad que es una señal sin palabras. Luego podéis seleccionar el diseño más acertado e incluso intentar que se utilice. Si es para la escuela, pedid permiso para colgarla.**

10.a. **Lee esta noticia sobre la puesta en funcionamiento de una tarjeta electrónica para la red de transporte urbano. ¿Conoces alguna ciudad donde se usen este tipo de tarjetas para el transporte o para otros servicios? ¿Cómo funcionan? ¿Qué sistema se usa en tu ciudad?**

MÁS VENTAJAS PARA EL VIAJERO

Tarjetas electrónicas reemplazarán el abono de Metro

Los usuarios de la red de transporte público de la región podrán utilizar a partir del próximo año tarjetas electrónicas en lugar de los tradicionales abonos de transporte. Estas tarjetas inteligentes permitirán al viajero entrar en cualquiera de los transportes simplemente acercándolas a un lector.

El proyecto piloto se ha realizado con algo más de 30 000 usuarios que utilizan este nuevo sistema. Las encuestas revelan que un 93% está satisfecho con la nueva tarjeta.

Entre las ventajas que ofrece este sistema, la Consejería de Transporte destaca la seguridad: en caso de robo o extravío, como el usuario está identificado, se podrá anular la tarjeta y expedir una nueva. Las tarjetas aportan además comodidad y rapidez: el viajero ya podrá olvidarse de validar los tiques. Con solo aproximarla a un lector electrónico, los tornos se abrirán en 0,2 segundos y no en los actuales 1,5. Esta característica facilitará la utilización del transporte público a las personas con algún tipo de minusvalía.

La idea es extender las tarjetas electrónicas a todas las modalidades de abono y que se puedan recargar en cajeros de entidades bancarias, estancos y máquinas de Metro y Cercanías. En breve, servirán también para los autobuses interurbanos.

(adaptado de www.20minutos.es)

b. **¿Crees que la entrada a servicios de ocio o cultura, como cines, teatros, etc., se podría automatizar con un sistema de tarjetas similar al del transporte? En parejas, pensad cómo sería una tarjeta inteligente para estos servicios, cómo funcionaría y qué prestaciones y ventajas ofrecería.**

c. **Presentad vuestra propuesta a otra pareja; ellos tendrán que valorarla, teniendo en cuenta las condiciones para que pueda tener éxito.**

- *Es una buena idea, pero creo que no funcionaría a no ser que fuera diferente a una tarjeta de crédito normal.*

11.a. **La empresa NQSTA está realizando un estudio sobre la satisfacción de los viajeros de un aeropuerto. Piensa en un aeropuerto que conozcas y comenta con tus compañeros cuáles de los siguientes aspectos te producen más insatisfacción.**

1. Paneles de información y orientación	5. Salas de espera y salas para fumadores
2. Seguridad previa al embarque	6. Trato y eficacia del personal
3. Aparcamiento	7. Puntualidad
4. Número y variedad de tiendas	8. Gestión de equipajes

b. **Escucha la grabación de las encuestas realizadas hoy y señala con qué aspectos de la lista muestran insatisfacción los viajeros.**

c. **Escribe un breve informe a partir de las opiniones de estos usuarios del aeropuerto.**

Expresar quejas

Está protestando porque no hay nadie que informe.

Me he quejado porque no hay ninguna señal que avise del peligro.

Voy a reclamar, porque no hay ningún sitio donde podamos aparcar.

12.a. **Vamos a crear un permiso por puntos para regular el comportamiento de las personas que usan un servicio, están en un lugar o realizan una actividad. En grupos de tres, decidid qué actividad vais a regular, pensad en las infracciones que vais a sancionar y decidid cuántos puntos le asignáis a cada una.**

Permiso por puntos para...

Eslogan de la campaña:

¿Por qué se pierden puntos y cuántos?

- ⃠ ...
- ⃠ ...

2 puntos | 3 puntos | 4 puntos | 6 puntos

b. **Preparad un folleto informativo para presentar vuestra propuesta ante la clase.**

c. **Presentad vuestra propuesta y defendedla. Modificad algún aspecto si a los otros grupos les parece que alguna infracción se ha penalizado demasiado o poco.**

Lengua y comunicación

REFERIRSE A OBJETOS, PERSONAS O LUGARES INDETERMINADOS ATRIBUYÉNDOLES CARACTERÍSTICAS HIPOTÉTICAS, DESEADAS O IDEALES PARA:

Presentar requisitos

- *En el ascensor debería haber una señal que obligara a sonreír y saludar.*
- *Busco una persona que me informe de la hora del vuelo.*

Preguntar por la existencia

- *¿Hay alguien que me pueda ayudar con el equipaje?*

Expresar la inexistencia o desconocimiento

- *No hay ninguna señal que indique que no se puede fumar.*

CIRCULACIÓN VIAL

estacionar/aparcar
adelantar
un adelantamiento
un semáforo
un paso de peatones
un carril bus
una autopista
una autovía
una multa
el límite de velocidad
el cinturón de seguridad
el carné/permiso de conducir
el casco

EL AEROPUERTO

los pasajeros
un vuelo con retraso
la terminal
el panel de información
la sala de espera
la recogida de equipajes
la tarjeta de embarque
la puerta de embarque

PRESENTAR LAS CONDICIONES PARA QUE ALGO OCURRA

Situación supuesta

- ***En caso de que*** *perdieras todos los puntos, te retirarían el permiso.*

Situación imprescindible

- *Funcionaría,* ***siempre y cuando*** *se pudiera usar para comprar entradas por Internet.*
- *Te devuelven el permiso,* ***siempre que*** *hagas el curso de actualización.*

Situación excepcional

- *No funcionaría,* ***a no ser que*** *se pudiera recargar en los cajeros.*
- *Pierdes dos puntos,* ***salvo que*** *seas conductor profesional.*

13.a. **Apunta cinco palabras que asocies a cada uno de estos lugares.**

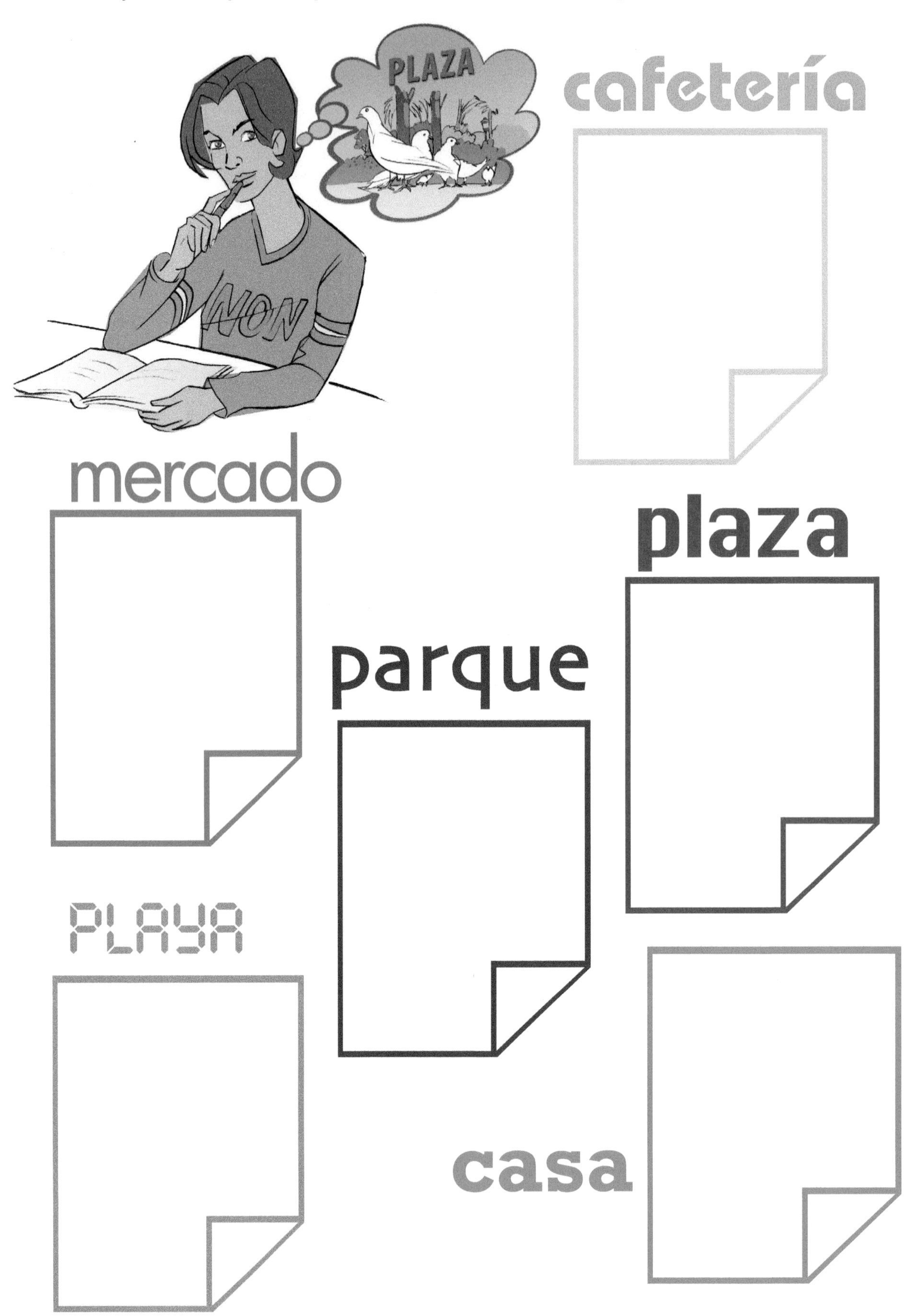

b. Yolanda Blanco, una administrativa española, ha hecho estas asociaciones con los seis lugares mencionados. ¿A qué lugar de 13.a. crees que se refiere cada lista? Intenta adivinarlo con tu compañero.

quemarse
apartamentos
cubo y pala

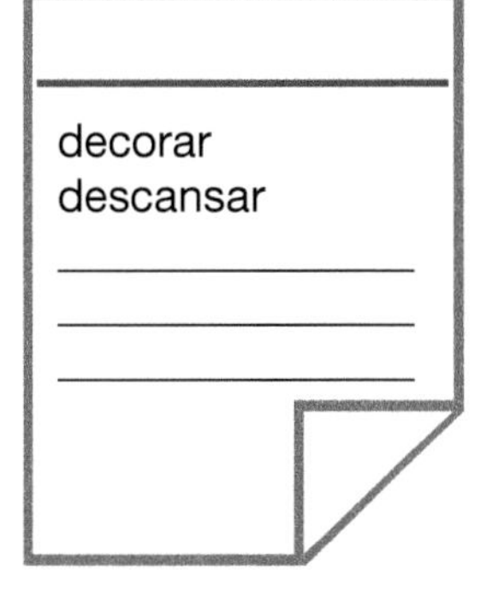

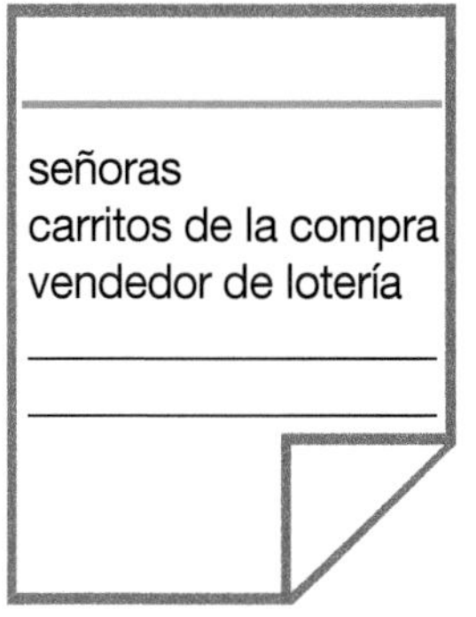

c. Escuchad a Yolanda para comprobar vuestras hipótesis y para completar las listas con las otras palabras que asocia a cada lugar.

d. Compara las asociaciones que hiciste en 13.a. con las de un compañero y con las de Yolanda. ¿Tenéis alguna asociación en común o son completamente distintas?

● *Yolanda asocia los parques con pelotas, igual que tú.*

▲ *Sí, en cambio ninguno de nosotros había asociado la plaza con un reloj.*

e. ¿Qué factores crees que influyen en tus asociaciones: culturales, personales, sociales, generacionales, sexuales, de otro tipo...? Piénsalo. Luego, comenta con dos compañeros las conclusiones sobre vuestras asociaciones y las de Yolanda.

● *Yo creo que asociar una cafetería con cerveza es algo muy personal, supongo que a Yolanda le debe de gustar la cerveza.*

▲ *Sí, pero también influye la cultura, porque en mi país en las cafeterías no sirven alcohol, solo en los bares. En mi asociación de té con cafetería también influye mucho la cultura, porque allí es muy habitual tomar té, pero en otros países no.*

C
MÓDULO

UNIDAD 11

En esta unidad te proponemos:

¡CÓMO HEMOS CAMBIADO!

Hacer una presentación explicando los cambios a lo largo de la vida

Confeccionar un cuaderno con relatos que cambiaron nuestras vidas

Hablar de las aportaciones que diversas culturas han hecho a la humanidad y de su influencia en nuestra vida

1.a. **Haz una lista con algunos de los personajes que más admirabas o que seguías en otras épocas de tu vida.**

b. **En grupos de tres, comentad quiénes eran vuestros personajes favoritos hace unos años. ¿Tenéis alguna coincidencia? ¿Por qué los admirabais?**

● *Yo, de pequeña, escuchaba mucho a Céline Dion. A mi padre y a mí nos encantaban sus canciones y nos sabíamos muchas de memoria.*

▲ *Yo no tanto, pero recuerdo que su voz me ponía los pelos de punta.*

c. **¿Y ahora? ¿A qué personajes admiráis?**

● *A mí me encanta Alejandro Amenábar. Es mi director de cine favorito y he visto todas sus películas. ¿Lo conocéis?*

▲ *No, yo no lo conozco. ¿Qué películas ha hecho?*

d. **¿Cuál de los personajes de los que habéis hablado ha cambiado más a lo largo de su vida (cambios físicos, profesionales, en su vida privada...)? Poneos de acuerdo y después comentadlo con el resto de la clase.**

2.a. **En su página web, Manu comenta algunas fotos de su juventud, pero no las ha ordenado bien. ¿Puedes hacerlo tú?**

La página de Manu

ALGUNAS COSAS SOBRE MI

Mis años de juventud: víctima de las modas juveniles

Esta foto es de finales de los ochenta, cuando me gustaba el *rap* y toda su estética: vestía pantalones anchos y camisetas de color chillón y tres tallas más grandes que la mía. También llevaba melena, perilla, gorra, una cadena, un pendiente y unos cuantos anillos. O sea, el típico *rapero*. Me pasaba el día componiendo mis propias canciones, pero las cantaba y bailaba en la calle, porque mi madre, después de que un día rompiera un jarrón, me prohibió que lo hiciera en casa.

Y este soy yo en el último concierto que Nirvana dio en Múnich, en 1994, justo antes de que muriera Kurt Kobain. En esa época eran mis ídolos y por eso tenía un aspecto bastante *grunge*: solía llevar el pelo largo y despeinado, pantalones de pana y ropa superpuesta. La cazadora que llevo en la foto era de segunda mano y siempre la llevaba encima.

Esto es en mayo de 1996. Por aquel entonces yo tenía el pelo rapado y llevaba una cadena en el cuello. Vivía en una casa que habíamos ocupado en el centro de Buenos Aires y en ella organizábamos exposiciones, conferencias, talleres... Fue una experiencia fantástica que duró dos años, hasta que la Policía nos desalojó.

A principios de este milenio me hice un tatuaje en el brazo izquierdo y me puse un *piercing* en la nariz. En esa época casi siempre llevaba pantalones de campana y zapatillas de deporte, y solía ponerme cosas que encontraba en el baúl de los recuerdos de mi padre. Esta foto me la hice en Nueva York en septiembre de 2001, unos días después de que cayeran las torres gemelas.

1

2

3

4

b. **¿Qué aspecto tenías en tu adolescencia y juventud? ¿Cómo te vestías? ¿Tus amigos y tú seguíais alguna moda o algún movimiento? Coméntalo con tu compañero.**

● *Yo, de adolescente, era un poco* punki*: llevaba el pelo de punta, pantalones ajustados y solía vestir de negro.*

▲ *Pues yo no, yo era bastante tradicional. Vestía de una forma muy clásica y llevaba el pelo recogido en una trenza o una coleta.*

c. **¿Quién de los dos ha cambiado más a lo largo de los años? Comentadlo con la clase.**

● *John es el que más ha cambiado. Ahora siempre viste con traje y corbata y es muy elegante pero, en su adolescencia, era un* punki*, vestía de negro...*

3.a. **Dos amigas hablan de las cosas que les permitían y no les permitían hacer cuando eran pequeñas. Escucha y señala a quién corresponde cada una de esas cosas.**

A Elvira — le prohibían que dijera palabrotas.
A Isabel — no le permitían salir sola a la calle.
le dejaban que jugara con niños mayores.
no le exigían que llegara a ninguna hora a casa.
no le dejaban ver la tele por la noche.

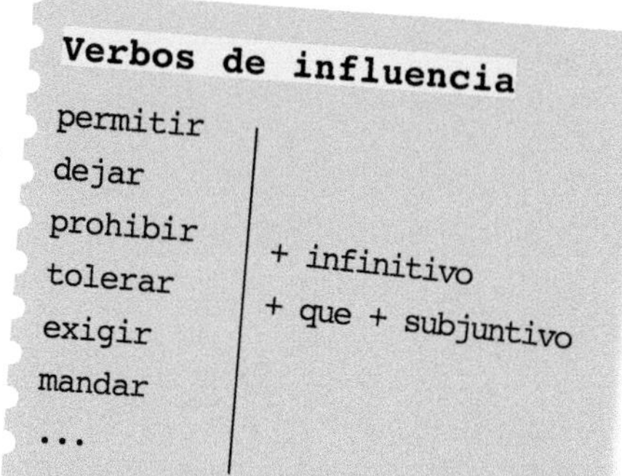

Verbos de influencia

permitir dejar prohibir tolerar exigir mandar ...	+ infinitivo + que + subjuntivo

Cuando era adolescente no me permitían que llegara a casa después de las diez, pero los viernes me dejaban llegar más tarde.

b. **¿Y a ti? ¿Qué te permitían y qué no te permitían hacer en casa y en la escuela? Habla con dos compañeros para descubrir quién tenía la familia y los profesores más permisivos y quién los más estrictos.**

- *A mí mis padres no me dejaban que me quedara a dormir en casa de mis amigos. Solo me permitieron hacerlo cuando ya tenía catorce o quince años.*

c. **¿Y ahora? ¿Qué te permiten y qué no te permiten hacer en tu trabajo, en tu casa...?**

- *En mi trabajo nos dan mucha flexibilidad y nos permiten que hagamos parte de la jornada laboral desde casa.*

4.a. **Un estudiante juega a ordenar cronológicamente estos acontecimientos importantes en la vida de un compañero y su familia. Escucha y ayúdale a ordenarlos.**

HECHOS IMPORTANTES EN MI VIDA	HECHOS EN LA VIDA DE MIS FAMILIARES
☐ Adopté a una niña.	☐ Mi hermano publicó su primera novela.
2 Me marché a Alemania.	☐ Murió mi abuela materna.
☐ Fui médico voluntario en Bolivia.	☐ Mi hermano se casó.

b. **En un papel escribe, en dos columnas, algunos acontecimientos importantes de tu vida y otros de la vida de tus familiares, como en 4.a.**

Hablar de sucesos anteriores o posteriores a otro

antes de después de	+ infinitivo + que + subjuntivo

Me separé de mi mujer antes de que mi madre ganara un

c. **Hazle preguntas a tu compañero para ordenar cronológicamente los hechos y acontecimientos de su papel.**

- *¿Te marchaste a Alemania justo después de ser médico voluntario en Bolivia?*
- ▲ *Sí, eso es. Muy bien.*
- *¿Y antes de que tu hermano publicara su novela?*
- ▲ *Sí, me fui a Alemania antes de que mi hermano publicara su libro pero, antes de eso, pasó otra cosa.*

5.a. En la revista *Educación sin fronteras* entrevistan a don Manolo, un maestro a punto de retirarse. Lee la entrevista y responde a estas preguntas.

1. ¿Cuándo dejará don Manolo de dar clases en la escuela?
2. ¿En qué aspectos ha cambiado como maestro?
3. ¿Y en qué han cambiado sus clases?

ENTREVISTA CON *Don Manolo*

Más de cuarenta años trabajando como maestro. Eso son muchos años... ¿No está usted agotado?

¿Agotado? No. Tengo que reconocer que ya no sigo siendo aquel chico de veinticinco años. No soy igual de dinámico ni tengo tanta energía, pero no me importaría seguir trabajando.

Sin embargo, el próximo mes va a dejar de dar clases.

Sí, me retiro de la docencia pública pero, en privado, seguiré trabajando tanto como ahora. Tengo dos nietos a los que me gustaría educar y otros dos que están a punto de llegar.

¿Y en qué ha cambiado usted en todo este tiempo?

Bueno, creo que ahora soy un hombre bastante más sensato. De joven no era tan maduro como lo soy a mis sesenta y cinco años. Hacía las cosas de una forma más intuitiva y, claro, muchas veces me equivocaba. La experiencia me ha enseñado mucho.

¿Nos puede contar uno de esos errores del pasado?

Claro, *errare humanum est.* Recuerdo que era muy estricto con los alumnos que no hacían la tarea y, a la hora del recreo, les exigía que se quedaran en el aula para terminarla. No dejaba que salieran y disfrutaran del tiempo libre con sus compañeros. Con el tiempo, me di cuenta de que la mayoría de esos estudiantes no había hecho la tarea por diferentes razones: unos no la habían entendido bien, otros no habían tenido tiempo de hacerla porque sus padres les habían pedido que hicieran otras cosas... Entonces dejé de ser tan estricto y empecé a ser más comprensivo, y a dedicarles un poco más de atención.

¿Las escuelas de antes educaban mejor a los niños que las de ahora?

No, no lo creo. Probablemente, los maestros estábamos igual de preparados que ahora, pero en las escuelas de antes no había tantos recursos. Por ponerle un ejemplo, antes, durante las clases, algunos de mis alumnos se quedaban dormidos, pero desde que utilizo Internet ya no se aburren en clase y muestran mucho más interés.

b. En parejas, comentad si habéis notado cambios en vuestro profesor desde que empezó a daros clases de español. Luego, decídselo a él.

- *Nosotros creemos que ahora, como profesor, eres más estricto, porque antes nos dejabas utilizar el inglés y ahora nos exiges que hablemos solo en español.*

6.a. **En parejas, pensad cómo imagináis a vuestro profesor de niño y de adolescente. ¿Creéis que ha cambiado mucho a lo largo de su vida? Tomad nota de vuestras hipótesis.**

b. **Comprobad vuestras hipótesis con el profesor. ¿Qué pareja se ha acercado más a la realidad?**

● *Nosotros nos imaginamos que, de niño, eras un poco gamberro y cruel. Por ejemplo, te divertías torturando insectos.*

▲ *No, nada de eso... Los insectos me daban asco.*

7.a. **Escribe los cambios más significativos que se han dado, a lo largo de toda tu vida, en varios aspectos de tu vida personal y de tu vida académica y profesional.**

b. **Prepara una presentación oral de unos cinco minutos sobre los cambios más significativos de tu vida. Puedes utilizar un mural, fotos, dibujos, diapositivas...**

c. **Formad grupos de tres. Mientras uno hace la presentación, sus compañeros le hacen preguntas para ordenar cronológicamente todos los cambios producidos en su vida.**

● *En cuanto a los cambios en mi modo de vida, quizá uno de los más significativos es que dejé de fumar y, desde entonces, no soporto que la gente fume cerca de mí.*

▲ *¿Y dejaste de fumar antes o después de casarte?*

d. **Comentadle a la clase los cambios más interesantes o curiosos que habéis descubierto en la vida de vuestros compañeros de grupo. ¿Encontráis alguna coincidencia?**

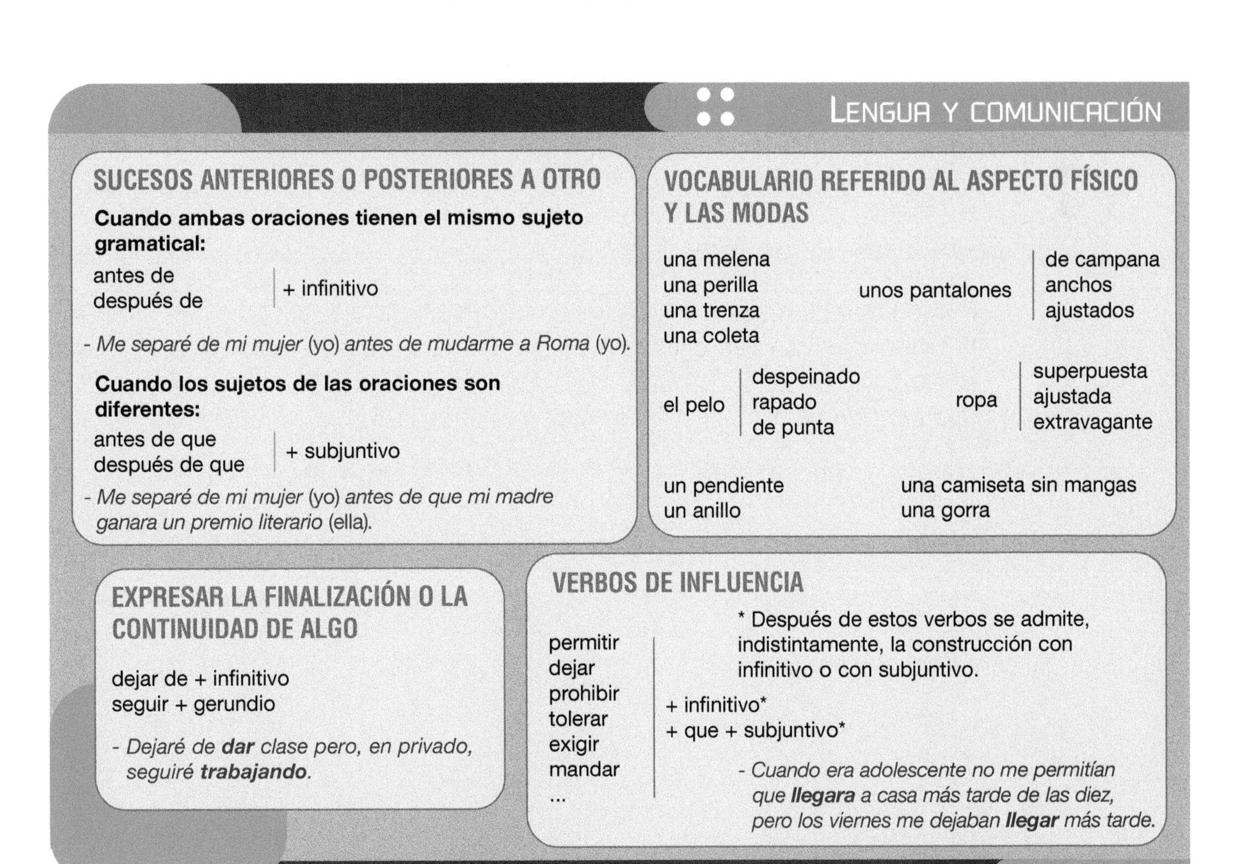

LENGUA Y COMUNICACIÓN

SUCESOS ANTERIORES O POSTERIORES A OTRO

Cuando ambas oraciones tienen el mismo sujeto gramatical:

antes de / después de | + infinitivo

- *Me separé de mi mujer* (yo) *antes de mudarme a Roma* (yo).

Cuando los sujetos de las oraciones son diferentes:

antes de que / después de que | + subjuntivo

- *Me separé de mi mujer* (yo) *antes de que mi madre ganara un premio literario* (ella).

VOCABULARIO REFERIDO AL ASPECTO FÍSICO Y LAS MODAS

una melena
una perilla
una trenza
una coleta

unos pantalones | de campana / anchos / ajustados

el pelo | despeinado / rapado / de punta

ropa | superpuesta / ajustada / extravagante

un pendiente
un anillo

una camiseta sin mangas
una gorra

EXPRESAR LA FINALIZACIÓN O LA CONTINUIDAD DE ALGO

dejar de + infinitivo
seguir + gerundio

- *Dejaré de* ***dar*** *clase pero, en privado, seguiré* ***trabajando***.

VERBOS DE INFLUENCIA

permitir
dejar
prohibir
tolerar
exigir
mandar
...

| + infinitivo*
| + que + subjuntivo*

* Después de estos verbos se admite, indistintamente, la construcción con infinitivo o con subjuntivo.

- *Cuando era adolescente no me permitían que* ***llegara*** *a casa más tarde de las diez, pero los viernes me dejaban* ***llegar*** *más tarde.*

8.a. **Este es el comienzo de un artículo sobre una historia que sucedió hace unos años. ¿Sabéis algo de esa historia? Si no,¿qué creéis que ocurrió con esas cuarenta y cinco personas?**

EL DESAFÍO DE LOS LÍMITES

El 13 de octubre de 1972, un avión fletado por un equipo uruguayo de rugby intenta atravesar la cordillera de los Andes en dirección a Santiago de Chile, donde iba a jugar un partido amistoso. Un total de 45 personas tomaron ese vuelo.

b. **Lee el resto del artículo y decide si las frases que encontrarás en la página siguiente son verdaderas o falsas.**

En pleno vuelo, una violenta tormenta desestabilizó el avión, que acabó golpeándose contra la cresta de una montaña, a 6000 m. de altura. El aparato se partió en dos y muchos pasajeros fueron arrastrados al vacío. El avión se deslizó a toda velocidad por un enorme glaciar. Trece personas murieron en el choque y hubo muchos heridos. Enseguida empezaron a organizarse para poder sobrevivir. El capitán del equipo de rugby construyó una pared con asientos y maletas para que el viento no entrara en el avión. Sin esa pared, se hubieran congelado la primera noche. También inventaron un aparato para convertir el hielo en agua; algo fundamental, ya que el cuerpo humano a esas alturas se deshidrata tres veces más que al nivel del mar.

La esperanza del rescate les dio fuerzas para soportar el hambre y resistir las heladas ventiscas. Pero cuando ya llevaban diez días esperando oír el ruido de los helicópteros, oyeron por radio que la búsqueda había sido suspendida. Los daban por muertos. Una semana más tarde, una avalancha de nieve los sepultó dentro del avión mientras dormían. Ocho personas murieron esa noche. Trataron, sin éxito, de arreglar la radio del avión para avisar de que estaban vivos. Fueron varios los intentos de salir en expedición a buscar ayuda, pero hasta tres veces tuvieron que volver al avión vencidos por la nieve y el frío. Tuvieron que esperar a que el tiempo mejorara y, finalmente, Roberto Canessa y Nando Parrado salieron en dirección al oeste. Escalaron la montaña más alta convencidos de que detrás estaban los valles de Chile pero, cuando llegaron a la cima, se abrió ante ellos otro paisaje blanco, más nieve y más montañas. Caminaron sin descanso por la nieve durante diez días hasta que, finalmente, encontraron al primer ser humano.

Cuando el rescate llegó al avión ya solo quedaban dieciséis supervivientes. Habían conseguido resistir setenta y dos días, con sus noches, a temperaturas de dos dígitos bajo cero, sin comida y con ropa de verano. Se habían salvado gracias a los muertos, a la carne congelada de los cadáveres.

Para superar la tragedia, los supervivientes tuvieron que aprender a trabajar en equipo, a escuchar las buenas ideas de los demás, a innovar y a decidir en condiciones de extrema tensión. «Fuimos todos solidarios, poco egoístas. Nunca fuimos tan buenos trabajando en equipo como en los Andes», explica Nando.

(adaptado de *El País*)

	V	F
1. Si no hubieran construido la pared para protegerse del frío, hubieran muerto en un par de días.	❑	❑
2. El rescate se suspendió porque se pensó que era imposible sobrevivir diez días en esas condiciones.	❑	❑
3. Si Canessa y Parrado no hubieran salido a buscar ayuda, probablemente no hubiera habido supervivientes.	❑	❑
4. La única fuente posible de alimento que tenían era la carne humana.	❑	❑

c. Lee de nuevo el texto y haz una lista de los factores que ayudaron a los supervivientes a salvarse. Después, contrástala con la de tu compañero y elegid los cuatro más importantes.

● *Yo creo que uno de los factores más importantes fue la construcción del aparato para hacer agua, porque sin él no habrían sobrevivido.*

▲ *Sí, seguro, pero también fue muy importante que no se pelearan entre ellos, ¿no?*

d. Una experta en recursos humanos analiza el caso en una entrevista. Anota los aspectos que resalta como fundamentales para que los supervivientes lograran salvarse. ¿Coinciden con los vuestros?

e. Después de escuchar a la experta en recursos humanos, ¿creéis que deberíais modificar vuestra lista?

f. Presentadle la lista de factores a otra pareja y justificad vuestra elección. ¿Coinciden con vosotros?

Expresar condiciones en el pasado

Si + pretérito pluscuamperfecto de subjuntivo, condicional compuesto/pretérito pluscuamperfecto de subjuntivo

Si el avión no se **hubiera accidentado** en los meses de más frío, el rescate **habría sido** mucho más sencillo.

Si el avión **hubiera llevado** balizas, los equipos de rescate lo **hubieran encontrado** enseguida.

9.a. Estas mujeres nos cuentan tres historias que hicieron que sus vidas cambiaran de rumbo. Escúchalas y adjudica el mejor título del recuadro para cada historia.

TÍTULOS

1. Si mis padres no hubieran tomado aquel barco, yo no sería mexicana.
2. De no haber hecho aquel viaje, ahora probablemente seguiría viviendo en Madrid.
3. Si no me hubiera perdido, no habría conocido a mi pareja.

b. Tu profesor va a escribir en la pizarra el título de la historia que cambió el rumbo de su vida. En grupos de tres, intentad imaginar esa historia.

● *Vamos a ver... «De no haber ido a aquella cena, no me habría enamorado.»*

▲ *Yo creo que fue a cenar a casa de unos amigos y que allí conoció a su pareja.*

■ *O a lo mejor su pareja lo invitó a una cena romántica en su casa.*

c. Pedidle a vuestro profesor que os cuente su historia. ¿Qué grupo se ha acercado más a la realidad?

10.a. ¿Te acuerdas de la chica que se perdió en el Cañón de Chelly? Escucha lo que dice ocho años después y relaciona el principio de cada frase con su final.

Me habría gustado que...	... Sean hubiera venido a vivir a España.
De no haber ido a visitar a mi amiga, ahora probablemente...	... seguiría trabajando en la editorial.
Me habría encantado...	... dirigir mis propios proyectos en la editorial.

b. Piensa en la historia que os ha contado antes tu profesor. ¿Cómo terminaría él estas frases?

1. Me habría gustado (que)...
2. De..., ahora probablemente...
3. Me habría encantado (que)...

11.a. **Vamos a confeccionar un cuaderno de hechos que han cambiado el rumbo de nuestras vidas. Cada uno piensa en su historia y la escribe, sin ponerle título.**

TAREA FINAL

HISTORIA DE: Jeroen

Cuando tenía veintidós años me dieron una beca para ir a estudiar Bellas Artes a La Sorbonne. Tenía muchas ganas de ir y era una gran oportunidad pero, si me iba, tenía que dejar el equipo de baloncesto en el que jugaba. Llevábamos una temporada muy buena y teníamos muchas posibilidades de clasificarnos para disputar el título de campeones nacionales. Por otro lado, yo sabía que era la única oportunidad que tendría de ir estudiar a La Sorbonne. Fue una decisión muy difícil, pero decidí quedarme y ganamos el campeonato. No fui a La Sorbonne ni estudié Bellas Artes, pero ahora estoy estudiando Fisioterapia y soy el capitán del equipo de baloncesto. El año pasado quedamos subcampeones.

b. **En grupos, sentados en círculo, cada uno recibe el relato de su compañero de la izquierda, lo lee y escribe un posible título. Luego se repite el proceso hasta que todos hayan leído todos los relatos y sugerido un título para cada uno.**

POSIBLES TÍTULOS
- De haber aceptado la beca, no habría ganado el campeonato de baloncesto.
- Si hubiera ido a La Sorbonne, ahora no sería el capitán de un equipo de baloncesto.
- Si no hubiera rechazado la beca, ahora estaría estudiando en La Sorbonne.

c. **Cuando recuperes tu historia, escoge el título que más te guste de los que te han sugerido tus compañeros. Ya está lista para el *Cuaderno de relatos de la clase*.**

LENGUA Y COMUNICACIÓN

EXPRESAR HIPÓTESIS EN EL PASADO

Si + pret. pluscuamperfecto subjuntivo De + infinitivo compuesto	+ condicional compuesto + pret. pluscuamperfecto subjuntivo + condicional simple

Expresar condiciones en el pasado:
- ***De haber sabido** que iba a llover así, me **habría puesto** otro calzado.*

Hablar de acontecimientos que han cambiado nuestras vidas:
- ***Si** mis padres no **hubieran tomado** aquel barco, yo no **sería** mexicana.*

Hablar con diferentes grados de probabilidad:
- ***Si no hubiera conocido** a Sean, ahora probablemente seguiría trabajando en la editorial.*

CONDICIONAL COMPUESTO

(yo) habría (tú) habrías (él/ella/usted) habría (nosotros/as) habríamos (vosotros/as) habríais (ellos/ellas/ustedes) habrían	+ participio

PRETÉRITO PLUSCUAMPERFECTO DE SUBJUNTIVO

(yo) hubiera/-iese (tú) hubieras/-ieses (él/ella/usted) hubiera/-iese (nosotros/as) hubiéramos/-iésemos (vosotros/as) hubierais/-ieseis (ellos/ellas/ustedes) hubieran/-iesen	+ participio

EXPRESAR DESEOS Y SUEÑOS PASADOS

Me Te Le ...	+ condicional compuesto + pret. pluscuamperfecto subjuntivo	+ que + pret. pluscuamperfecto subjuntivo + infinitivo

- *Me **habría encantado poder** hacer aquel viaje.*
- *Me **hubiera gustado que** las cosas **hubieran sido** distintas.*
- *Nos **habría encantado** que nos **hubieras dicho** que venías.*

12.a. Estas son algunas de las aportaciones que el mundo hispano ha hecho al patrimonio cultural y social de la humanidad. Relaciona cada foto con el texto correspondiente.

Goya

La patata

El submarino

Picasso

El tomate

El autogiro

A. Si no se hubiera creado este artefacto, que puede prescindir de alas para volar, el helicóptero no se habría inventado.

B. Revolucionó el arte después de que sus obras sentaran nuevas bases estéticas y plásticas y renovaran las artes en el siglo XX. De no haber existido su genio creador, el arte contemporáneo no sería como hoy lo entendemos.

C. De no haber podido comer este alimento, millones de europeos habrían muerto de hambre antes y durante la Revolución Industrial.

D. Su pintura supuso un impulso renovador y una apertura de nuevos caminos en el mundo del arte. Vivió mucho antes de que nacieran las vanguardias europeas, pero se le considera modelo de románticos, de impresionistas, de expresionistas y precursor del surrealismo.

E. Después de que se introdujera en Europa, este producto pasó a formar parte de las cocinas de todo el mundo. Sin él, por ejemplo, la cocina italiana no sería como la conocemos.

F. Antes de que se inventara este artefacto, muchísimas especies de animales y vegetales no se habían visto nunca y eran totalmente desconocidas para la humanidad.

b. ¿Y tu cultura? ¿Qué ha aportado al patrimonio social y cultural de la humanidad? Anótalo en estas burbujas.

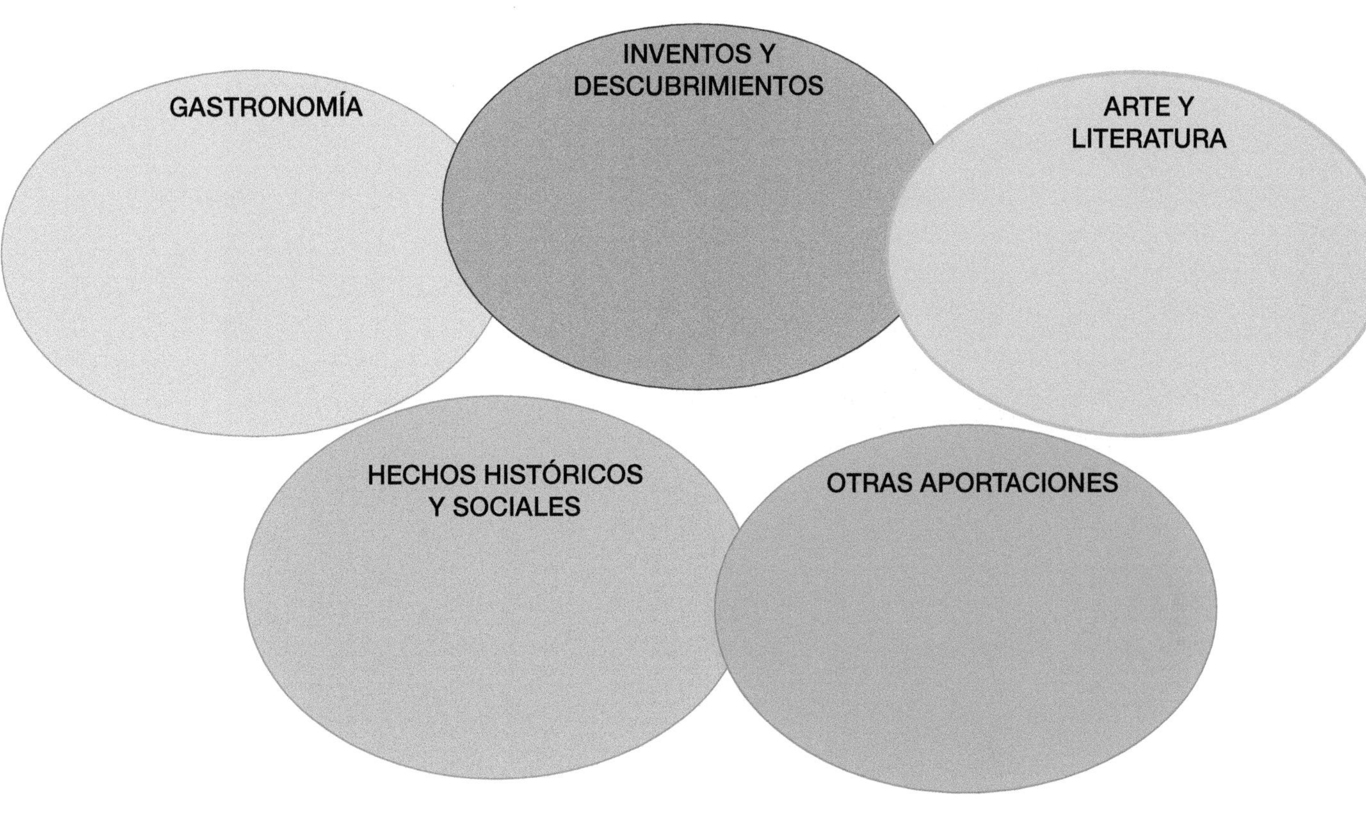

c. En diferentes tarjetas, escribe textos como los de la página anterior. En ellos puedes mencionar lo siguiente:

- ¿Cómo era la vida, la sociedad... antes de las aportaciones anteriores?
- ¿Qué pasó después? ¿Qué cambios se produjeron?
- ¿Qué habría cambiado si no hubieran existido esas aportaciones?

Si no se hubiera creado la pasta en China, Marco Polo nunca la habría conocido y no habría podido llevarla a Italia donde, después, se convirtió en un plato nacional. Y es probable que tampoco se hubiera difundido por todo el mundo.

d. Lee las tarjetas de dos compañeros. ¿Crees que tu vida habría sido diferente sin esas aportaciones? ¿Cuál o cuáles han influido más en tu vida? Coméntaselo.

● *De no haberse creado la pasta, yo no habría encontrado trabajo como cocinero jefe en un restaurante italiano.*

▲ *Y yo sería la mujer más triste del mundo, porque la pasta me encanta.*

e. ¿Hay aportaciones de otras culturas que han sido importantes en tu vida o que han influido en ella? Coméntalo con tus compañeros.

● *Si no se hubiera inventado el fútbol en Inglaterra, yo nunca habría conocido a mi novio, porque nos conocimos jugando en el equipo de nuestro instituto.*

C
MÓDULO

UNIDAD 12

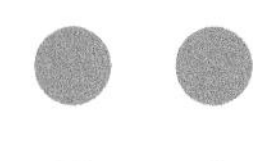
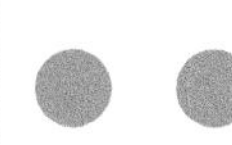

En esta unidad te proponemos:

ESTAMOS CONECTADOS

Participar en un foro con opiniones sobre el curso

Querido Franklin:

Cuando leas esta c
haya pasado un añ
del viaje y sin apen
siguiente, nos sorpr
te pusiste a prepar

Escribir una carta de despedida

Hablar sobre el intercambio de regalos en distintos países

1.a. **Estos fueron los primeros modelos de algunas tecnologías que han revolucionado el mundo. ¿Sabes en qué fecha aparecieron? ¿Recuerdas cómo eran? ¿Tuviste alguno? Coméntalo con tu compañero.**

● *Yo recuerdo que los primeros móviles eran muy aparatosos y carísimos.*

▲ *Sí, solo los usaban los ejecutivos y la gente con mucho dinero.*

1975 **1981** **1982** 1995

IBM presenta su modelo 5150, el primer ordenador personal de la historia.

Internet empieza a funcionar como red comercial.

Aparecen los teléfonos móviles de primera generación (solo servicio de voz).

Sears Tele-games, primer videojuego que se comercializa (consistía en un simple juego de tenis en blanco y negro).

Año 2006

1000 millones de pecés en el mundo
En España lo usa el 72% de los niños de 12-14 años

2000 millones de usuarios de teléfono móvil en el mundo
En España ya hay más móviles que habitantes

"Nuevo Súper Mario Bros" de Nintendo lleva 453 000 copias vendidas
España es una potencia en la creación de videojuegos

Ya hay 1000 millones de usuarios de Internet en el mundo
España tiene 26 millones de internautas

b. **Y tú, ¿eres ahora usuario de estas tecnologías? ¿Te acuerdas de cuándo, cómo y dónde fue la primera vez que utilizaste alguna de ellas? Coméntalo con tus compañeros.**

● *Yo creo que entré por primera vez en Internet en 1996, justo cuando empecé a trabajar como becaria en el Ministerio. Recuerdo que teníamos una red interna para mandarnos mensajes.*

c. **¿Cuál de estas tecnologías te parece que ha experimentado más transformaciones desde su nacimiento? ¿Por qué? ¿Cómo piensas que van a evolucionar en los próximos diez años? Coméntalo con tus compañeros.**

● *Pues yo creo que acabaremos con un teléfono incorporado al oído y que pensando el nombre de la persona nos podremos poner en contacto con ella.*

▲ *¡Hala! ¡Qué exagerada! ¿No?*

1975 (primer videojuego); 1981 (primer PC); 1982 (primeros teléfonos móviles); 1995 (Internet)

2.a. Estas cosas tienen una historia en común. En parejas, imaginad una posible historia con todas ellas. Luego, leedla a la clase. ¿Cuál es la que más os gusta? ¿Por qué?

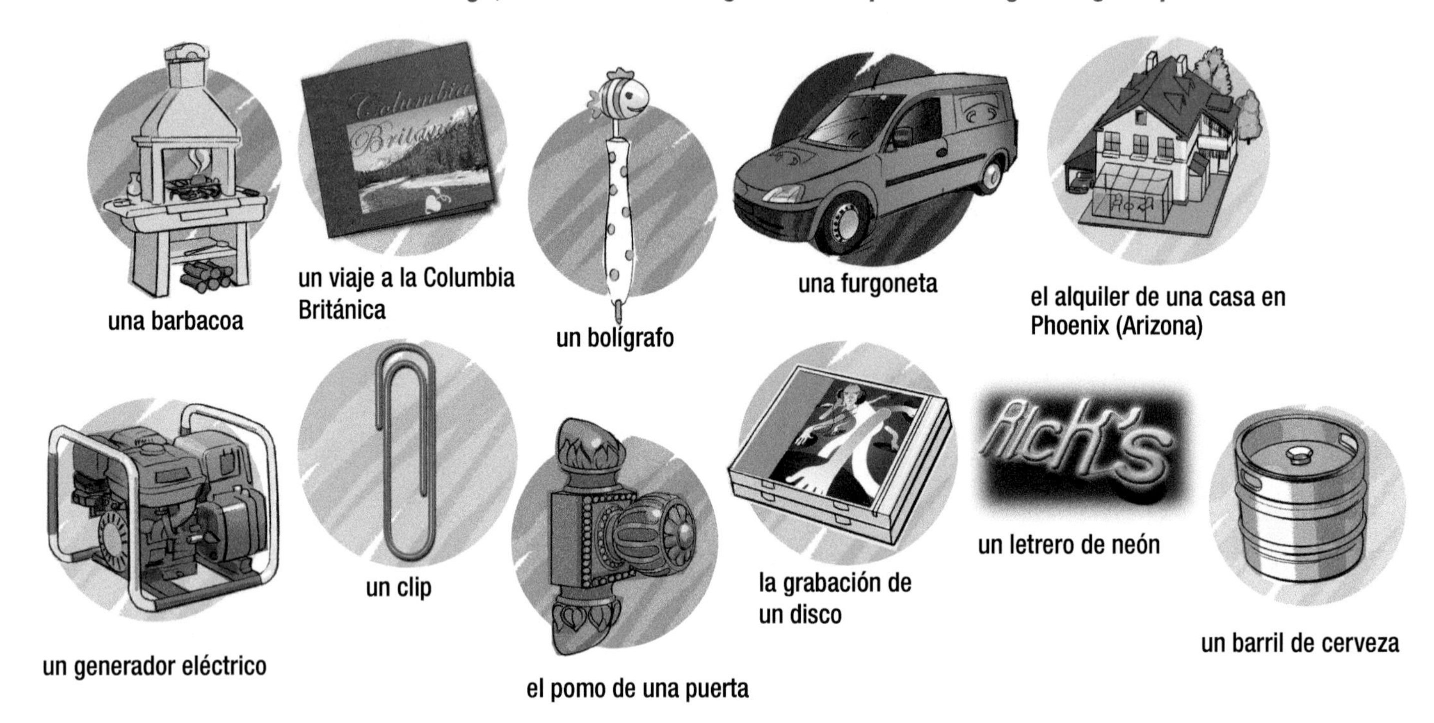

una barbacoa · un viaje a la Columbia Británica · un bolígrafo · una furgoneta · el alquiler de una casa en Phoenix (Arizona) · un generador eléctrico · un clip · el pomo de una puerta · la grabación de un disco · un letrero de neón · un barril de cerveza

- ● *Un famoso cantante iba en su furgoneta para grabar un disco cuando...*
- ▲ *... cuando vio una publicidad donde posaba su mujer rodeada de barriles de cerveza delante de un letrero de neón...*

b. La historia real es la de un canadiense que cambió un clip por una casa, pasando por todas las cosas de la lista. En parejas, decidid en qué orden creéis que lo hizo.

- ● *Yo me imagino que el clip lo cambiaría por el bolígrafo, porque es lo menos valioso.*

c. Escuchad la noticia en la radio y comprobad los resultados. ¿Averiguasteis el orden?

d. Uno de vosotros ofrece un objeto de poco valor y, uno por uno, lo tenéis que ir cambiando por un objeto mayor o mejor. Si al final el negociador no está contento con lo obtenido, podéis hacer una segunda vuelta.

- ● *Comienzo yo con un tenedor de plástico.*
- ▲ *Vale, te lo cambio por un calendario de este año que tengo en casa. ¿Te interesa?*

3.a. Lee el texto que hay en la siguiente página sobre el uso de Internet en España y subraya la información relativa a estos aspectos.

- equipamientos que tienes en tu ordenador
- el lugar donde usas tu ordenador
- si no usas Internet, las razones por las que lo no haces
- usos que le das al ordenador
- usos que haces de Internet

b. En grupos de cuatro, poned vuestros datos en común y comprobad si son similares a los de los españoles.

Estudio sobre Internet en España

La mitad de los hogares españoles dispone de ordenador. La inmensa mayoría tiene reproductor de cedés y casi tres cuartas partes dispone también de grabadora. El reproductor de DVD es menos habitual, pero más frecuente que la grabadora de DVD y mucho más que la cámara web.

En cuanto a su ubicación, en la mayoría de las ocasiones los ordenadores no portátiles se encuentran en el dormitorio de los hijos, y luego, por este orden, en el cuarto de estar, en una habitación separada o en el despacho. En general, el ordenador se utiliza con diversos propósitos, pero destaca su uso como procesador de textos y como buscador de información en Internet. A continuación, los usos más habituales son escribir correos electrónicos, usar bases de datos, escuchar música, hacer operaciones matemáticas, ver películas, utilizar juegos electrónicos, diseñar y, muy por debajo, *chatear*.

Centrándonos ya en Internet, el lugar de uso más habitual es la casa, seguido del trabajo, los cibercafés y, en último lugar, los centros de enseñanza.

Con respecto a las actividades realizadas, Internet es en primer lugar un espacio de información y de comunicación; en segundo, de ocio; y, finalmente, de servicios y compras. Casi la totalidad de los internautas busca información en la red, una inmensa mayoría usa el correo electrónico, menos de la mitad lee noticias, y aún menos descarga música o películas, participa en *chats*, juega en red, escucha la radio o ve la televisión, hace consultas y transacciones bancarias, busca empleo, habla por teléfono con o sin cámara web, hace compras, hace uso de listas de distribución, se forma a distancia y, por último, vende o compra productos de segunda mano o valores en Bolsa.

Entre las personas que no utilizan Internet, la razón más común es que no les interesa o no les gusta, seguida de la falta de ordenador, que no les resulta útil, que es muy complicado, que no saben bien lo que es, que no tienen tiempo y que la conexión es muy cara.

(información extraída de www.grupobbva.com)

4.a. Imagina que tienes que pasar quince días sin cada uno de los siguientes adelantos tecnológicos. ¿Cómo se vería afectada tu vida? Anótalo y coméntalo con tus compañeros.

teléfono móvil | Internet | coche | ordenador

- *Si no tuviera Internet, se vería afectada la comunicación con mis amigos, el pago de facturas, la lectura de la prensa, mi trabajo en la oficina...*

b. ¿Cuál de los servicios anteriores es más importante en tu vida? Comentadlo en grupos de cuatro para ver si coincidís.

- ● *Bueno, en mi caso el más importante es el móvil, sin duda.*
- ▲ *En mi caso también, y algunas de las razones son muy parecidas.*

5.a. **En parejas, imaginad que sois los moderadores de un foro en Internet y que estáis elaborando las normas de participación. Completad la lista y, después, llegad a un acuerdo con la clase.**

> **Normas**
> - Hay que ser siempre respetuosos con los demás participantes.
> - Los mensajes tienen que ser breves, claros y concisos.
> - Cada mensaje debe hacer alguna aportación nueva, a favor o en contra de ideas ya expuestas, o abrir nuevos campos de discusión.
> - Se evitarán mensajes del tipo «Estoy de acuerdo con José». Es preferible no citar los nombres, sino hacer referencia a las ideas. De este modo será más fácil seguir el debate.
> - ...

b. **Leed las intervenciones de este foro y modificad las que no cumplan las normas de la lista. Luego, comparad vuestras correcciones con la clase.**

● *XP no es muy respetuoso con J23 porque dice que sus palabras son una tontería.*

▲ *Sí, sería más cortés decir «No me parece acertado», o «Es un poco exagerado».*

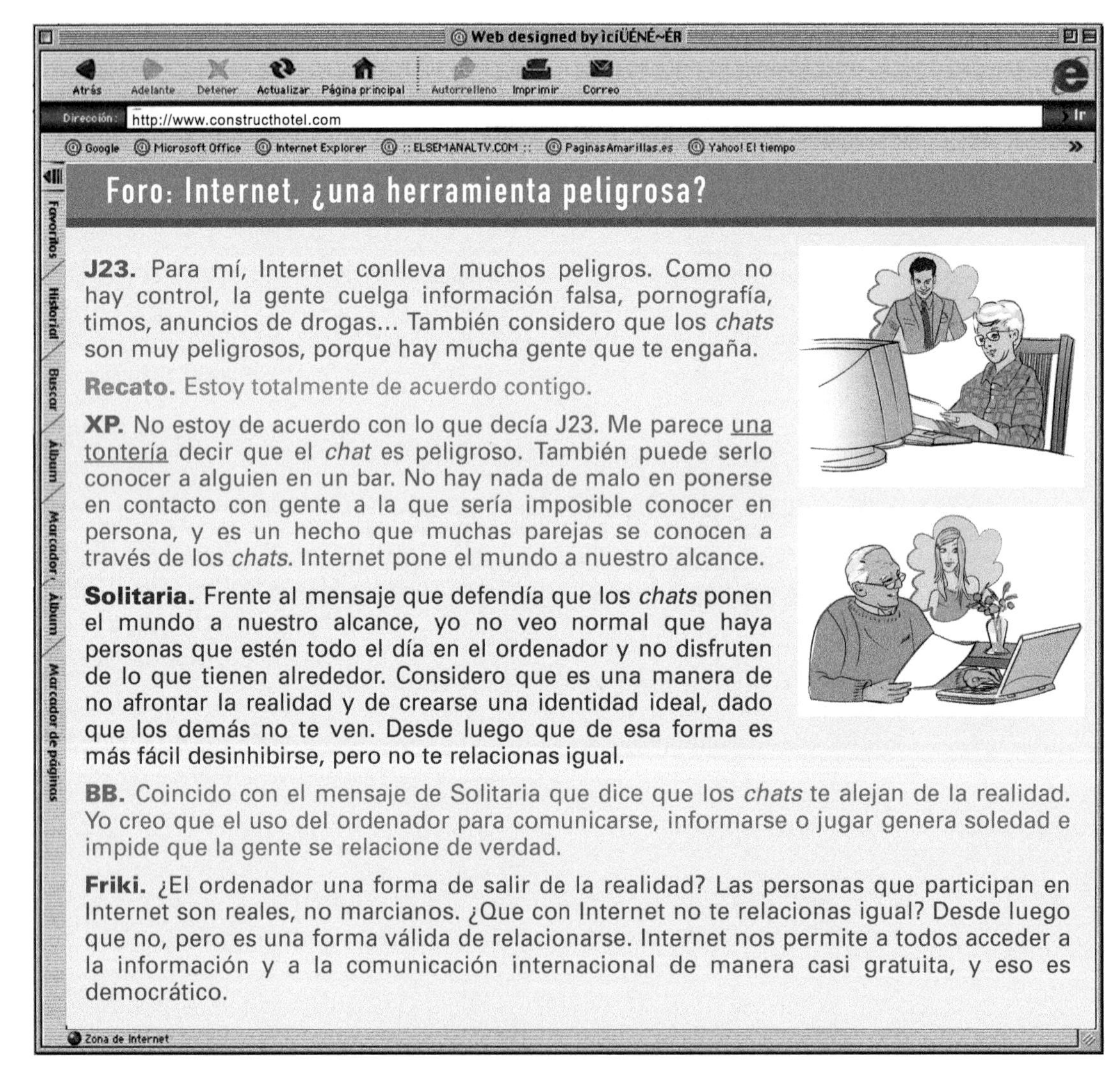

Foro: Internet, ¿una herramienta peligrosa?

J23. Para mí, Internet conlleva muchos peligros. Como no hay control, la gente cuelga información falsa, pornografía, timos, anuncios de drogas... También considero que los *chats* son muy peligrosos, porque hay mucha gente que te engaña.

Recato. Estoy totalmente de acuerdo contigo.

XP. No estoy de acuerdo con lo que decía J23. Me parece una tontería decir que el *chat* es peligroso. También puede serlo conocer a alguien en un bar. No hay nada de malo en ponerse en contacto con gente a la que sería imposible conocer en persona, y es un hecho que muchas parejas se conocen a través de los *chats*. Internet pone el mundo a nuestro alcance.

Solitaria. Frente al mensaje que defendía que los *chats* ponen el mundo a nuestro alcance, yo no veo normal que haya personas que estén todo el día en el ordenador y no disfruten de lo que tienen alrededor. Considero que es una manera de no afrontar la realidad y de crearse una identidad ideal, dado que los demás no te ven. Desde luego que de esa forma es más fácil desinhibirse, pero no te relacionas igual.

BB. Coincido con el mensaje de Solitaria que dice que los *chats* te alejan de la realidad. Yo creo que el uso del ordenador para comunicarse, informarse o jugar genera soledad e impide que la gente se relacione de verdad.

Friki. ¿El ordenador una forma de salir de la realidad? Las personas que participan en Internet son reales, no marcianos. ¿Que con Internet no te relacionas igual? Desde luego que no, pero es una forma válida de relacionarse. Internet nos permite a todos acceder a la información y a la comunicación internacional de manera casi gratuita, y eso es democrático.

c. **En grupos de cuatro, continuad con este foro pasando una hoja. Después, comprobad si habéis respetado las normas y modificad lo que sea necesario.**

6.a. ¿Cuál de los siguientes aparatos o servicios tecnológicos crees que te sería útil para estar en contacto con el español? Ordénalos por orden de preferencia.

chats / foros de discusión / lecturas en la red / *blogs* / música en la red
ejercicios y actividades en la red / consultas (diccionarios, traductores automáticos) en la red
prensa escrita en la red / radio / televisión internacional / películas en DVD

b. ¿Has utilizado alguna vez esos servicios para practicar el español? ¿Cuál? ¿Fue útil? Coméntalo con la clase y recomiéndales servicios o productos que conozcas.

● *La página del Centro Virtual Cervantes tiene lecturas, foros y ejercicios de español.*

▲ *Yo suelo ver películas en DVD y leer prensa en español. Recomiendo* El País digital.

TAREA FINAL

7.a. Vamos a hacer varios foros con nuestra opinión sobre distintos aspectos del curso. Entre todos, elegid las normas que vais a seguir.

● *Podemos poner un límite de tiempo o de frases para participar.*

b. En grupos de cuatro, cada uno comienza un foro con uno de los siguientes temas. Luego, participad todos y defended vuestras opiniones. No olvidéis poner vuestro nombre y seguir las normas.

- el momento más divertido
- las actividades más útiles
- lo que se puede mejorar en el curso
- lo mejor del curso

c. Id pasando las hojas y participando en todos los foros. Si tu compañero anterior no ha respetado las normas, coméntaselo para que modifique su intervención.

Lo que se puede mejorar
Afrodita: A mi parecer, algo que se puede mejorar en este curso es el trabajo de la pronunciación. Considero que no lo hemos practicado y no hemos mejorado.
Príncipe azul: No coincido con Afrodita cuando dice que no se ha trabajado la pronunciación. No considero que sea necesario dedicarle más tiempo.

d. Cuando hayáis terminado, cada uno resume el contenido de un foro y se lo lee a la clase. ¿Coinciden vuestras opiniones sobre el curso?

Lengua y comunicación

EXPRESAR UNA OPINIÓN

Para mí,...
A mi parecer,...
(No) Veo/Considero + normal/una tontería/... + que + subjuntivo
Veo/Considero + que... + indicativo
No veo/considero + que + subjuntivo
No hay nada de malo en + infinitivo/+ que + subjuntivo

- ***No considero normal que haya personas*** *que estén todo el día conectadas al ordenador.*

HABLAR DE NUEVAS TECNOLOGÍAS

el reproductor de cedés/DVD
la grabadora de cedés/DVD
la cámara *web*
el procesador de textos
el correo electrónico
la red
la base de datos
el cibercafé
el *blog*
el/la internauta
la formación a distancia
descargar música/películas
colgar algo en la red
chatear

HACER REFERENCIA A UNA INFORMACIÓN PREVIA

Presente/Pretérito imperfecto de indicativo

- *No estoy de acuerdo con lo que* ***decía*** *J23.*

EXPRESAR ACUERDO Y DESACUERDO

(No) coincido con... en que + subjuntivo
Desde luego que no, pero...

- ***Desde luego que no*** *te relacionas igual,* ***pero*** *es una forma de relacionarse igual de válida.*

8.a. **Un estudiante de español ha pasado un año con una familia peruana. Hoy es su último día y la madre le ha escrito una carta de despedida. ¿Cuántas de estas cosas le dice?**

- ❑ Le da las gracias a Franklin por haberles ayudado todo el año en las tareas domésticas.
- ❑ Le pide que regrese cuando quiera.
- ❑ Le desea que las cosas vayan bien en su trabajo.
- ❑ Le dice que ojalá le gusten los estudios que va a comenzar en su país.
- ❑ Le aconseja que siga utilizando el español y que les escriba.
- ❑ Le recomienda que busque una novia hispana para mantener y mejorar su español.
- ❑ Le agradece que haya entrado en sus vidas.
- ❑ Le pide que compre una botella de pisco.

Lima, 30 de junio

Querido Franklin:

Cuando leas esta carta probablemente estarás en el avión, de vuelta a tu país. Parece mentira que ya haya pasado un año, ¿verdad? Aún recuerdo el día que llegaste a nuestra casa, con tu timidez, cansado del viaje y sin apenas hablar castellano. Creíamos que no te sentías cómodo con nosotros pero, al día siguiente, nos sorprendiste a todos con tu energía y simpatía. ¿Recuerdas que no nos dejaste cocinar y te pusiste a prepararnos ese plato tan rico de tu país? ¡Qué bueno estaba! Nos lo comimos todo y después nos mostraste tus fotos y nos hablaste de los tuyos, y enseguida sentimos que nuestra familia se había hecho un poquito más grande.

Y es que hemos tenido la suerte de tenerte con nosotros durante un año que ha sido maravilloso. Nos has dado la oportunidad de poder mostrarte cómo vive una familia en nuestro país y de compartir contigo muy buenos momentos en Lima. Además hemos tenido la satisfacción de ver tus rápidos progresos en español. Nosotros también hemos aprendido muchas cosas de ti y de tu cultura. Por eso sentimos tanto que te vayas, aunque ya sabes que aquí vas a tener siempre tu casa. Así que, por favor, vuelve cuando quieras y todas las veces que quieras.

Espero que encuentres bien a los tuyos y que todo esté bien en tu país. ¡Y ojalá te guste ese curso que vas a empezar ahora en la universidad! Desde aquí te deseo que tengas mucha suerte y que todo lo que aprendiste en los cursos de aquí te pueda ayudar. Eso sí, te sugiero que no dejes de practicar nuestro idioma y que también nos escribas, de vez en cuando, alguna carta o algún mensaje.

Siempre te estaremos agradecidos por haber entrado a formar parte de nuestras vidas. Muchas gracias por ser como eres. Con cariño,

Margarita

P. D: Beatriz me ha pedido que te compremos una botella de pisco, pero yo no sé si esta bebida te gusta mucho. Si quieres, puedo enviarte una para que tu familia lo pruebe.

b. **¿Alguno de tus compañeros ha estado alojado en casa de una familia? ¿Durante cuánto tiempo? ¿Por qué? ¿Qué recuerdos guarda de esa experiencia?**

- *Yo, cuando trabajé en Estocolmo, estuve con una familia y fue estupendo. Aprendí sueco rápidamente y descubrí muchas cosas de Suecia gracias a ellos. Ahora son grandes amigos.*

9.a. **Lee estas tarjetas de agradecimiento y comenta con tu compañero a qué regalo crees que corresponde cada una.**

Gracias por tu paciencia y por tus buenas explicaciones. Si no hubiera sido por ti, nuestro español no habría mejorado tanto. Con este detalle queríamos agradecértelo. Ojalá te sea de utilidad en tu trabajo y también fuera de él.

Tus alumnos del curso B2

Quisiéramos darle las gracias por los servicios que nos ha prestado. Sin su ayuda no habríamos logrado resolver el caso. Es usted un excelente abogado y nos gustaría que aceptase este detalle como muestra de nuestro agradecimiento.

Emma y Susana Díaz

Solo quería tener contigo un pequeño detalle para agradecerte el favor que me has hecho. Eres un gran amigo y espero que lo sigas siendo por mucho tiempo. Gracias por estar ahí y por tu ayuda.

Guillermo

b. **El profesor va a repartir a cada uno una tarjeta con el nombre de un compañero. Escríbele algo agradable y dale las gracias por algún motivo. No firmes la tarjeta y devuélvesela al profesor.**

c. **Lee el contenido de la tarjeta que tiene tu nombre. Después guárdala y cuéntales a los demás lo que te han escrito.**

- *A mí me han dicho que soy muy amable y que tengo muy buen humor, y me han agradecido que haya intentado ayudar siempre que he podido.*

10.a. **Unos estudiantes de español recuerdan algunos de los mejores momentos de su curso. Escúchalos y responde a estas preguntas.**

1. ¿Qué dijo Walter el día que empezó el curso?
2. ¿Cuál fue el momento más divertido para Walter?
3. ¿Qué hizo Paulette cuando sonó su teléfono móvil?
4. ¿Qué contó la profesora el día en el que hablaron de historias de miedo?

b. **¿Cuáles han sido para ti los mejores momentos de este curso (algo que pasó, algo que hizo o que dijo alguien...)? Toma nota de ellos.**

c. **En grupos de cuatro, comentad vuestros recuerdos y seleccionad los cuatro o cinco mejores. Después, comprobad si coincidís con la clase.**

- *Yo nunca olvidaré la cara que puso la profesora cuando se cayó la pizarra al suelo.*

Hablar de cosas inolvidables

Nunca me olvidaré de	el día en el que...
No me olvidaré nunca de	la vez en la que...
No se me olvidará nunca	cuando...
Nunca se me olvidará	cómo...
Siempre recordaré	lo que...
Se me ha quedado grabado	lo de...

A mí se me ha quedado grabado lo que Silvie nos contó de su padre. Nunca me olvidaré de esa historia ni de cómo nos la contó.

11.a. Unos estudiantes han expresado sus deseos para el futuro en relación con el español y, después, su profesor les ha hecho algunas sugerencias. ¿Puedes relacionar los deseos con las sugerencias?

1. Yo le conté al profesor que espero poder escribir con muy pocos errores, casi como si fuera un nativo...

2. Yo le dije que ojalá pudiera entender casi todo lo que dicen mis amigos mexicanos cuando hablan entre ellos...

3. Yo le comenté que me gustaría utilizar un vocabulario muy rico y variado...

a. ... y él me recomendó que leyera muchas novelas, especialmente de grandes autores hispanos, pero el problema es que a mí no me gusta leer. No creo que vaya a hacerlo ahora.

b. ... y me sugirió que escriba algo cada día y que se lo dé a un nativo para que me diga qué está bien y qué puedo mejorar. Me pareció muy buena idea.

c. ... y me aconsejó que, cada día, viera la tele o leyera un periódico de su país para conocer la actualidad, pero no voy a poder hacerlo.

b. ¿Y a ti? ¿Qué te gustaría hacer en español en el futuro? En un papel, escribe tus deseos como estudiante o usuario de este idioma.

c. Formad grupos de cuatro. Recoge el papel con los deseos del compañero de tu derecha, léelos y escríbele alguna sugerencia, consejo o recomendación. Sigue pasándolo hasta que te llegue de nuevo tu papel.

d. Lee lo que te han recomendado tus compañeros. ¿Piensas hacer lo que te dicen?

● *A mí, como me gusta el cine, me han recomendado que vea películas subtituladas en español; y seguro que lo haré.*

▲ *A mí, que escribiera cartas, pero no voy a hacerlo, porque nunca escribo.*

12.a. Piensa en cómo ha sido tu experiencia de aprendizaje durante el curso e intenta plasmarlo con un dibujo. Después, explícales a dos compañeros qué representa.

● *Yo he dibujado un avión que despegó muy rápido y que, poco a poco, fue subiendo muy alto. Eso representa lo mucho que he aprendido, aunque a veces el avión pasó por tormentas como esta.*

b. Ahora haz una evaluación de todo este curso respondiendo a estas preguntas.

¿Qué expectativas tenías cuando empezaste?	¿Qué has aprendido y qué te queda por aprender?	¿Qué otras cosas te hubiera gustado hacer?

c. En grupos de tres, poned en común vuestra evaluación del curso.

● *A mí, en general, el curso me ha gustado mucho y siento que he aprendido bastante.*

▲ *Sí, yo no creía que fuéramos a aprender tantas cosas.*

13.a. **¿A cuántas de estas personas te gustaría escribirles una carta de despedida y agradecimiento? Márcalo.**

- ❑ a un/a compañero/a de clase
- ❑ a todos/as tus compañeros/as
- ❑ a alguien del centro donde estudias (bibliotecario/a, secretario/a, conserje, director/+a...)
- ❑ a un/a amigo/a hispano/a
- ❑ a la familia donde estás alojado/a
- ❑ a tu profesor/+a
- ❑ a ...

b. **Redacta tu carta de despedida. En ella puedes incluir lo siguiente:**

- algún recuerdo o alguna anécdota graciosa
- alguna petición o alguna sugerencia
- la expresión de buenos deseos
- algún agradecimiento por algo
- etc.

14. **Escribe una frase de despedida en la pizarra. Al final, todo el grupo y el profesor podéis haceros una foto con las frases de la pizarra al fondo.**

LENGUA Y COMUNICACIÓN

HABLAR DE COSAS INOLVIDABLES

Nunca me olvidaré de No me olvidaré nunca de No se me olvidará nunca Nunca se me olvidará Siempre recordaré Se me ha quedado grabado	el día en el que... la vez en la que... cuando... cómo... lo que... lo de...

- *A mí **se me ha quedado grabado** lo que Silvie nos contó de su padre. **Nunca me olvidaré de** esa historia ni de cómo nos la contó.*

REFERIR PETICIONES Y SUGERENCIAS DE OTROS

Me pidieron que Me han pedido que Me recomendaron que Me han recomendado que Me aconsejaron que	+ imperfecto de subjuntivo

...

Si es posible que vayamos a hacer lo que nos han pedido o sugerido también se puede usar el presente de subjuntivo.

- *A mí me han recomendado que **haga** un viaje por América del Sur. También me han dicho que **leyera** novelas en español, pero no creo que lo haga, porque no leo mucho.*

HABLAR DE EXPECTATIVAS QUE SE TENÍAN

(Me) Creía que (Me) Esperaba que (Me) Imaginaba que	+ iba a + infinitivo + condicional
No (me) creía que No (me) esperaba que No (me) imaginaba que	+ fuera a + infinitivo + imperfecto de subjuntivo

- *Antes de empezar el curso **me imaginaba que iba** a aprender bastantes cosas, pero **no esperaba que aprendiéramos** tanta gramática nueva.*

EXPRESAR DESEOS PARA EL FUTURO

Espero/Deseo + infinitivo
(Espero/Deseo) Que + presente de subjuntivo
Ojalá (que) + presente de subjuntivo
¡Que + presente de subjuntivo!

● ***Ojalá** todo te **vaya** muy bien.*
▲ *Y a ti. **Que tengas suerte**.*

AGRADECER

Quiero/Quería/Quisiera agradecerte/le Quiero/Quería/Quisiera darte/le las gracias por Te/Le agradezco Te/Le doy las gracias por	todo tu ayuda lo que hiciste

- *Con este detalle **queríamos agradecerte** tu ayuda.*

15.a. **En dos minutos, toma nota de los regalos que has recibido en los últimos doce meses y el momento o la ocasión del año en que los recibiste.**

- *Un reloj en mi cumpleaños, una cámara de fotos por Navidad...*

b. **Cuenta a tu compañero los regalos que recibiste para que él adivine quién te los regaló.**

- *A lo mejor el reloj para tu cumpleaños te lo regaló tu padre o quizá tu novia.*

16.a. **Escucha las siguientes conversaciones, en las que unas personas hablan de regalos que quieren hacer, y relaciónalas con la fiesta u ocasión de la que hablan.**

1. ______________ 2. ______________ 3. ______________ 4. ______________

b. **¿Las ocasiones anteriores se celebran también en tu país? ¿En qué otras celebraciones se entregan regalos en tu cultura? Háblalo con tus compañeros.**

- *En la India, en Diwali, se hacen reuniones familiares y la gente se intercambia regalos y dulces.*

17.a. **Apunta en la columna "regalos" cosas que regalas con cierta frecuencia. ¿Para qué situaciones u ocasiones serían un buen regalo? ¿Y para qué otras serían un regalo desacertado? Completa la tabla con tu compañero.**

REGALOS	Regalo acertado	Regalo desacertado	REGALOS	Regalo acertado	Regalo desacertado
Flores	Para mi madre el día de la madre.	Como regalo a un niño en Reyes Magos.	Dinero		

b. **¿Habéis coincidido en vuestras respuestas? ¿Hay regalos más apropiados que otros para algunas celebraciones y ocasiones en tu cultura? Háblalo con tus compañeros.**

- ● *Yo creo que regalar alcohol, por ejemplo una botella de vino, puede ser desacertado en algunas culturas.*
- ▲ *Sí. Sin embargo, en Francia es muy habitual llevarlo si alguien te invita a cenar a su casa.*

18.a. **Estos son algunos fragmentos publicados en un artículo dedicado a cómo se hace la entrega de regalos en distintas culturas. ¿Cuáles se refieren a la entrega de regalos en España? Y los demás, ¿a qué países pueden referirse? Háblalo con tus compañeros.**

1. Los regalos se abren normalmente delante de la persona que los entrega. No hacerlo puede interpretarse como falta de interés por el regalo.

2. Un regalo relacionado con el número 8 (ocho flores, por ejemplo) es símbolo de buena suerte. Un regalo relacionado con el 6, implica un deseo de solucionar problemas o suavizar situaciones tensas. El número 4, en cambio, es el símbolo de la muerte. Por eso, no regale nunca cosas en número cuatro.

3. A una mujer embarazada no le regale nada para su futuro bebé. Se considera que esto puede traer mala suerte.

4. No se abren nunca los regalos delante de quien los regala. Se debe dar las gracias, pero el regalo se debe abrir luego, en privado. Entre amigos, se puede preguntar si se puede abrir en su presencia el regalo.

5. Los regalos no se deben envolver en papeles de color blanco o negro, porque estos colores se asocian con los funerales. Los mejores colores para envolver regalos son el amarillo, el rojo y el verde. Son colores relacionados con la buena suerte.

6. Cuando se recibe un regalo, es costumbre insistir en que no se puede aceptar el regalo y negarse a aceptarlo (incluso hasta tres veces). Pero son supuestas negativas, porque al final, siempre se acepta.

7. Si el regalo está relacionado con la comida o bebida (bombones, una botella de vino, etc.), normalmente se abre en ese momento y se ofrece a las personas que están presentes para tomarlo o probarlo inmediatamente.

8. Cuando se recibe un regalo, el receptor tiene que expresar la falta de obligación de haber hecho el regalo y después, cuando ya lo ha abierto, insistir en que le ha gustado mucho. Si no insiste, puede dar la sensación de que no le ha gustado mucho.

(información obtenida en www.protocolo.org)

b. **Escucha ahora estas conversaciones en las que unos españoles se entregan regalos y revisa tus respuestas del apartado anterior. ¿Habéis acertado?**

c. **Y en tu país, ¿cómo se hace la entrega de regalos? ¿Coincide en algo con la información del artículo anterior?**

19. **En parejas, intercambiaos regalos de despedida. Piensa en un regalo que le haría ilusión recibir a tu compañero, dibújalo, mételo en un sobre y entrégaselo.**

SOLUCIÓN DE LA ACTIVIDAD 18.a: 1. España. 2. China. 3. Rusia. 4. Japón. 5. China. 6. Japón. 7. España. 8. España.

C
MÓDULO

REPASO 3

MI PORTFOLIO DE ESPAÑOL

1.a. ¿Recuerdas algunas de las cosas que hemos hecho en estas cuatro unidades del módulo C? Asocia cada una con el dibujo correspondiente.

- Cartel para una campaña a favor de la salud de la clase
- Decálogo para armonizar la salud y las actividades de la vida diaria
- Anécdota médica, malentendido o diagnóstico equivocado (grabación en audio o vídeo)
- Carta al profesor expresando deseos y proponiendo mejoras para la clase

HISTORIA DE: Jeroen
Cuando tenía veintidós años me dieron u
Sorbonne. Tenía muchas ganas de ir y er
que dejar el equipo de baloncesto en el q
buena y teníamos muchas posibilidades d
campeones nacionales. Por otro lado, yo
tendría de ir estudiar a La Sorbonne. Fu
quedarme y ganamos el campeonato. No
pero ahora estoy estudiando Fisioterapia
año pasado quedamos subcampeone
1

2

Querido Franklin:
Cuando leas esta carta probab
haya pasado un año, ¿verdad?
del viaje y sin apenas hablar c
siguiente, nos sorprendiste a t
te pusiste a prepararnos ese p
después nos mostraste tu
3

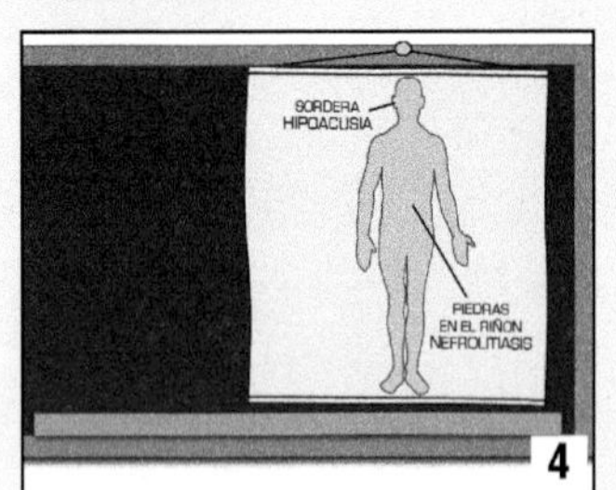

4

5

CARTAS AL DIRECTOR
No es tan difícil
Maravillas pretende edificar un estacionam
ochocientos vehículos y un pequeño polid
las Acacias.
De llevarse a cabo la "brillante idea", el p
hermosos y emblemáticos de la ciuda
de su superficie y sus perspectivas. M
6

7

LA SALUD ES LO PRIMERO
1. Duerma lo suficiente.
2. Es necesario reírse, inclusive de lo más serio...
3.
4.
8

ASPECTOS MEJORABLES DE LA CLASE
Nos gustaría que en la clase hubiera algún póster para que no fuera tan triste.
Además nos encantaría poder distribuir las mesas de otra manera para trabajar en grupo...
9

b. De todos los trabajos realizados hasta ahora, ¿cuáles te gustaría incluir en la sección "Dossier" de tu Portfolio? ¿Por qué? Coméntalo con tus compañeros.

- *Yo voy a incluir el cuaderno de relatos de la clase, así podré recordar cómo cambió el rumbo de la vida de mis compañeros.*

c. Elabora la lista de los trabajos que has elegido para incluir en el "Dossier" de tu Portfolio.

Recuerda anotar en los trabajos:
Motivos de la elección, tipo de documento, fecha de realización, tipo de trabajo, modo de realización, tiempo destinado a su elaboración...

2. ¿En qué medida has alcanzado los siguientes objetivos de aprendizaje, correspondientes al nivel B2? Completa esta tabla de autoevaluación y recoge la información en tu Portfolio.

Columna 1 ✔ Puedo hacerlo. ✔✔ Puedo hacerlo con facilidad.

Columna 2 ✔ Mi profesor (u otra persona) dice que puedo hacerlo. ✔✔ Mi profesor (u otra persona) dice que puedo hacerlo con facilidad.

ENTENDER (cuando se utiliza la lengua estándar)	1	2	3
Puedo entender en detalle lo que se me dice de viva voz o por teléfono, incluso en contextos ruidosos.			
Puedo entender la mayoría de los programas de radio y televisión, mensajes en un contestador, y reconocer el tono, estado de ánimo y punto de vista del hablante cuando conozco el tema del que se habla.			
Puedo seguir una conferencia o presentación y noticias o hechos de repercusión en la actualidad, si el tema es de mi interés, me resulta familiar y está bien estructurado.			
Puedo seguir las principales ideas de un discurso técnico complejo sobre un tema concreto o abstracto (arte, tecnología, etc.), siempre que ese tema pertenezca a mi campo de especialización.			
Puedo usar diferentes estrategias para comprender aspectos principales del discurso recurriendo a las claves que me da el contexto.			

LEER	1	2	3
Puedo captar rápidamente el contenido y la importancia de noticias y artículos de revistas, periódicos, páginas web, etc. y decidir si vale la pena leerlos en profundidad.			
Puedo comprender el punto de vista y las actitudes del que escribe sobre temas de actualidad en artículos de revistas, cartas al director, foros de opinión de Internet, *blogs*, etc.			
Puedo entender todos los detalles de textos sobre temas de mi interés o de mi especialidad académica o profesional.			
Puedo entender artículos de especialidades distintas a la mía si uso el diccionario.			
Puedo leer correspondencia personal en la que se transmiten emociones y puntos de vista y extraer las ideas principales de correspondencia comercial e institucional.			

INTERACTUAR (cuando se utiliza la lengua estándar)	1	2	3
Puedo participar de forma activa en una conversación extensa sobre la mayoría de temas de interés general, expresando acuerdo y desacuerdo, y ofreciendo consejos y sugerencias.			
Puedo exponer, defender y matizar mis opiniones en una discusión, argumentando y aportando explicaciones y comentarios relevantes.			
Puedo llevar a cabo una entrevista de trabajo preparada de antemano, preguntar para comprobar si he entendido bien y para profundizar en el caso de que necesite más información.			
Puedo iniciar, mantener y finalizar una conversación de forma natural, respetando los turnos de palabra, y formulando y respondiendo a preguntas en distintas situaciones: reuniones de vecinos, celebraciones…			
Puedo corregir rápidamente mis errores de lengua, si han contribuido a un malentendido.			

HABLAR	1	2	3
Puedo expresar con fluidez experiencias personales, planes, intenciones, sueños, deseos, etc.			
Puedo hacer descripciones detalladas sobre muchos temas de mi interés personal, académico o profesional.			
Puedo expresar diferentes grados de probabilidad y hacer hipótesis ante situaciones reales.			
Puedo expresar emociones con diversos grados de intensidad y resaltar lo que me afecta o me parece más importante de un acontecimiento, de una anécdota, o de una experiencia vivida.			
Puedo construir un razonamiento lógico enlazando adecuadamente las ideas.			

ESCRIBIR	1	2	3
Puedo expresar sentimientos y opiniones en cartas dirigidas a un periódico, a un amigo, etc.			
Puedo escribir un relato, una biografía, un currículum vítae y críticas sobre películas o libros.			
Puedo desarrollar un argumento en una redacción o en un informe, resaltando los puntos decisivos con detalles: reclamaciones, agradecimientos, etc.			
Puedo resumir información procedente de distintas fuentes y medios de comunicación, y presentar argumentos a favor y en contra de determinados puntos de vista.			
Puedo escribir resúmenes de artículos sobre temas de interés general.			
Puedo escribir sobre hechos reales o experiencias ficticias de forma detallada.			
Puedo expresar mis opiniones en un *blog* y participar en un foro de discusión en Internet.			

3.a. ¿Para qué vas a utilizar tus conocimientos de español en el futuro? Señala en la tabla el contexto y la frecuencia de uso y después compara tus respuestas con tu compañero.

		Nada	Un poco	Bastante	Mucho
1	Para mi trabajo				
2	Para mis estudios				
3	Para viajar				
4	Para comunicarme con amigos y familiares				
5	Para transacciones sociales de la vida diaria (tiendas, restaurantes…)				

b. Ahora que tienes una idea más precisa del uso de tu español en el futuro, apunta en la columna 3 de la actividad 2 los objetivos del nivel B2 que aún no has alcanzado y te gustaría alcanzar.

Columna 3 ✔ Quiero hacerlo, es uno de mis objetivos. ✔✔ Es un objetivo prioritario para mí.

c. Recoge en tu Portfolio qué podrías hacer para conseguir los objetivos que te has propuesto y después coméntalo con tu compañero.

● *Me he apuntado a un foro en Internet sobre cine latinoamericano. Creo que ahí podré utilizar mucho mi español para expresar mis opiniones. Además, necesito practicar la expresión escrita.*

▲ *Pues yo el próximo año voy a hacer prácticas en un periódico de Buenos Aires, por lo tanto uno de mis objetivos prioritarios es poder entender artículos de opinión, puntos de vista… Para eso pienso leer la prensa y ver la televisión.*

Descubre la pura vida que esconde Costa Rica

aires retro: la moda de ayer y hoy

¿Sabes cómo cuidarte?

¿Aficionados o enganchados? Los lectores confiesan su relación con las nuevas tecnologías

AIRES RETRO. EL ETERNO "REVIVIR" DEL PASADO

En el ámbito de la moda, en el del diseño e, incluso, en el del cine y en el de la música, el pasado vuelve una y otra vez. Los diseños más característicos de los años sesenta han ocupado las pasarelas de moda de finales de los noventa. Los setenta y los ochenta han marcado tendencia en el diseño en los primeros años del siglo XXI. Cantantes de renombre han grabado versiones de canciones de otras épocas y la cartelera cinematográfica recoge numerosas adaptaciones de los clásicos del celuloide. ¿Qué es lo que está pasando? ¿Ya no hay cabida para nuevas ideas, para nuevos diseños? ¿O es que la nostalgia de épocas pasadas constituye una garantía de éxito a la que diseñadores y productores no pueden resistirse?

En el ámbito de la música y el espectáculo... Cantantes y grupos musicales de éxito retoman los clásicos de épocas remotas. Madonna, por ejemplo, rinde homenaje al estilo disco de los años setenta en su *Confessions on a dance floor*. La corriente "revivalista" también llega al género del musical y arrasa en Broadway y en salas de todo el mundo, donde la nostalgia llega de la mano de musicales como *Mamma Mia!*, basado en las míticas canciones de ABBA, o como *Hoy no me puedo levantar*, una producción que rescata las canciones del grupo español Mecano en un musical ambientado en los 80.

En la moda... «Recuerdo que en los años ochenta vestía con pantalones pitillo y con mallas; por aquel entonces también se llevaban los lunares y los lazos, cuanto más grandes mejor... Y, después de treinta años, resulta que han vuelto a estar de moda. Me acuerdo también de haberle pedido a mi madre, en plena década de los noventa, sus pantalones de campana, porque entonces volvían a llevarse, y en el año 2000, sus tacones de aguja y sus gafas grandes de pasta estilo años cincuenta. Con esto del *revival*, todo vuelve a estar de moda.» (Alejandra Arranz, 38 años).

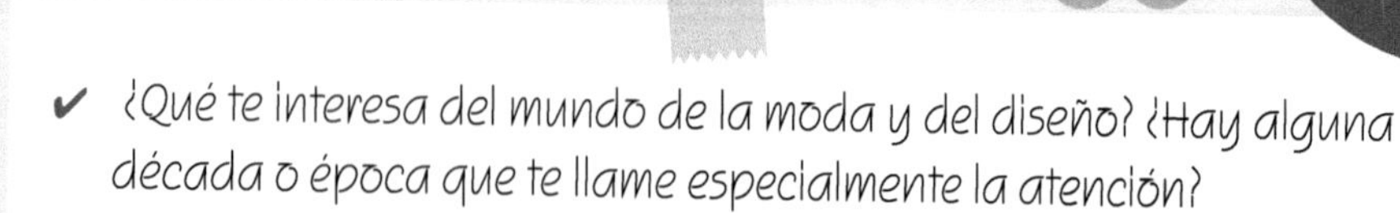

- ✔ ¿Qué te interesa del mundo de la moda y del diseño? ¿Hay alguna década o época que te llame especialmente la atención?
- ✔ ¿Has tenido alguna experiencia similar a la que cuenta Alejandra Arranz con la ropa? ¿Qué has "reciclado" del pasado?
- ✔ En el ámbito musical, ¿puedes poner ejemplos de otras canciones o estilos del pasado que han vuelto después de un tiempo? ¿Crees que hay alguna versión de una antigua canción o película que sea tan buena como la original o, incluso, mejor?
- ✔ ¿Eres de los que prefieren decir «cualquier tiempo pasado fue mejor» o de los que dicen «lo pasado, pasado está»?

En el cine... La industria del cine también acude a adaptaciones de clásicos de otras décadas. *Starsky & Hutch* (2006) y *Los Ángeles de Charlie* (2000 y 2005) se han inspirado en series de televisión de 1975 y 1976 respectivamente.

El viaje seleccionado esta semana es...

Costa Rica, ¡rica en pura vida!

Las dos semanas de mi viaje a Costa Rica me sobraron para entender por qué se llama así este país centroamericano, pero sin duda no bastaron para ver ni la mitad de la extraordinaria riqueza y diversidad natural que encierran sus 50 000 Km^2.

Entre la costa del Pacífico y la de Caribe hay un paraíso de parques naturales, playas vírgenes, volcanes y bosques que esconden verdaderas joyas de la flora y fauna del planeta. ¿Cómo no sentirse atraído por todo esto? Pero, por si fuera poco, mi viaje tenía un aliciente más. Iba a viajar con mi amigo Alfredo, un biólogo costarricense que trabaja en el Parque Nacional de Tortuguero, en la costa caribeña del país. Gracias a él, iba a poder ser testigo de un espectáculo impresionante: el desove de las tortugas verdes, que tiene lugar cada año en la playa de Tortuguero.
La semana que pasé en el parque fue una de las experiencias más emocionantes que recuerdo, por lo que viví y por lo que aprendí. Las tortugas verdes llegan a la playa de noche en busca de la arena tibia donde desovar, pero son asustadizas, y el más mínimo ruido o luz brillante puede espantarlas. Por eso, las playas se patrullan por las noches para velar por su seguridad. Acompañé a Alfredo en esta tarea y pude ver a las tortugas de cerca, ¡son criaturas verdaderamente increíbles! Descubrí que solo una de cada 5000 tortuguitas que nacen llegan a ser adultas; que de las ocho especies de tortugas marinas catalogadas en el mundo, cinco acuden a las playas de Costa Rica para desovar; supe que desde siempre las tortugas han sido codiciadas por sus huevos o su carne y que la caza masiva ha dejado a varias de estas especies en peligro de extinción; conocí de primera mano el magnífico trabajo que llevan a cabo las instituciones públicas para la protección de las tortugas y, lo que es mejor, vi la fantástica respuesta que están encontrando entre los residentes locales, ahora implicados en las labores de conservación de los parques. ¡Admirable!
A nadie puede sorprender que cuando los ticos quieren decir "¡estupendo!" o "¡muy bien!" digan "¡pura vida!" y que esta expresión se haya convertido en lema nacional.

César Alicán, lector de Castellón

- ¿Te interesa o te atrae alguna especie animal o vegetal? ¿Has realizado alguna actividad para conocer o proteger esa especie?
- ¿Y alguna vez has participado en un viaje o en una expedición (safaris, inmersiones submarinas, reservas, etc.) para ver flora o fauna autóctona?
- ¿Conoces Costa Rica? ¿Has visitado alguno de los lugares que se mencionan en el texto? Si tuvieras oportunidad, ¿te gustaría conocer esos lugares? ¿Por qué?
- ¿Existen en tu país especies en peligro de extinción? ¿Sabes si hay medidas que se lleven a cabo para protegerlas?

Nuestra sección de opinión presenta a debate un tema que ha cobrado enorme popularidad en los últimos años. Las nuevas tecnologías de la información y la comunicación han cambiado nuestra vida y han generado nuevas "adicciones". Con la popularización de Internet, el *chat* se está convirtiendo en un fenómeno social de masas, en una nueva forma de comunicación y de relación. El éxito de los videojuegos como forma de entretenimiento es una realidad que abarca ya a varias generaciones. El uso del teléfono móvil o celular ha supuesto una revolución y pocos son los que podrían concebir ya su vida sin él. Hemos consultado a nuestros lectores y ellos nos cuentan sus experiencias.

Enganchados a las nuevas tecnologías

Alejandro Pérez (34 años), de México D. F.: Yo estoy enganchado a los videojuegos, me gustan sobre todo los de carreras y los de aventuras. *Formula One* es mi preferido desde que salió y en la Internet puedes encontrar a otros jugadores y compartir trucos para pasar niveles en los de aventuras, como en *La Leyenda de Zelda*. No veo nada malo en pasar unas horas al día jugando en la casa.

Ana María del Olmo (30 años), de Ávila (España): No puedo vivir sin mi teléfono móvil. No sé lo que haría sin él, lo confieso. Desde luego que estar "localizable" todo el día tiene algunas desventajas, pero siempre puedes ver quién te llama y eres tú quien decide contestar o no. Además, creo que los mensajes son una manera muy sencilla y divertida de mantener el contacto con amigos y familiares.

Alfredo Robles (38 años), de Buenos Aires (Argentina): Para mí, Internet y el *chat* cambiaron mi vida. Conocí a Jimena en un *chat* de argentinos residentes en Madrid. Si no hubiera entrado aquel día en ese *chat*... no sé, quizá ahora no estaríamos casados y esperando a nuestro primer hijo. No estoy enganchado, en realidad no he vuelto a *chatear*. En mi caso, fue una manera de conocer al amor de mi vida.

Alicia González (42 años), de Valencia (España): Para mí es bastante preocupante que mis hijos quieran pasar horas y horas con su último videojuego favorito en lugar de salir a la calle a jugar con otros niños. No soy psicóloga, pero a mí me parece que no es bueno para ellos. Por eso les controlo el tiempo que pasan con los videojuegos.

- ¿Cuál es el último aparato electrónico o tecnológico que has comprado? ¿Qué funciones tiene? ¿Eres aficionado a las nuevas tecnologías? ¿Dirías que estás enganchado a alguna?
- ¿Conoces los videojuegos de última generación? ¿Qué te parecen?
- ¿Has entrado alguna vez en un chat? ¿Crees que es un buen medio para comunicarse y conocer a otras personas? ¿Has conocido a alguien interesante a través de este medio?
- ¿Te identificas con algunas de las opiniones enviadas por los lectores? ¿Conoces a alguien que haya vivido experiencias similares?
- ¿Qué nuevos inventos o avances tecnológicos tendrían que producirse para que pudieras tener una vida más cómoda? De todos ellos, ¿crees que alguno cautivaría a la gente especialmente?

Terapias alternativas: mima tus sentidos

Es sábado por la tarde, estás en compañía de tu mejor amigo en el salón de tu casa, un delicado aroma a jazmín perfuma toda la estancia. Estáis sentados los dos en tu sofá de color verde claro, charláis, os reís despreocupadamente y acompañáis todo esto con unos deliciosos bombones de chocolate. Tienes una sensación placentera y te sientes como nuevo, aunque no sabes muy bien por qué. Los defensores de las terapias alternativas podrían ofrecerte algunas respuestas: la risa, el optimismo y el buen humor, un aroma y un color adecuado, un poco de chocolate... Todos estos elementos favorecen la relajación y la liberación de tensiones y el estrés acumulado. Y con los tiempos que corren, no parece extraño que estén proliferando nuevas terapias que ponen a nuestro alcance todo un mundo de posibilidades curativas. Estas son algunas de las nuevas terapias que cada día ganan más adeptos. ¿Te gustaría probarlas?

Chocolaterapia

Agente terapéutico: crema a base de derivados del cacao.
Propiedades terapéuticas: estimulación de los sentidos y revitalización del organismo.
Modo de aplicación: masaje y/o ingestión.

Aromaterapia

Agente terapéutico: aceites esenciales puros de las plantas.
Propiedades terapéuticas: el aceite esencial de jazmín, por ejemplo, es antiinflamatorio, analgésico y expectorante; también es un poderoso antidepresivo natural y, añadido al baño, puede aliviar los espasmos musculares.
Modo de aplicación: inhalación y/o masaje.

Cromoterapia

Agente terapéutico: vibración emitida por cada color.
Propiedades terapéuticas: el color verde, por ejemplo, descansa y fortifica la vista, relaja la tensión muscular, hace bajar la tensión sanguínea y mejora el insomnio. El rojo estimula la circulación de la sangre, mejora la bronquitis y el reumatismo.
Modo de aplicación: exposición al color.

Risoterapia

Agente terapéutico: risa, carcajada.
Propiedades terapéuticas: favorece la producción de neurotransmisores que combaten el dolor. Inmuniza contra la depresión y la angustia, libera la tensión acumulada en la columna vertebral y oxigena los pulmones.
Modo de aplicación: practicar la risa.

- ✔ ¿Qué factores o elementos influyen para que te sientas relajado en tu vida cotidiana? ¿Qué olores, colores, sabores, sonidos y sensaciones te resultan más agradables y relajantes?
- ✔ ¿Conocías alguna de las terapias que se mencionan en el texto? ¿Conoces a alguien que las haya probado? ¿Le han funcionado?
- ✔ Y a ti, ¿te apetecería probar alguna? ¿Por qué?
- ✔ ¿Conoces alguna otra terapia alternativa? ¿Para qué sirve?

LENGUA Y COMUNICACIÓN

MÓDULO A

Referirse a un hecho conocido (U1)

Para referirnos a un hecho conocido, que suponemos que se conoce, o que no queremos o podemos nombrar, usamos:

Lo de + nombre propio
Lo de *Guatemala es increíble, ¿verdad?*

Lo de + infinitivo
Lo de *ir a la manifestación me parece una idea muy buena.*

Lo del/de la/los/las + sustantivo
¿Qué te parece ***lo de*** *los matrimonios homosexuales?*

Lo de que + frase
¿Qué te parece ***lo de que*** *van a prohibir fumar en las calles?*

Expresar grados de acuerdo y desacuerdo (U1)

Para expresar acuerdo podemos utilizar las siguientes estructuras:

Expresar acuerdo de forma rotunda:

Es verdad.
(Estoy) Totalmente de acuerdo.
Sí, estoy contigo.
Sí, sí, estoy de acuerdo.
Tienes (toda la) razón.

● *Eres bastante optimista.*
▲ *Sí.* ***Estoy totalmente de acuerdo*** *con que soy bastante optimista.*

Estoy contigo en *(Sí, sí.) Estoy de acuerdo con que* *Tienes toda la razón en*	+ frase en indicativo

Expresar desacuerdo de forma rotunda:

No creo que *No pienso que* *No me parece que*	+ frase en subjuntivo

● *Me considero una persona bastante obsesiva.*
▲ ***No creo que*** *seas obsesiva, lo que pasa es que estás preocupada.*

No, no estoy contigo en que *No, no estoy de acuerdo con que* *No tienes razón en que*	+ frase en subjuntivo

En registros informales se puede utilizar expresiones como: *¡Qué va!, ¡Pero, qué dices!, ¡Para nada!, ¡Claro que no!*

Para expresar acuerdo o desacuerdo de forma parcial podemos utilizar las estructuras mencionadas, pero matizándolas.

Estoy de acuerdo *Estoy contigo* *Tienes razón*	*en parte.*

También podemos utilizar estas otras estructuras:

No estoy del todo seguro de que + frase en subjuntivo
No tengo muy claro que + frase en subjuntivo

Contar una historia (U2)

Cuando contamos una historia o una anécdota podemos utilizar las siguientes estructuras:

Para introducir la historia:

(Pues) *Un día/una vez...*
(Resulta que) *Hace bastante tiempo...*
Trata de...

La historia ***trata de*** *una mujer que rapta a un escritor en su casa y no le deja salir hasta que escriba una novela para ella.*

Para introducir un suceso importante en la anécdota:

(y) *de repente/de pronto* – all of a sudden
en ese momento
entonces

Y ***entonces****, al mismo tiempo que su mujer y sus hijos, se da cuenta de que el padre es el estrangulador.*

Para expresar la causa y consecuencia:

porque...
como...
gracias a...
debido a...

Como *el hombre insiste y su voz es igual a la del padre, los niños abren la puerta.*

Para concluir:
Total, que...
Al final...

Total, *que me quedé sin autógrafo de Jennifer López.*

Expresar sentimientos y estados de ánimo (U2, U3)

Si los sentimientos y estados de ánimo se refieren al **presente**, usamos:

Me		*encanta*	
Te		*desespera*	+ sustantivo *
Le	+	*molesta*	+ infinitivo
Nos		*preocupa*	+ *que* + presente de subjuntivo
Os		*inquieta*	
Les			

En esta ciudad ***me agobia el tráfico****,* ***me desesperan los atascos****.*
A Julia ***le preocupa que*** *los chicos* ***salgan*** *solos esta noche.*

* Recuerda: si el sustantivo va en plural, los verbos también se ponen en plural (*encantan, desesperan,* etc.)

Si los sentimientos y estados de ánimo se refieren al **pasado**, usamos:

Me		*encantaba*	
Te		*desesperaba*	+ sustantivo *
Le	+	*molestaba*	+ infinitivo
Nos		*preocupaba*	+ *que* + imperfecto de subjuntivo
Os		*inquietaba*	
Les			

Antes ***le agobiaba que*** *sus padres* ***discutieran*** *por su culpa.*
De pequeña, ***me encantaba escuchar*** *a mi abuela y* ***que me contara*** *historias de miedo.*

* Recuerda: si el sustantivo va en plural, los verbos también se ponen en plural (*encantaban, desesperaban*, etc.)

El condicional simple (U3, U4)

En las unidades 3 y 4 hemos presentado el condicional para:

- Expresar deseos y esperanzas algo improbables, que se refieren al presente o al futuro:

	encantaría	+ infinitivo
Me/Te/Le/Nos/Os/Les	*gustaría*	
	haría ilusión	+ *que* + imperfecto de subjuntivo

Yo odio las bodas. ***Me encantaría contratar*** *a alguien que fuera en mi lugar a la de Julio y Rosa.*
Me encantaría que *las empresas* ***propusieran*** *para todos los empleados una jornada laboral de 35 horas semanales.*

- Dar consejos y hacer sugerencias:

Deberías *Sería bueno/aconsejable/necesario* *Lo mejor sería*	+ infinitivo + *que* + pretérito imperfecto de subjuntivo

Tendrías que + infinitivo
Yo que tú/Yo en tu lugar + condicional simple

Yo, que tú, hablaría *con un profesional.*
Sería bueno que se tomara *las cosas con calma.* ***Lo mejor sería que se fuera*** *de vacaciones.*

- Expresar condiciones irreales en el presente o improbable en el futuro:

Si + imperfecto de subjuntivo + condicional

Yo, ***si llegara*** *diez minutos tarde,* ***diría*** *que tenía el reloj atrasado.*

Frases de relativo (U3, U4)

Las frases de relativo pueden construirse con indicativo o con subjuntivo:

- *que* + indicativo si el antecedente es conocido y específico:
Yo elijo a Iván porque es la persona ***que tiene*** *más experiencia.*

- *que* + subjuntivo si el antecedente no se conoce o no es específico:
Busco a una persona a ***la que le encante*** *la moda para observar tendencias en lugares de moda en Brasil.*

Las frases de relativo se forman con:
- ***que***: hace referencia a algo que se ha mencionado anteriormente. Es invariable y da igual si el antecedente es una persona, cosa o concepto, y si es femenino o masculino y singular o plural.
Me he tomado la pastilla ***que*** *me mandó ayer el médico.*

- ***el/la/los/las + que***: se emplea:
- cuando el antecedente no se expresa:
¿Y qué tipo de playas te gustan más? ¿Las solitarias o ***las que*** *tienen gente?*

- cuando hay una preposición:

el lugar	*en*	*el*	
los sitios	*a*	*los*	
la playa	*de*	*la*	*que...*
las montañas	*desde*	*las*	

● *¿Cuál es la ciudad* ***en la que*** *naciste?*
▲ *Nací en Medellín, pero Cali es el lugar* ***en el que*** *pasé mi infancia.*

- ***quien/quienes***: pueden utilizarse en lugar de *el/la/las/los + que*

Busco a una persona ***a quien*** *le encante la moda. = Busco una persona* ***a la que*** *le encante la moda.*

- ***el/la + cual, los/las + cuales***: se utiliza más en lengua escrita que en lengua hablada. Equivale normalmente a *el/la/los/las + que.*

Condicional compuesto (U4)

En esta unidad hemos aprendido a utilizar el condicional compuesto para hablar de deseos no cumplidos en el pasado:

Me/Te/Le/Nos/Os/Les	*habría encantado* *habría gustado* *habría hecho ilusión*	+ infinitivo + *que* + pluscuamperfecto de subjuntivo

A mí ***me habría encantado hacer*** *la carrera fuera de mi país.*

Marcadores del discurso (U4)

Cuando hablamos, argumentamos o discutimos podemos utilizar las siguientes estructuras para organizar el discurso:

Para introducir el tema:	*En cuanto a* *Con respecto a* *Por lo que se refiere a* *A propósito de*

Para ordenar lo que vamos a decir:	*Para empezar* *En primer lugar* *Por un lado* *Por una parte* *Para continuar/terminar* *En segundo/tercer lugar* *Por otro (lado)* *Por otra (parte)*
Para añadir argumentos:	*Además/incluso/también* *No hay que olvidar*
Para poner ejemplos:	*Por ejemplo* *Así* *Como*
Para oponer ideas:	*En contraposición a* *Por el contrario* *En cambio*
Para reformular la idea:	*Es decir* *En otras palabras* *Esto es* *Mejor dicho*
Hablar de las consecuencias:	*Por consiguiente* *Por eso/Por ello* *Por esta razón/Por esa razón* *Por (lo) tanto*
Para terminar:	*Para resumir* *En resumen* *En resumidas cuentas*
Para concluir:	*En conclusión/Como conclusión* *En definitiva*

En mi caso los resultados son parecidos. Aunque hay diferencias. ***Por ejemplo****, en mi país hace unos años muchas familias también tenían solo un hijo.*

En contraposición a *lo que ocurre con las mujeres en empleos no cualificados, las que tienen cargos de alta responsabilidad apenas perciben la discriminación.*

Además*, no es nada frecuente que las madres o los padres tengan la posibilidad de trabajar desde casa.*

MÓDULO B

Quejarse y reclamar (U5)

Para expresar quejas y reclamaciones podemos utilizar las siguientes construcciones:

No puede ser que *No hay derecho a que* *No se puede tolerar / permitir / consentir que* *Lo que no se puede tolerar es que* *Me parece increíble / inadmisible que* *Es una vergüenza / un escándalo que* *Es increíble / vergonzoso que* *¿Cómo es posible que...?* *Exijo que* *Pido que* *Solicito que*	+ subjuntivo
No se puede entender cómo *Lo que no se puede entender es cómo*	+ indicativo

No hay derecho a que *nadie* ***te atienda*** *en el teléfono de atención al cliente.*

Lo que no se puede entender es cómo *todavía* ***no han arreglado*** *el ascensor*

Expresar condiciones y restricciones (U5)

Para expresar condiciones que el hablante considera imprescindibles, podemos utilizar expresiones como:

Siempre que *Siempre y cuando* *Con tal de que* *A condición de que*	+ subjuntivo	*El cocinero podrá elegir el menú, **siempre que nos guste** a todos.*
Solo si	+ indicativo	***Solo si pagas** las cuotas de la comunidad **puedes** decidir cómo se gasta el dinero.*

Utilizamos *solo si* + imperfecto de subjuntivo cuando la condición que se plantea es improbable en el presente o en el futuro.

__Solamente si lloviera__ nos quedaremos en casa, pero dicen que va a hacer buen tiempo.

Para presentar una única excepción para el cumplimiento de algo empleamos:

A menos que *A no ser que* *Salvo que/cuando* *Excepto que/cuando*	+ subjuntivo	*El límite de tiempo para el teléfono será de veinte minutos, **salvo que** se trate de un asunto realmente importante.*

Utilizamos *cuando* después de *salvo* y *excepto* cuando la restricción se refiere a un momento.

*Está prohibido fumar en toda la casa, **excepto cuando haya** invitados que quieran fumar.*

Expresar involuntariedad (U5)

Utilizamos *se* + verbo en tercera persona para expresar que algo ocurre sin nuestra intervención y de manera involuntaria.

*Gregorio estaba trabajando y el monitor **se apagó** de repente.* (= El monitor se apagó solo.)

Cuando presentamos a las personas como agentes (o víctimas) involuntarios, utilizamos:

Se	+	*me/te/le* *nos/os/les*	+ verbo en 3ª persona	*Estaba haciendo una foto, me resbalé, **se me cayó** la cámara y... **se me rompió.***

El futuro (U5, U6, U8)

Hemos aprendido a usar el **futuro simple** para:

- expresar normas:
  *Solamente **se podrá** escuchar música hasta las doce.*
- referirnos a acciones futuras:
  ***Conoceré** al hombre de mi vida en los próximos diez años.*
- hacer hipótesis sobre lo que sucede en el presente:
  ● *La policía no sabe quién es el asesino.*
  ▲ *¿**Será** su ex mujer?*

Hemos aprendido a utilizar el **futuro compuesto** para:

- hacer hipótesis sobre algo sucedido anteriormente:
  *No sé... Lo **habrá hecho** por amor.*
- referirse a acciones previas a un momento del futuro:
  *Antes de 2050 las zonas polares **habrán sufrido** deshielos.*

Transmitir lo dicho por otras personas (U5, U8)

Para transmitir información podemos utilizar:

Me dice/ha dicho *Me comenta/ha comentado* *Me ha explicado*	*que* + indicativo	*«La impresora no funciona bien.»* ***Me ha dicho que** la impresora no funciona bien.*

Para transmitir preguntas empleamos:

- *si,* cuando la pregunta no contiene ninguna partícula interrogativa (la respuesta puede ser *sí* o *no).*
«¿Aplazaremos la reunión?» *Un vecino preguntó si aplazarían la reunión.*

- repetimos la partícula interrogativa que contiene la pregunta (*qué/dónde/cuándo/cuánto/por qué...*):
«¿Cuánto cuesta la reparación?» *Una cliente **pregunta (que) cuánto** cuesta la reparación.*

Para transmitir peticiones podemos usar:

Me pide/ha pedido *Me exige/ha exigido* *Me reclama*	*que* + subjuntivo	*«Quiero que me atienda el responsable de la tienda.»* *El cliente **exige que le atienda** el responsable de la tienda.*

Presentamos a modo de ejemplo un esquema de correlación de los tiempos verbales que se emplean en la transmisión de las informaciones, peticiones y preguntas. Sin embargo, el uso de esos tiempos depende de diversas cuestiones, como la intención del hablante o de si la información que se transmite es válida en el momento.

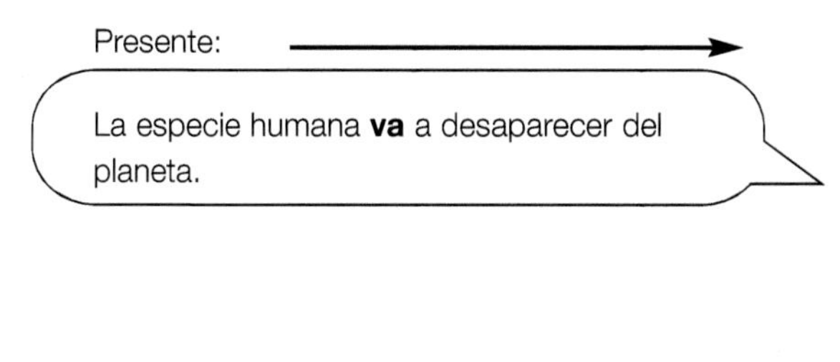

Dice/Ha dicho que + presente
*Dice/Ha dicho que la especie humana **va** a desaparecer del planeta.*
Dijo que + presente/pretérito imperfecto
*Dijo que la especie humana **va/iba** a desaparecer del planeta.*

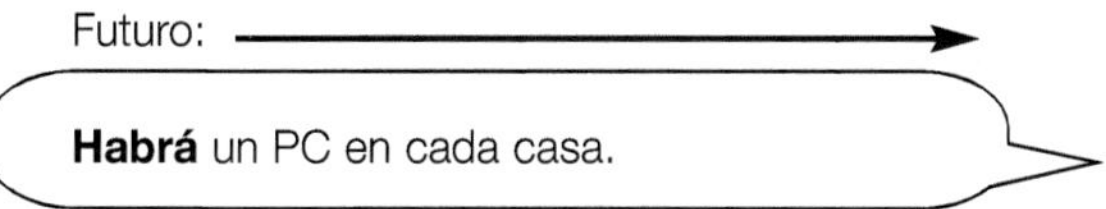

Dice/Ha dicho que + futuro
*Dice/Ha dicho que dentro de poco tiempo, **habrá** un PC en cada casa.*

Dijo que + futuro/condicional
*Dijo que dentro de poco tiempo, **habrá/habría** un PC en cada casa.*

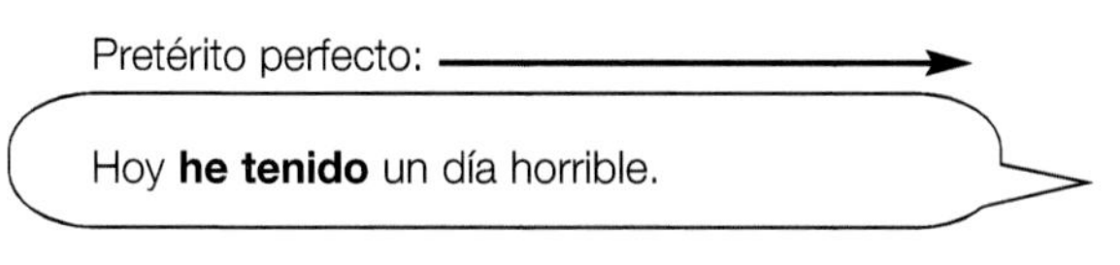

Dice/Ha dicho que + pretérito perfecto
*Dice/Ha dicho que hoy **ha tenido** un día horrible.*

Dijo que + pretérito pluscuamperfecto/pretérito indefinido
*Dijo que **había tenido/tuvo** un día horrible.*

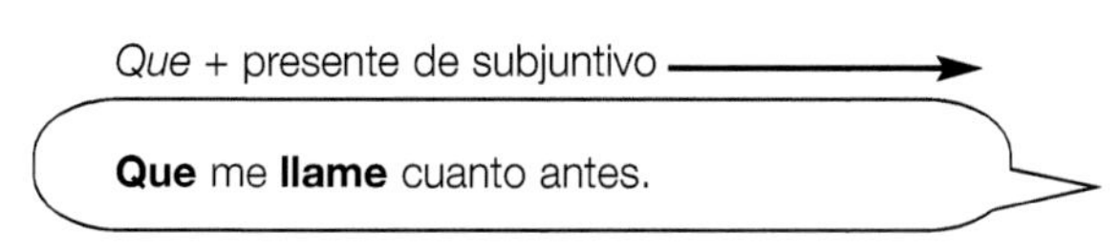

Dice/Ha dicho que + presente de subjuntivo
*Dice/Ha dicho que le **llame** cuanto antes.*

Dijo que + pretérito imperfecto de subjuntivo/presente de subjuntivo
*Dijo que le **llamaras/llames** cuanto antes.*

Expresiones para constatar, negar o poner en duda una información (U6)

Para constatar una información podemos utilizar expresiones como:

Es evidente *Es cierto* *Es verdad* *Está claro*	+ *que* + indicativo	***Está claro que** el ser humano **es** superior a las demás especies.*

Para negar o poner en duda una información podemos utilizar expresiones como:

No es evidente *No es cierto* *No es verdad* *No está claro* *No me parece* *Dudo*	+ *que* + subjuntivo	● *¿Qué opinas de las fotos que han aparecido?* ▲ ***No creo que** esas fotos **existan** y, si existen, **dudo que sean** reales.*

Expresar y matizar una opinión (U7)

Expresamos la opinión con las siguientes estructuras:

Para mí *Tengo la impresión/convicción de que* *Creo que* *Pienso que*	+ indicativo	***Para mí**, el graffiti **es** arte.*

Expresamos nuestro desacuerdo con una opinión con:

No me parece que *No creo que* *No pienso que* *No tengo la impresión de que*	+ subjuntivo	***No creo que** el cine **sea** el arte más completo.*

Para matizar una opinión hemos utilizado estas estructuras:

En general sí, pero...
Yo no diría que...; en todo caso.../si acaso...

***Es verdad que tenemos** sentido del humor, **pero de ahí a decir** que nos estamos riendo todo el rato...*

Que + subjuntivo, *no significa que* + subjuntivo
Es verdad que..., pero de ahí a decir que...

***Que no haga** muchas películas, **no significa que no sea** buen actor.*

Expresar finalidad (U8)

Para expresar la finalidad podemos usar las siguientes estructuras:

Para *Con vistas a*	+ infinitivo/ sustantivo	*A fin de/con el fin de* *Con el objeto de*	+ infinitivo

Para que *Con vistas a que* *A fin de que/con el fin de que*	+ subjuntivo

La expresión más común es *para*; las otras estructuras pertenecen a un registro más formal.
Utilizamos *que* + subjuntivo cuando el sujeto de los verbos es diferente en cada oración.

> *Nosotros trabajamos **con el objeto de que** la gente **tome** conciencia de la importancia de nuestros recursos naturales.*

Utilizamos el infinitivo cuando el sujeto de los verbos es el mismo en las dos oraciones.

> *Trabajan **con el fin de ayudar** a los que tienen pocos recursos económicos.*

Relacionar cronológicamente acciones futuras (U8)

Utilizamos las siguientes expresiones temporales para relacionar una acción futura con otra:

Al *Nada más* *Después de* *Antes de*	+ infinitivo	*Comprarán una casa más grande **después de** tener al niño.*
Cuando *En cuanto* *Tan pronto como* *Antes de que* *Después de que*	+ subjuntivo	***Tan pronto como** acaben las clases, el profesor se irá de vacaciones.* *Voy a abrir mi propio negocio **en cuanto** tenga unos ahorros.*

Las expresiones temporales *(cuando, tan pronto como...)* se construyen con subjuntivo para referirse al futuro, y con indicativo para referirse al pasado.

__En cuanto terminaron__ las clases, el profesor se fue de vacaciones.

Antes de que y *después de que* se construyen siempre con subjuntivo, tanto si se refieren al futuro como al pasado.

Me tuve que marchar de la fiesta __antes de que llegara__ Manolo.
Mañana le llamaré __antes de que lo haga él__ para explicarle lo que me pasó

Expresar deseos (U8)

Para expresar deseos podemos utilizar las siguientes estructuras:

Me/Te/Le gustaría/encantaría/ *Nos/Os/Les* haría mucha ilusión	+ *que* + imperfecto de subjuntivo + infinitivo	***Me encantaría que*** *en nuestra escuela* ***hubiera*** *una cafetería.* *A mí* ***me gustaría crear*** *alguna asociación para defender los derechos de las mujeres maltratadas y de sus familias.*
Sería estupendo/maravilloso *Lo ideal sería*	+ *que* + imperfecto de subjuntivo + infinitivo	***Lo ideal sería que*** *todos* ***ahorrásemos*** *agua.*
Espero/deseo *Lo que más deseo es*	+ *que* + presente de subjuntivo + infinitivo	***Espero que*** *las reservas de agua no* ***sigan*** *disminuyendo.*

Utilizamos esas estructuras con el verbo en subjuntivo cuando el sujeto del verbo es diferente a la persona que expresa el deseo.

Ojalá + presente/imperfecto de subjuntivo	***Ojalá*** *todas las personas* ***tomen*** *conciencia de de la importancia de cuidar los recursos naturales.* ***Ojalá*** *me* ***tocara*** *la lotería*

Con *ojalá* + presente de subjuntivo el hablante considera que el deseo que expresa es realizable.
Con *ojalá* + imperfecto de subjuntivo, el hablante considera su realización es difícil o improbable.

MÓDULO C

Expresar hipótesis referidas al futuro (U9); ver módulo A (U3 y U4) y módulo B (U8)

Podemos utilizar:

- *Si* + imperfecto de subjuntivo + condicional simple, para expresar hipótesis poco probables:

A mí me parece que __si__ dentro de unos años __se descubriera__ una forma de alargar bastante nuestra vida, __tendríamos__ un problema demográfico tremendo.

- Condicional simple, para expresar hipótesis probables:

Yo creo que en el futuro el tema de la clonación humana __sería__ el más polémico.

Deseos y peticiones (U9 y U10); ver módulo B (U8)

En estas unidades hemos empleado las siguientes estructuras para expresar deseos referidos al futuro:

Me/Te/Le *Nos/Os/Les*	*gustaría/encantaría/* *haría mucha ilusión*	+ *que* + imperfecto de subjuntivo + infinitivo	*Pues si hablamos de desarrollo sostenible, a mí* ***me gustaría que se contemplaran*** *medidas para evitar las consecuencias derivadas del cambio climático.*
Sería estupendo/maravilloso		+ *que* + imperfecto de subjuntivo + infinitivo	***Sería estupendo*** *que descubrieran una fórmula para no envejecer.*
Querría *Necesitaría* ...		+ *que* + imperfecto de subjuntivo + infinitivo	***Necesitaría*** *que el lugar donde nos alojáramos no* ***estuviera*** *muy alejado del centro.*

El uso del condicional hace que la petición sea más cortés.

Espero/Deseo ...	+ *que* + presente de subjuntivo + infinitivo	***Espero que encontremos*** *pronto una vacuna efectiva para el sida.*

Utilizamos el verbo en infinitivo cuando el sujeto de los verbos es el mismo en las dos oraciones.

Ojalá	+ presente de subjuntivo + imperfecto de subjuntivo	***Ojalá inventaran*** *un medicamento para no engordar.*

Con el presente de subjuntivo el hablante considera que el deseo que expresa es realizable; con el imperfecto de subjuntivo el hablante considera que su realización es difícil o improbable.

Presentar las condiciones para que algo ocurra (U10); ver módulo B (U5)

Hay diferentes maneras de expresar condiciones, según el tipo de condición.

- Por lo general, expresamos la condición con:

En caso de	+ infinitivo + *que* + imperfecto de subjuntivo	***En caso de que perdieras*** *todos los puntos, te retirarían el permiso.*
Si	+ imperfecto de subjuntivo	

Si se usa para casos improbables.

- Expresamos una condición imprescindible para que ocurra algo con:

Siempre que *Siempre y cuando* *Con tal de que* *A condición de que*	+ subjuntivo	*Funcionaría* ***siempre y cuando se pudiera*** *usar para comprar entradas por Internet.* *Te devuelven el permiso* ***siempre que hagas*** *el curso de actualización.*
(Tan) Solo si	+ indicativo	***Solo si pagas*** *las cuotas de la comunidad* ***puedes*** *decidir cómo se gasta el dinero.*

- Expresamos una excepción a una regla o a una condición con:

A menos que *A no ser que* *Salvo que* *Excepto que*	+ subjuntivo	*Se pierden todos los puntos si van más personas de las autorizadas en el vehículo,* ***salvo que se trate*** *de autobuses urbanos e interurbanos.*

Después de *salvo* y *excepto* utilizamos *cuando* si la restricción se refiere a un momento determinado.

Está prohibido fumar en toda la casa, ***excepto cuando haya*** *invitados que quieran fumar.*

Opinar sobre las palabras de otros (U10)

En esta unidad hemos mostrado los siguientes verbos y construcciones para opinar sobre lo que dicen otros:

Me gusta *Me sorprende* *Me emociona* *Me molesta* ...	+ *cuando dice/cuenta/comenta que* + frase + *lo que dice/comenta/cuenta... de que* + frase	***Me emociona cuando cuenta que*** *conoció a sus padres biológicos después de buscarlos durante mucho tiempo.*

Anticipar situaciones para tomar precauciones (U10)

Utilizamos ***por si*** + presente de indicativo cuando queremos justificar que hacemos algo como una medida preventiva.

Sería necesario poner ambulancias cada cincuenta metros, ***por si*** *alguien* ***necesita*** *atención médica.*

Utilizamos ***por si*** + imperfecto de subjuntivo cuando pensamos que la situación que prevemos no es muy probable.

No creo que sea necesario, pero ***por si sucediera*** *algo muy grave, habría que instalar un hospital de campaña.*

Utilizamos ***por si acaso*** cuando queremos presentar como una precaución algo que se dice o se hace.

*No creo que haga frío, pero llevaré ropa de abrigo **por si acaso**.*

En registros informales podemos utilizar ***por si las moscas.***

*No creo que me llame mi hermano, pero **por si las moscas** me llevaré el móvil.*

Verbos de influencia (U11)

Con los verbos de influencia expresamos nuestros deseos y tratamos de influir sobre los demás.

Querer *Desear* *Permitir* *Dejar* *Prohibir* *Tolerar* *Exigir* *Mandar* *Insistir en* ...	+ *que* + presente o imperfecto de subjuntivo + infinitivo

Empleamos el presente cuando el deseo se refiere al presente o al futuro.

*Las responsabilidades de la empresa **no nos permiten que disfrutemos** de todos los días de vacaciones seguidos.*

Empleamos el pretérito imperfecto cuando el verbo de influencia va en pretérito indefinido, imperfecto de indicativo o en condicional.

*Cuando era adolescente no me **permitían que llegara** a casa después de las diez, pero los viernes me dejaban llegar más tarde.*

De esta lista de verbos, solo con *querer* o *desear,* el verbo se pone en infinitivo cuando el sujeto es el mismo en las dos oraciones.

***Quiero** (yo) **mejorar** (yo) mi nivel de inglés escrito.*
***Deseo** (yo) **que** (vosotros) **aclaréis** todas las dudas que tenéis con respecto al trabajo antes de empezar.*

El pretérito pluscuamperfecto de subjuntivo (U11)

En la unidad 11 hemos utilizado el pretérito pluscuamperfecto de subjuntivo para:

- expresar deseos y sueños pasados, en la estructura: Ver módulo A (U4)

Verbo que expresa deseo en condicional compuesto/pretérito pluscuamperfecto de subjuntivo	+ *que* + pretérito pluscuamperfecto de subjuntivo + infinitivo

*Me **habría encantado estudiar** Medicina para ayudar a los demás.*
*Nos **habría encantado** que nos **hubieras dicho** que venías.*

Hemos empleado la estructura *si* + pretérito pluscuamperfecto de subjuntivo + condicional compuesto para:

- expresar condiciones en el pasado:
  ***Si** el avión no **hubiera ardido**, no **habría habido** tantas víctimas.*

- hablar con diferentes grados de probabilidad:
  ***Si** no **hubiera conocido** a Sean, ahora probablemente **seguiría** trabajando en la editorial.*

Referirse a sucesos anteriores o posteriores a otro (U11)

Para presentar un suceso anterior a otro empleamos:

Antes de	+ *que* + verbo en subjuntivo + infinitivo + sustantivo	***Antes de que** mi madre **ganara** el premio, nos mudamos a Roma.* ***Antes de la entrevista**, ya sabía que el trabajo no era para mí.*

Para presentar un suceso posterior a otro empleamos:

Después de	+ *que* + verbo en subjuntivo + infinitivo + sustantivo	*Volveré a mi ciudad **después de terminar** la tesis.*

Utilizamos el verbo en infinitivo cuando el sujeto de los verbos es el mismo en las dos oraciones.

Imperfecto de indicativo (U12)

En la unidad 12 hemos utilizado el imperfecto de indicativo para:

- hacer referencia a una información previa:
  *No estoy de acuerdo con lo que **comentaba** Luisa.*
- agradecer:
  ***Quería** darte las gracias por tu paciencia y por tus buenas explicaciones.*
- hablar de expectativas que se tenían con respecto a algo:
  *No me **imaginaba** que fuera a aprender tanto.*

Hablar de expectativas que se tenían (U12)

Utilizamos estas estructuras y verbos para hablar de expectativas:

- En oraciones afirmativas:

(Me) Esperaba *(Me) Imaginaba* *(Me) Creía* *Sabía*	+ *que* + *iba a* + infinitivo + *que* + condicional

- En oraciones negativas:

No (me) creía *No (me) esperaba* *No (me) imaginaba*	+ *que* + *fuera a* + infinitivo + *que* + imperfecto de subjuntivo

*Me **imaginaba** que las clases me **gustarían**, pero **no me esperaba** que me lo **pasara** tan bien.*

TABLAS DE VERBOS

VERBOS REGULARES

Verbos en –AR	HABLAR	1	Verbos en –ER	COMER	2	Verbos en –IR	VIVIR	3

FORMAS NO PERSONALES

	Verbos en -AR	Verbos en -ER	Verbos en -IR
Infinitivo	hablar	comer	vivir
Gerundio	hablando	comiendo	viviendo
Participio	hablado	comido	vivido

IMPERATIVO

	Verbos en -AR	Verbos en -ER	Verbos en -IR
tú	habla*	come*	vive*
él/ella/ud.	hable	coma	viva
vosotros/-as	hablad	comed	vivid
ellos/ellas/uds.	hablen	coman	vivan
*vos	hablá	comé	viví

INDICATIVO

Presente

	Verbos en -AR	Verbos en -ER	Verbos en -IR
yo	hablo	como	vivo
tú	hablas*	comes*	vives*
él/ella/ud.	habla	come	vive
nosotros/-as	hablamos	comemos	vivimos
vosotros/-as	habláis	coméis	vivís
ellos/ellas/uds.	hablan	comen	viven
* vos	hablás	comés	vivís

	Pretérito indefinido			Pretérito perfecto	
yo	hablé	comí	viví	he	
tú	hablaste	comiste	viviste	has	
él/ella/ud.	habló	comió	vivió	ha	+ hablado/comido/vivido
nosotros/-as	hablamos	comimos	vivimos	hemos	
vosotros/-as	hablasteis	comisteis	vivisteis	habéis	
ellos/ellas/uds.	hablaron	comieron	vivieron	han	

	Pretérito imperfecto			Pretérito pluscuamperfecto	
yo	hablaba	comía	vivía	había	
tú	hablabas	comías	vivías	habías	
él/ella/ud.	hablaba	comía	vivía	había	+ hablado/comido/vivido
nosotros/-as	hablábamos	comíamos	vivíamos	habíamos	
vosotros/-as	hablabais	comíais	vivíais	habíais	
ellos/ellas/uds.	hablaban	comían	vivían	habían	

	Futuro simple			Futuro compuesto	
yo	hablaré	comeré	viviré	habré	
tú	hablarás	comerás	vivirás	habrás	
él/ella/ud.	hablará	comerá	vivirá	habrá	+ hablado/comido/vivido
nosotros/-as	hablaremos	comeremos	viviremos	habremos	
vosotros/-as	hablaréis	comeréis	viviréis	habréis	
ellos/ellas/uds.	hablarán	comerán	vivirán	habrán	

	Condicional simple			Condicional compuesto	
yo	hablaría	comería	viviría	habría	
tú	hablarías	comerías	vivirías	habrías	
él/ella/ud.	hablaría	comería	viviría	habría	+ hablado/comido/vivido
nosotros/-as	hablaríamos	comeríamos	viviríamos	habríamos	
vosotros/-as	hablaríais	comeríais	viviríais	habríais	
ellos/ellas/uds.	hablarían	comerían	vivirían	habrían	

*En algunas zonas de Hispanoamérica se utiliza la forma *vos* para la segunda persona del singular.

SUBJUNTIVO

	Presente			Pretérito perfecto	
yo	hable	coma	viva	haya	
tú	hables	comas	vivas	hayas	
él/ella/ud.	hable	coma	viva	haya	+ hablado/comido/vivido
nosotros/-as	hablemos	comamos	vivamos	hayamos	
vosotros/-as	habléis	comáis	viváis	hayáis	
ellos/ellas/uds.	hablen	coman	vivan	hayan	

	Pretérito imperfecto			Pretérito pluscuamperfecto	
yo	hablara/-ase	comiera/-iese	viviera/-iese	hubiera/-iese	
tú	hablaras/-ases	comieras/-ieses	vivieras/-ieses	hubieras/-ieses	
él/ella/ud.	hablara/-ase	comiera/-iese	viviera/-iese	hubiera/-iese	+ hablado/comido/vivido
nosotros/-as	habláramos/-ásemos	comiéramos/-iésemos	viviéramos/-iésemos	hubiéramos/-iésemos	
vosotros/-as	hablarais/-aseis	comierais/-ieseis	vivierais/-ieseis	hubierais/-ieseis	
ellos/ellas/uds.	hablaran/-asen	comieran/-iesen	vivieran/-iesen	hubieran/-iesen	

VERBOS IRREGULARES*

ALCANZAR 4

		INDICATIVO		SUBJUNTIVO		IMPERATIVO	
		Pretérito indefinido		Presente			
yo	nosotros/-as	**alcancé**	alcanzamos	**alcance**	**alcancemos**		
tú	vosotros/-as	alcanzaste	alcanzasteis	**alcances**	**alcancéis**	alcanza	alcanzad
él/ella/ud.	ellos/ellas/uds.	alcanzó	alcanzaron	**alcancen**	**alcancen**	**alcance**	**alcancen**

ATRAER 5

FORMAS NO PERSONALES	
Gerundio	**atrayendo**

	INDICATIVO		SUBJUNTIVO		IMPERATIVO
	Presente	Pretérito indefinido	Presente	Pretérito imperfecto	
yo	**atraigo**	**atraje**	**atraiga**	**atrajera/-ese**	
tú	atraes	**atrajiste**	**atraigas**	**atrajeras/-eses**	trae
él/ella/ud.	atrae	**atrajo**	**atraiga**	**atrajera/-ese**	**traiga**
nosotros/-as	atraemos	**atrajimos**	**atraigamos**	**atrajéramos/-ésemos**	
vosotros/-as	atraéis	**atrajisteis**	**atraigáis**	**atrajerais/-eseis**	traed
ellos/ellas/uds.	atraen	**atrajeron**	**atraigan**	**atrajeran/-esen**	**traigan**

AVERIGUAR 6

		INDICATIVO		SUBJUNTIVO		IMPERATIVO	
		Pretérito indefinido		Presente			
yo	nosotros/-as	**averigüé**	averiguamos	**averigüe**	**averigüemos**		
tú	vosotros/-as	averiguaste	averiguasteis	**averigües**	**averigüéis**	averigua	averiguad
él/ella/ud.	ellos/ellas/uds.	averiguó	averiguaron	**averigüe**	**averigüen**	**averigüe**	**averigüen**

BUSCAR 7

		INDICATIVO		SUBJUNTIVO		IMPERATIVO	
		Pretérito indefinido		Presente			
yo	nosotros/-as	**busqué**	buscamos	**busque**	**busquemos**		
tú	vosotros/-as	buscaste	buscasteis	**busques**	**busquéis**	busca	buscad
él/ella/ud.	ellos/ellas/uds.	buscó	buscaron	**busque**	**busquen**	**busque**	**busquen**

CAER 8

FORMAS NO PERSONALES	
Gerundio	**cayendo**

	INDICATIVO		SUBJUNTIVO		IMPERATIVO
	Presente	Pretérito indefinido	Presente	Pretérito imperfecto	
yo	**caigo**	caí	**caiga**	**cayera/-ese**	
tú	caes	caíste	**caigas**	**cayeras/-eses**	cae
él/ella/ud.	cae	**cayó**	**caiga**	**cayera/-ese**	**caiga**
nosotros/-as	caemos	caímos	**caigamos**	**cayéramos/-ésemos**	
vosotros/-as	caéis	caísteis	**caigáis**	**cayerais/-eseis**	caed
ellos/ellas/uds.	caen	**cayeron**	**caigan**	**cayeran/-esen**	**caigan**

COMENZAR 9

		INDICATIVO				SUBJUNTIVO		IMPERATIVO	
		Presente		Pretérito indefinido		Presente			
yo	nosotros/-as	**comienzo**	comenzamos	**comencé**	comenzamos	**comience**	comencemos		
tú	vosotros/-as	**comienzas**	comenzáis	comenzaste	comenzasteis	**comiences**	comencéis	**comienza**	comenzad
él/ella/ud.	ellos/ellas/uds.	**comienza**	**comienzan**	comenzó	comenzaron	**comience**	**comiencen**	**comience**	comiencen

CONCLUIR 10

FORMAS NO PERSONALES	
Gerundio	**concluyendo**

	INDICATIVO		SUBJUNTIVO		IMPERATIVO
	Presente	Pretérito indefinido	Presente	Pretérito imperfecto	
yo	**concluyo**	concluí	**concluya**	**concluyera/-ese**	
tú	**concluyes**	concluiste	**concluyas**	**concluyeras/-eses**	**concluye**
él/ella/ud.	**concluye**	**concluyó**	**concluya**	**concluyera/-ese**	**concluya**
nosotros/-as	concluimos	concluimos	**concluyamos**	**concluyéramos/-ésemos**	
vosotros/-as	concluís	concluisteis	**concluyáis**	**concluyerais/-eseis**	concluid
ellos/ellas/uds.	**concluyen**	**concluyeron**	**concluyan**	**concluyeran/-esen**	**concluyan**

*A continuación, solo se recogen los tiempos verbales que tienen alguna irregularidad.

CONOCER 11

		INDICATIVO		SUBJUNTIVO		IMPERATIVO	
		Presente		Presente			
yo	nosotros/-as	**conozco**	conocemos	**conozca**	**conozcamos**		
tú	vosotros/-as	conoces	conocéis	**conozcas**	**conozcáis**	conoce	conoced
él/ella/ud.	ellos/ellas/uds.	conoce	conocen	**conozca**	**conozcan**	**conozca**	**conozcan**

CREER 12

FORMAS NO PERSONALES	
Gerundio	**creyendo**

		INDICATIVO		SUBJUNTIVO	
		Pretérito indefinido		Pretérito imperfecto	
yo	nosotros/-as	creí	creímos	**creyera/-ese**	**creyéramos/-ésemos**
tú	vosotros/-as	creíste	creísteis	**creyeras/-eses**	**creyerais/-eseis**
él/ella/ud.	ellos/ellas/uds.	**creyó**	**creyeron**	**creyera/-ese**	**creyeran/-esen**

DAR 13

	INDICATIVO		SUBJUNTIVO
	Presente	Pretérito indefinido	Pretérito imperfecto
yo	**doy**	**di**	**diera/-iese**
tú	das	**diste**	**dieras/-ieses**
él/ella/ud.	da	**dio**	**diera/-iese**
nosotros/-as	damos	**dimos**	**diéramos/-iésemos**
vosotros/-as	dais	**disteis**	**dierais/-ieseis**
ellos/ellas/uds.	dan	**dieron**	**dieran/-iesen**

DECIR 14

FORMAS NO PERSONALES			
Gerundio	**diciendo**	Participio	**dicho**

	INDICATIVO				IMPERATIVO
	Presente	Pretérito indefinido	Futuro simple	Condicional simple	
yo	**digo**	**dije**	**diré**	**diría**	
tú	**dices**	**dijiste**	**dirás**	**dirías**	**di**
él/ella/ud.	**dice**	**dijo**	**dirá**	**diría**	**diga**
nosotros/-as	decimos	**dijimos**	**diremos**	**diríamos**	
vosotros/-as	decís	**dijisteis**	**diréis**	**diríais**	decid
ellos/ellas/uds.	**dicen**	**dijeron**	**dirán**	**dirían**	**digan**

		SUBJUNTIVO			
		Presente		Pretérito imperfecto	
yo	nosotros/-as	**diga**	**digamos**	**dijera/-ese**	**dijéramos/-ésemos**
tú	vosotros/-as	**digas**	**digáis**	**dijeras/-eses**	**dijerais/-eseis**
él/ella/ud.	ellos/ellas/uds.	**diga**	**digan**	**dijera/-ese**	**dijeran/-esen**

DIRIGIR 15

		INDICATIVO		SUBJUNTIVO		IMPERATIVO	
		Presente		Presente			
yo	nosotros/-as	**dirijo**	dirigimos	**dirija**	**dirijamos**		
tú	vosotros/-as	diriges	dirigís	**dirijas**	**dirijáis**	dirige	dirigid
él/ella/ud.	ellos/ellas/uds.	dirige	dirigen	**dirija**	**dirijan**	**dirija**	**dirijan**

DORMIR 16

	INDICATIVO		SUBJUNTIVO		IMPERATIVO
	Presente	Pretérito indefinido	Presente	Pretérito imperfecto	
yo	**duermo**	dormí	**duerma**	**durmiera/-iese**	
tú	**duermes**	dormiste	**duermas**	**durmieras/-ieses**	**duerme**
él/ella/ud.	**duerme**	**durmió**	**duerma**	**durmiera/-iese**	**duerma**
nosotros/-as	dormimos	dormimos	**durmamos**	**durmiéramos/-iésemos**	
vosotros/-as	dormís	dormisteis	**durmáis**	**durmierais/-ieseis**	dormid
ellos/ellas/uds.	**duermen**	**durmieron**	**duerman**	**durmieran/-iesen**	**duerman**

ELEGIR 17

FORMAS NO PERSONALES	
Gerundio	eligiendo

	INDICATIVO		SUBJUNTIVO		IMPERATIVO
	Presente	Pretérito indefinido	Presente	Pretérito imperfecto	
yo	elijo	elegí	elija	eligiera/-iese	
tú	eliges	elegiste	elijas	eligieras/-ieses	elige
él/ella/ud.	elige	eligió	elija	eligiera/-iese	elija
nosotros/-as	elegimos	elegimos	elijamos	eligiéramos/-iésemos	
vosotros/-as	elegís	elegisteis	elijáis	eligierais/-ieseis	elegid
ellos/ellas/uds.	eligen	eligieron	elijan	eligieran/-iesen	elijan

ENTENDER 18

		INDICATIVO		SUBJUNTIVO		IMPERATIVO	
		Presente		Presente			
yo	nosotros/-as	entiendo	entendemos	entienda	entendamos		
tú	vosotros/-as	entiendes	entendéis	entiendas	entendáis	entiende	entended
él/ella/ud.	ellos/ellas/uds.	entiende	entienden	entienda	entiendan	entienda	entiendan

ENTREGAR 19

		INDICATIVO		SUBJUNTIVO		IMPERATIVO	
		Pretérito indefinido		Presente			
yo	nosotros/-as	entregué	entregamos	entregue	entreguemos		
tú	vosotros/-as	entregaste	entregasteis	entregues	entreguéis	entrega	entregad
él/ella/ud.	ellos/ellas/uds.	entregó	entregaron	entregue	entreguen	entregue	entreguen

ESTAR 20

		INDICATIVO				SUBJUNTIVO	
		Presente		Pretérito indefinido		Pretérito imperfecto	
yo	nosotros/-as	estoy	estamos	estuve	estuvimos	estuviera/-iese	estuviéramos/-iésemos
tú	vosotros/-as	estás	estáis	estuviste	estuvisteis	estuvieras/-ieses	estuvierais/-ieseis
él/ella/ud.	ellos/ellas/uds.	está	están	estuvo	estuvieron	estuviera/-iese	estuvieran/-iesen

HACER 21

FORMAS NO PERSONALES	
Participio	hecho

	INDICATIVO				IMPERATIVO
	Presente	Pretérito indefinido	Futuro simple	Condicional simple	
yo	hago	hice	haré	haría	
tú	haces	hiciste	harás	harías	haz
él/ella/ud.	hace	hizo	hará	haría	haga
nosotros/-as	hacemos	hicimos	haremos	haríamos	
vosotros/-as	hacéis	hicisteis	haréis	haríais	haced
ellos/ellas/uds.	hacen	hicieron	harán	harían	hagan

		SUBJUNTIVO			
		Presente		Pretérito imperfecto	
yo	nosotros/-as	haga	hagamos	hiciera/-iese	hiciéramos/-iésemos
tú	vosotros/-as	hagas	hagáis	hicieras/-ieses	hicierais/-ieseis
él/ella/ud.	ellos/ellas/uds.	haga	hagan	hiciera/-iese	hicieran/-iesen

INTRODUCIR 22

	INDICATIVO		SUBJUNTIVO		IMPERATIVO
	Presente	Pretérito indefinido	Presente	Pretérito imperfecto	
yo	introduzco	introduje	introduzca	introdujera/-ese	
tú	introduces	introdujiste	introduzcas	introdujeras/-eses	introduce
él/ella/ud.	introduce	introdujo	introduzca	introdujera/-ese	introduzca
nosotros/-as	introducimos	introdujimos	introduzcamos	introdujéramos/-ésemos	
vosotros/-as	introducís	introdujisteis	introduzcáis	introdujerais/-eseis	introducid
ellos/ellas/uds.	introducen	introdujeron	introduzcan	introdujeran/-esen	introduzcan

IR 23

FORMAS NO PERSONALES	
Gerundio	yendo

		INDICATIVO						IMPERATIVO	
		Presente		Pretérito indefinido		Pretérito imperfecto			
yo	nosotros/-as	voy	vamos	fui	fuimos	iba	íbamos		
tú	vosotros/-as	vas	vais	fuiste	fuisteis	ibas	ibais	ve	id
él/ella/ud.	ellos/ellas/uds.	va	van	fue	fueron	iba	iban	vaya	vayan

		SUBJUNTIVO			
		Presente		Pretérito imperfecto	
yo	nosotros/-as	vaya	vayamos	fuera/-ese	fuéramos/-ésemos
tú	vosotros/-as	vayas	vayáis	fueras/-eses	fuerais/-eseis
él/ella/ud.	ellos/ellas/uds.	vaya	vayan	fuera/-ese	fueran/-esen

JUGAR 24

		INDICATIVO				SUBJUNTIVO		IMPERATIVO	
		Presente		Pretérito indefinido		Presente			
yo	nosotros/-as	juego	jugamos	jugué	jugamos	juegue	juguemos		
tú	vosotros/-as	juegas	jugáis	jugaste	jugasteis	juegues	juguéis	juega	jugad
él/ella/ud.	ellos/ellas/uds.	juega	juegan	jugó	jugaron	juegue	jueguen	juegue	jueguen

MOVER 25

		INDICATIVO		SUBJUNTIVO		IMPERATIVO	
		Presente		Presente			
yo	nosotros/-as	muevo	movemos	mueva	movamos		
tú	vosotros/-as	mueves	movéis	muevas	mováis	mueve	moved
él/ella/ud.	ellos/ellas/uds.	mueve	mueven	mueva	muevan	mueva	muevan

PEDIR 26

FORMAS NO PERSONALES	
Gerundio	pidiendo

	INDICATIVO		SUBJUNTIVO		IMPERATIVO
	Presente	Pretérito indefinido	Presente	Pretérito imperfecto	
yo	pido	pedí	pida	pidiera/-iese	
tú	pides	pediste	pidas	pidieras/-ieses	pide
él/ella/ud.	pide	pidió	pida	pidiera/-iese	pida
nosotros/-as	pedimos	pedimos	pidamos	pidiéramos/-iésemos	
vosotros/-as	pedís	pedisteis	pidáis	pidierais/-ieseis	pedid
ellos/ellas/uds.	piden	pidieron	pidan	pidieran/-iesen	pidan

PENSAR 27

		INDICATIVO		SUBJUNTIVO		IMPERATIVO	
		Presente		Presente			
yo	nosotros/-as	pienso	pensamos	piense	pensemos		
tú	vosotros/-as	piensas	pensáis	pienses	penséis	piensa	pensad
él/ella/ud.	ellos/ellas/uds.	piensa	piensan	piense	piensen	piense	piensen

PODER 28

FORMAS NO PERSONALES	
Gerundio	pudiendo

	INDICATIVO			
	Presente	Pretérito indefinido	Futuro simple	Condicional simple
yo	puedo	pude	podré	podría
tú	puedes	pudiste	podrás	podrías
él/ella/ud.	puede	pudo	podrá	podría
nosotros/-as	podemos	pudimos	podremos	podríamos
vosotros/-as	podéis	pudisteis	podréis	podríais
ellos/ellas/uds.	pueden	pudieron	podrán	podrían

		SUBJUNTIVO			
		Presente		Pretérito imperfecto	
yo	nosotros/-as	pueda	podamos	pudiera/-iese	pudiéramos/-iésemos
tú	vosotros/-as	puedas	podáis	pudieras/-ieses	pudierais/-ieseis
él/ella/ud.	ellos/ellas/uds.	pueda	puedan	pudiera/-iese	pudieran/-iesen

PONER 29

FORMAS NO PERSONALES	
Participio	**puesto**

		INDICATIVO								IMPERATIVO	
		Presente		Pretérito indefinido		Futuro simple		Condicional simple			
yo	nosotros/-as	**pongo**	ponemos	**puse**	**pusimos**	**pondré**	**pondremos**	**pondría**	**pondríamos**		
tú	vosotros/-as	pones	ponéis	**pusiste**	**pusisteis**	**pondrás**	**pondréis**	**pondrías**	**pondríais**	**pon**	poned
él/ella/ud.	ellos/ellas/uds.	pone	ponen	**puso**	**pusieron**	**pondrá**	**pondrán**	**pondría**	**pondrían**	**ponga**	**pongan**

		SUBJUNTIVO			
		Presente		Pretérito imperfecto	
yo	nosotros/-as	**ponga**	**pongamos**	**pusiera/-iese**	**pusiéramos/-iésemos**
tú	vosotros/-as	**pongas**	**pongáis**	**pusieras/-ieses**	**pusierais/-ieseis**
él/ella/ud.	ellos/ellas/uds.	**ponga**	**pongan**	**pusiera/-iese**	**pusieran/-iesen**

PREFERIR 30

FORMAS NO PERSONALES	
Gerundio	**prefiriendo**

	INDICATIVO		SUBJUNTIVO	
	Presente	Pretérito indefinido	Presente	Pretérito imperfecto
yo	**prefiero**	preferí	**prefiera**	**prefiriera/-iese**
tú	**prefieres**	preferiste	**prefieras**	**prefirieras/-ieses**
él/ella/ud.	**prefiere**	**prefirió**	**prefiera**	**prefiriera/-iese**
nosotros/-as	preferimos	preferimos	**prefiramos**	**prefiriéramos/-iésemos**
vosotros/-as	preferís	preferisteis	**prefiráis**	**prefirierais/-ieseis**
ellos/ellas/uds.	**prefieren**	**prefirieron**	**prefieran**	**prefirieran/-iesen**

QUERER 31

	INDICATIVO			
	Presente	Pretérito indefinido	Futuro simple	Condicional simple
yo	**quiero**	**quise**	**querré**	**querría**
tú	**quieres**	**quisiste**	**querrás**	**querrías**
él/ella/ud.	**quiere**	**quiso**	**querrá**	**querría**
nosotros/-as	queremos	**quisimos**	**querremos**	**querríamos**
vosotros/-as	queréis	**quisisteis**	**querréis**	**querríais**
ellos/ellas/uds.	**quieren**	**quisieron**	**querrán**	**querrían**

		SUBJUNTIVO			
		Presente		Pretérito imperfecto	
yo	nosotros/-as	**quiera**	queramos	**quisiera/-iese**	**quisiéramos/-iésemos**
tú	vosotros/-as	**quieras**	queráis	**quisieras/-ieses**	**quisierais/-ieseis**
él/ella/ud.	ellos/ellas/uds.	**quiera**	**quieran**	**quisiera/-iese**	**quisieran/-iesen**

RECOGER 32

		INDICATIVO		SUBJUNTIVO		IMPERATIVO	
		Presente		Presente			
yo	nosotros/-as	**recojo**	recogemos	**recoja**	**recojamos**		
tú	vosotros/-as	recoges	recogéis	**recojas**	**recojáis**	recoge	recoged
él/ella/ud.	ellos/ellas/uds.	recoge	recogen	**recoja**	**recojan**	**recoja**	recojan

RECORDAR 33

		INDICATIVO		SUBJUNTIVO		IMPERATIVO	
		Presente		Presente			
yo	nosotros/-as	**recuerdo**	recordamos	**recuerde**	recordemos		
tú	vosotros/-as	**recuerdas**	recordáis	**recuerdes**	recordéis	**recuerda**	recordad
él/ella/ud.	ellos/ellas/uds.	**recuerda**	**recuerdan**	**recuerde**	**recuerden**	**recuerde**	**recuerden**

ROGAR 34

		INDICATIVO				SUBJUNTIVO		IMPERATIVO	
		Presente		Pretérito indefinido		Presente			
yo	nosotros/-as	**ruego**	rogamos	**rogué**	rogamos	**ruegue**	**roguemos**		
tú	vosotros/-as	**ruegas**	rogáis	rogaste	rogasteis	**ruegues**	**roguéis**	**ruega**	rogad
él/ella/ud.	ellos/ellas/uds.	**ruega**	**ruegan**	rogó	rogaron	**ruegue**	**rueguen**	**ruegue**	**rueguen**

SABER 35

	INDICATIVO				IMPERATIVO
	Presente	Pretérito indefinido	Futuro simple	Condicional simple	
yo	**sé**	**supe**	**sabré**	**sabría**	
tú	sabes	**supiste**	**sabrás**	**sabrías**	sabe
él/ella/ud.	sabe	**supo**	**sabrá**	**sabría**	**sepa**
nosotros/-as	sabemos	**supimos**	**sabremos**	**sabríamos**	
vosotros/-as	sabéis	**supisteis**	**sabréis**	**sabríais**	sabed
ellos/ellas/uds.	saben	**supieron**	**sabrán**	**sabrían**	**sepan**

		SUBJUNTIVO			
		Presente		Pretérito imperfecto	
yo	nosotros/-as	**sepa**	**sepamos**	**supiera/-iese**	**supiéramos/-iésemos**
tú	vosotros/-as	**sepas**	**sepáis**	**supieras/-ieses**	**supierais/-ieseis**
él/ella/ud.	ellos/ellas/uds.	**sepa**	**sepan**	**supiera/-iese**	**supieran/-iesen**

SALIR 36

	INDICATIVO			SUBJUNTIVO	IMPERATIVO
	Presente	Futuro simple	Condicional simple	Presente	
yo	**salgo**	**saldré**	**saldría**	**salga**	
tú	sales	**saldrás**	**saldrías**	**salgas**	**sal**
él/ella/ud.	sale	**saldrá**	**saldría**	**salga**	**salga**
nosotros/-as	salimos	**saldremos**	**saldríamos**	**salgamos**	
vosotros/-as	salís	**saldréis**	**saldríais**	**salgáis**	salid
ellos/ellas/uds.	salen	**saldrán**	**saldrían**	**salgan**	**salgan**

SEGUIR 37

FORMAS NO PERSONALES	
Gerundio	**siguiendo**

	INDICATIVO		SUBJUNTIVO		IMPERATIVO
	Presente	Pretérito indefinido	Presente	Pretérito imperfecto	
yo	**sigo**	seguí	**siga**	**siguiera/-iese**	
tú	**sigues**	seguiste	**sigas**	**siguieras/-ieses**	**sigue**
él/ella/ud.	**sigue**	**siguió**	**siga**	**siguiera/-iese**	**siga**
nosotros/-as	seguimos	seguimos	**sigamos**	**siguiéramos/-iésemos**	
vosotros/-as	seguís	seguisteis	**sigáis**	**siguierais/-ieseis**	seguid
ellos/ellas/uds.	**siguen**	**siguieron**	**sigan**	**siguieran/-iesen**	**sigan**

SER 38

	INDICATIVO			SUBJUNTIVO		IMPERATIVO
	Presente	Pretérito indefinido	Pretérito imperfecto	Presente	Pretérito imperfecto	
yo	soy	**fui**	**era**	**sea**	**fuera/-ese**	
tú	**eres***	**fuiste**	**eras**	**seas**	**fueras/-eses**	**sé***
él/ella/ud.	es	**fue**	**era**	**sea**	**fuera/-ese**	**sea**
nosotros/-as	somos	**fuimos**	**éramos**	**seamos**	**fuéramos/-ésemos**	
vosotros/-as	sois	**fuisteis**	**erais**	**seáis**	**fuerais/-eseis**	**sed**
ellos/ellas/uds.	son	**fueron**	**eran**	**sean**	**fueran/-esen**	**sean**
* Vos.	sos					**sé**

SOLER 39

		INDICATIVO		SUBJUNTIVO	
		Presente		Presente	
yo	nosotros/-as	**suelo**	solemos	**suela**	solamos
tú	vosotros/-as	**sueles**	soléis	**suelas**	soláis
él/ella/ud.	ellos/ellas/uds.	**suele**	**suelen**	**suela**	**suelan**

Este verbo se usa muy poco en pretérito indefinido y no se conjuga en futuro, condicional ni en formas compuestas.

TENER 40

	INDICATIVO				IMPERATIVO
	Presente	Pretérito indefinido	Futuro simple	Condicional simple	
yo	**tengo**	**tuve**	**tendré**	**tendría**	
tú	**tienes***	**tuviste**	**tendrás**	**tendrías**	**ten**
él/ella/ud.	**tiene**	**tuvo**	**tendrá**	**tendría**	**tenga**
nosotros/-as	tenemos	**tuvimos**	**tendremos**	**tendríamos**	
vosotros/-as	tenéis	**tuvisteis**	**tendréis**	**tendríais**	tened
ellos/ellas/uds.	**tienen**	**tuvieron**	**tendrán**	**tendrían**	**tengan**

		SUBJUNTIVO			
		Presente		Pretérito imperfecto	
yo	nosotros/-as	**tenga**	**tengamos**	**tuviera/-iese**	**tuviéramos/-iésemos**
tú	vosotros/-as	**tengas**	**tengáis**	**tuvieras/-ieses**	**tuvierais/-ieseis**
él/ella/ud.	ellos/ellas/uds.	**tenga**	**tengan**	**tuviera/-iese**	**tuvieran/-iesen**

VENIR 41

FORMAS NO PERSONALES	
Gerundio	**viniendo**

	INDICATIVO				IMPERATIVO
	Presente	Pretérito indefinido	Futuro simple	Condicional simple	
yo	**vengo**	**vine**	**vendré**	**vendría**	
tú	**vienes***	**viniste**	**vendrás**	**vendrías**	**ven**
él/ella/ud.	**viene**	**vino**	**vendrá**	**vendría**	**venga**
nosotros/-as	venimos	**vinimos**	**vendremos**	**vendríamos**	
vosotros/-as	venís	**vinisteis**	**vendréis**	**vendríais**	venid
ellos/ellas/uds.	**vienen**	**vinieron**	**vendrán**	**vendrían**	**vengan**

		SUBJUNTIVO			
		Presente		Pretérito imperfecto	
yo	nosotros/-as	**venga**	**vengamos**	**viniera/-iese**	**viniéramos/-iésemos**
tú	vosotros/-as	**vengas**	**vengáis**	**vinieras/-ieses**	**vinierais/-ieseis**
él/ella/ud.	ellos/ellas/uds.	**venga**	**vengan**	**viniera/-iese**	**vinieran/-iesen**

VER 42

FORMAS NO PERSONALES			
Gerundio	**viendo**	Participio	**visto**

		INDICATIVO		IMPERATIVO	
		Presente			
yo	nosotros/-as	**veo**	vemos	ve	ved
tú	vosotros/-as	ves	veis	**vea**	**vean**
él/ella/ud.	ellos/ellas/uds.	ve	ven		

ÍNDICE

* Participio irregular: **(des)cubierto, dicho, descrito, muerto, prescrito, roto, visto.**
** Verbos defectivos

PALABRAS Y EXPRESIONES

MÓDULO A Unidad 1

ESPAÑOL	INGLÉS	FRANCÉS	ALEMÁN	ITALIANO
acierto (m.), 17	good/correct choice	bonne réponse/succès, réussite	Treffer	riuscita/risultato
acostumbrado/a a trabajar en equipo (una persona), 14	used to working on a team	habitué(e) à travailler en équipe	an Teamarbeit gewöhnt	abituato a lavorare in squadra
aparentar ser, 12	to seem to be	sembler/paraître être	vortäuschen	sembrare/dimostrare essere
(buena/mala) medida (f.), 17	(good/bad) measure	(bonne/mauvaise) mesure	(gute/schlechte) Maßnahme	(buona/cattiva) misura
capaz (una persona) de protagonizar una escena de celos, 12	capable of getting jelous	capable de faire une scène de jalousie	fähig eine Eifersuchtsszene aufzuführen	capace di inscenare una scenata di gelosia
con autocontrol (una persona), 12	with self-control	avec du self-control	mit Selbstbeherrschung	con autocontrollo
con estabilidad (f.) emocional (una persona), 12	with emotional stability	stable émotionnellement	mit emotionaler Ausgeglichenheit	con equilibrio emozionale
con iniciativa (una persona), 12	with iniciative	avec de l'initiative	mit Unternehmungssinn	con iniziativa
de mente abierta (una persona), 12	open-minded	à l'esprit ouvert	offen gesinnt	di mente aperta
de personalidad arrolladora (una persona), 12 fuerte, 12	overwhelming strong	avec une personnalité irrésistible une forte personnalité	einnehmend starke Persönlichkeit fuerte	di personalità travolgente di forte personalità
de talento (una persona), 12	talented	talentueuse	begabt/mit Talent	di talento
Despierta la atracción en quienes lo/la rodean, 12	Attracts people around him/her	Il éveille l'attirance chez ceux qui l'entourent	anziehend,attraktiv	Suscita curiosità/consenso in chi gli sta attorno
dispuesto/a a ayudar (una persona), 12	willing to help	prêt/e à aider	behilflich	disposto ad aiutare
equivocación (f.), 17	mistake	erreur	Irrtum	errore
hacer reír a los demás, 12	to make people laugh	faire rire les autres	andere zum Lachen bringen	fare ridere gli altri
impactante (una persona), 12	shocking	racoleur/se	eindrucksvoll	sconvolgente/scioccante
irresponsabilidad (f.), 17	irresponsibility	irresponsable	unnverantwortlich	Irresponsabile
Lo/la encuentro…, 12	I find him/her/it…	Je le/la trouve…	ich finde es	Lo/La trovo…
locura (f.), 17	madness, craziness	folie	Wahnsinn	follia/pacía
(Me) da la impresión/sensación de (que)…, 12	It/He/She gives (me) the impression/feeling (that)…	Cela me donne l'impression/la sensation que…	den Eindruck vermitteln, dass…	(Mi) da l'impressione/sensazione di (che)…
(Me) resulta/parece…, 12	I find it…	Cela me paraît…	es scheint…	(Mi) resulta/sembra…
noble (una persona), 6	noble	noble	edel/großzügig	nobile
producir/causar una primera impresión, 12	to make a first impression	produire/causer une première impression	einen ersten Eindruck vermitteln	produrre/causare una prima impressione
proyectar armonía (f.), 12 equilibrio (m.), 12	to give off harmony balance	projeter de l'harmonie de l'équilibre	Harmonie vermitleln Ausgeglichenheit	proiettare armonia equilibrio
seguro/a de sí mismo/a (una persona), 12	sure of oneself	sûr/e de lui-même/d'elle-même	selbstsicher	sicuro di se stesso/a
sentirse cómodo/a en compañía de alguien, 12	to feel comfortable in a person's company	se sentir à l'aise en compagnie de quelqu'un	sich in der Gesellschaft von jemandem wohlfühlen	sentirsi comodo in compagnia di qualcuno
ser buena persona/buena gente, 14	to be a good person	être une bonne personne	anständige Leute sein	essere una brava persona/essere buono
sociable (una persona), 12	outgoing	sociable	gesellig	socievole
superficial (una persona), 16	superficial	superficiel/elle	oberflächlich	superficiale

Unidad 2

ESPAÑOL	INGLÉS	FRANCÉS	ALEMÁN	ITALIANO
Al final…, 25	In the end...	À la fin…	schließlich	Alla fine
anécdota (f.), 25	anecdote/story	anecdote	Anekdote	aneddoto
arma (m.), 29	weapon	arme	Waffe	arma
asesinar a alguien, 29	to murder someone	assassiner quelqu'un	jemanden ermorden	assassinare qualcuno
asesino/a, 29	murderer	assassin(e)/meurtrier(ère)	Mörder/in	assassino/a
asfixiar, 29	to suffocate	asphyxier	ersticken	asfissiare
cadáver (m.), 29	corpse	cadavre	Leiche	cadavere
chiringuito (m.), 26	little bar/stand	boui boui	Imbisstand	chiringuito
coartada (f.), 29	alibi	alibi	Alibi	alibi
crimen (m.), 29	crime	crime	Verbrechen	crimine
cuento (m.), 23	story	conte	Geschichte	racconto
cuerpo (m.) de policía, 31	police force	corps de police	Polizei	corpo di polizia
culpable (una persona), 29	guilty	coupable	Schuldige	colpevole
dar miedo, 30 sustos, 30	to be scary frights	faire peur	Angst machen erschrecken	fare paura fare spaventare
De repente…, 25	Suddenly...	Soudain...	plötzlich	All'improvviso…
Debió de ser..., 25	Must have been...	Cela a dû être….	sollte sein	Dovette essere….
Durante su adolescencia..., 26	During his/her adolescence...	Pendant son adolescence…	während seiner Jugend…	Durante la sua adolescenza...

ESPAÑOL	INGLÉS	FRANCÉS	ALEMÁN	ITALIANO
su infancia..., 26	his/her childhood...	son enfance...	seiner Kindheit...	la sua infanzia
su niñez..., 26	his/her childhood...	sa petite enfance...	seiner frühen Kindheit...	la sua infancia...
Entonces..., 25	Then...	Alors...	also...	Allora...
ilustración (f.), 23	illustration	illustration	Illustration	illustrazione
libro (m.) de aventuras, 23	adventure story	livre d'aventures	Abenteuerbuch	libro di avventure
matar a alguien, 29	to kill someone	tuer quelqu'un	jmd umbringen	uccidere qualcuno
Me parece que..., 25	It seems to me that...	Je crois que...	mir scheint, dass...	Mi sembra che...
novela (f.) policíaca, 23	a police novel	roman policier	Krimminalroman	giallo
personaje (m.) ficticio, 26	fictional character	personnage fictif, de fiction	fiktive Person	personaggio fittizio
plan (m.), 29	plan	plan	Plan	piano
portada (f.), 23	cover	couverture, la une	Buchdeckel	prima pagina, copertina
(Pues) Mira..., 25	(Well) Look...	Et bien écoute...	nun schau mal...	Allora guarda...
(Pues) Resulta que..., 25	(Well) As it turns out...	Et bien il se trouve que...	angenomen, dass	Allora sembra che...
relato (m.), 28	story	récit	Erzählung	racconto
crítico, 31	critical	critique	kritische	critico
de amor, 28	love	d'amour	Liebes-	d'amore
de aventuras, 28	adventure	d'aventures	Abenteuer-	d'avventura
de ciencia ficción, 28	science fiction	de science-fiction	Sciencefiction-	di fantascienza
de crítica social, 28	social criticism	de critique sociale	Sozialkritik-	di sociología
de humor, 28	humor	humouristique	humoristische	d'umorismo
de intriga, 28	intrigue	d'intrigue	Intrigen-	d'intrigo
de terror, 28	horror	de terreur	Horror-	di terrore
desgarrador, 31	heartbreaking	déchirant	herzzereißend	straziante
imaginativo, 31	imaginative	imaginatif	fantastisch	imaginativo
impactante, 31	shocking	raccoleur	umwerfend	sconvolgente
inclasificable, 31	unclassifiable	inclassable	unklassifizierba	inclassificabile
inquietante, 31	disturbing	inquiétant	unklassifizierba	inquietante
irónico, 31	ironic	ironique	ironisch	ironico
melancólico, 31	melancholic	mélancolique	melacolisch	malinconico
poético, 31	poetic	poétique	poetisch	poetico
policíaco, 28	police	policier	Krimmi	giallo
realista, 31	realistic	réaliste	realistisch	realista
sorprendente, 31	surprising	surprenant	überraschend	sorprendente
surrealista, 31	surreal	surréaliste	surrealistisch	surrealista
Se narra..., 23	It tells...	On y raconte...	es wird erzählt...	Si racconta...
sospechoso/a (una persona), 31	suspect	suspect	verdächtig	sospettato/a
suicidarse, 26	to commit suicide	se suicider	sich umbringen	suicidarsi
Tiene pinta de haber sido..., 25	To look like it/he/she was...	Cela a tout l'air d'avoir été	verdächtig sein	Ha tutta l'aria di essere stato
Total que..., 25	Anyway...	En bref que...	Also, deshalb...	Insomma...
víctima (f.), 29	victim	victime	Opfer	vittima

Unidad 3

ESPAÑOL	INGLÉS	FRANCÉS	ALEMÁN	ITALIANO
acampar, 36	to camp	camper	campen	accamparsi
adaptarse a un clima, 45	to get used to a climate	s'adapter à un climat	sich an das Klima gewöhnen	adattarsi a un clima
a un estilo de vida, 45	a way of life	à un style de vie	an einen Lebensstil	a uno stile di vita
aguas (f.) bravas, 35	rough water	eaux troubles	stürmische Gewässer	acque agitate
tranquilas, 35	calm	calmes	ruhige	calme
ahorrar tiempo, 43	to save time	économiser du temps	Zeit sparen	risparmiare tempo
apartado/a (un lugar), 35	remote	éloigné/retiré	entlegen ein Ort	lontano/ritirato
atravesar una situación difícil, 40	to go through a difficult situation	traverser une situation difficile	eine schwierige Situation durchmachen	attraversare una situazione difficile
baja autoestima (f.), 40	low self esteem	basse estime de soi	niedriges Selbstbewußtsein	bassa autostima
bloqueo (m.) psicológico, 40	psychological block out	blocage psychologique	psychische Blockade	blocco psicologico
bosque (m.), 36	forest	forêt	Wald	bosco
bucear, 36	to snorkel/swim under water	plonger/faire de la plongée	tauchen	immergersi
cala (f.), 36	cove	crique	Bucht	stiva
cascada (f.), 37	waterfall	cascade	Wasserfall	cascata
cima (f.) de una montaña, 37	mountain peak	cime d'une montagne	Gipfel	cima d'una montagna
con encanto (un lugar), 36	enchanting	avec du charme	attraktiv	con incanto
concertar una cita con un asesor legal, 41	to make an appointment with a legal advisor	fixer un rendez-vous avec un conseiller légal	einen Termin bei einem Rechtsberater vereinbaren	prendere un appuntamento con un consigliere legale
concurrido/a (un lugar), 38	busy/crowded	fréquenté	viel besucht	frequentato
contemplar el paisaje desde un mirador, 37	to observe the landskape from a viewpoint	contempler un paysage depuis un mirador	die Landschaft von einem Aussichtspunkt aus betrachten	contemplare il paesaggio da un belvedere
de fácil/difícil acceso (un lugar), 35	easily accessible	facile/difficile d'accès	leicht/schwer zugänglich	di facile/difficile accesso
descender un acantilado, 37	to go down a cliff	descendre une falaise	eine Steilküste heruntersteigen	scendere da un dirupo
desértico/a (un lugar), 37	deserted	désertique	Wüsten	desertico/a

ESPAÑOL	INGLÉS	FRANCÉS	ALEMÁN	ITALIANO
duna (f.), 37	dune	dune	Düne	dune
escalar, 37	to climb	escalader	besteigen	scalare
espectacular (un lugar), 37	spectacular	spectaculaire	sensationell	spettacolare
exceso (m.) de trabajo, 40	too much work	excès de travail	Arbeitsüberlastung	eccesso di lavoro
de responsabilidad, 40	too much responsibility	de responsabilité	aus Verantwortungsbewußtsein	di responsabilità
explorar una cueva, 37	to explore a cave	explorer une grotte	eine Höhle erforschen	esplorare una grotta
frondoso/a (un lugar), 37	lush	luxuriant	dicht belaubt	lussureggiante
guardar buenos/malos recuerdos, 36	to have good/bad memories	garder de bons/mauvais souvenirs	gute/schlechte Erinnerungen behalten	conservare buoni/cattivi ricordi
hacer nudismo, 36	to go nude	faire du nudisme	nackt baden	fare nudismo
tiempo, 43	to waste time	faire passer le temps	Zeit vertreiben	fare passare il tempo
una escapada, 35	to take a little trip to escape	faire une escapade	einen Abstecher machen	una scappata
(in)formal (un lugar), 38	(in)formal	(in)formel	(un)korrekt	(in)formale
inmenso/a (un lugar), 37	huge/immense	immense	unermesslich	immenso/a
irritabilidad (f.), 40	irritability	irritabilité	Reizbarkeit	irritabile
ladera (f.) de un monte, 36	mountainside	versant d'une montagne	Abhang eines Berges	pendio d'una montagna
maravilloso/a (un lugar), 37	wonderful	merveilleux	herrlich	meraviglioso/a
pintoresco/a (un lugar), 37	picturesque	pittoresque	malerisch	pittoresco/a
recorrer un sendero en bici, 37	to follow a path on a bike	parcourir un sentier à bicyclette	einen Pfad befahren mit dem Rad	percorrere un sentiero in bici
respirar aire puro, 37	to breathe fresh air	respirer de l'air pur	reine Luft atmen	respirare aria pura
selecto/a (un lugar), 38	select	fin/chic	erlesen	di qualità
sierra (f.), 37	mountain range	montagne	Gebirgskette	montagna
solitario/a (un lugar), 35	solitary	solitaire	einsam	solitario/a
sorprendente (un lugar), 37	surprising	surprenant	überraschend	sorprendente
tener buen ambiente (un lugar), 38	to have a good atmosphere	avoir une bonne ambiance	gesunde Umgebung	avere un buon ambiente
un ataque de nervios, 40	a nervous breakdown	une crise de nerfs	ein Nervenzusammenbruch	un attacco di nervi
tomar una decisión, 36	to make a decision	prendre une décision	eine Entscheidung treffen	prendere una decisione
tomarse las cosas con calma, 41	to take it easy	prendre les choses avec calme	die Dinge ruhig angehen	prendere le cose con calma
trastornos (m.) emocionales, 40	emotional disorders	troubles émotionnels	emotionale Störungen	frastorni emozionali

Unidad 4

ESPAÑOL	INGLÉS	FRANCÉS	ALEMÁN	ITALIANO
anuncio (m.) de trabajo, 52	advertisement/classified ad	offre d'emploi	Anzeige	annucio/avviso/pubblicità
beneficio (m.), 53	benefit	bénéfice	Nutzen/Gewinn	beneficio
cambiar el destino, 49	to change the destination	changer de destination	das Schicksal ändern	cambiare la destinazione
candidato/a, 50	candidate	candidat(e)	Kandidat/in	candidato/a
cargo (m.), 51	position/post	poste	Amt/Last	carica/obbligo
carné (m.) de conducir, 52	driver's license	permis de conduire	Führerschein	patente di guida
carrera (f.) educativa, 51	studies/degree	carrière éducative	Bidungsgang	carriera educativa
profesional, 51	career	professionnelle	beruflicher Werdegang	professionale
certificado (m.), 51	certified/certificate	certificat	Bescheinigung	certificato
comisión (f.), 53	commision	commission	Kommision	commissione
Con respecto a…, 55	Regarding…	Au sujet de…	In Bezug auf…	In riferimento a…,
conciliar la vida familiar y laboral, 58	to mix family and work	concilier la vie familiale et professionnelle	Familien- und Berufsleben in Einklang bringen	conciliare la vita familiare e professionale
contrato (m.) indefinido, 52	open contract	contrat indéfini	unbegrenzter Arbeitsvertrag	contratto a tempo indeterminato
fijo, 53	fixed	fixe	fester	fisso
temporal, 53	seasonal/temporary	temporaire	Zeitvertrag	a tempo determinado
currículum vítae (m.), 50	CV/resume	curriculum vitae	Lebenslauf	curriculum vitae
diploma (m.), 51	diploma	diplôme	Diplom	diploma
discriminación (f.) de género, 59	gender discrimination	discrimination de genre	Unterscheidung nach Geschlecht	discriminazione di genere
retributiva, 59	salary discrimination	rémunératrice	nach Einkommen	retributiva
disponibilidad (f.) para viajar, 52	willingness to travel	disponibilité pour voyager	Bereitschaft zu reisen	disponibilità a viaggiare
empleo (m.) no cualificado, 59	non-qualified employment	emploi non qualifié	unqualifizierte Stelle	impiego non qualificato
En concreto…, 55	Concretely…	Concrètement…	konkret	In concreto…
En cuanto a…, 55	As far as…	En ce qui concerne…	bezüglich des/der…	In quanto a…
En otras palabras,…, 55	In other words…	En d'autres mots…	mit anderen Worten	In altre parole…
entorno (m.) multicultural, 51	multicultural envoronment	environnement multiculturel	multikulturelle Umgebung	contesto multiculturale
entrevista (f.) de trabajo, 50	job interview	entretien d'embauche	Besprechung/Vorstellungsge-spräch	colloquio
Es decir,…, 55	What is to say…	C'est-à-dire….	Wie man sagt…	Cioè…
estar más capacitado/a que alguien, 49	to be more skilled than someone	être plus qualifié que quelqu'un	fähiger sein als irgendeiner	essere più qualificato/a di qualcun'altro
Esto es,…, 55	That is…	C'est ça,..	Das ist…	Questo è…
excedencia (f.), 58	extended leave of absence	congé	Beurlaubung	aspettativa
expectativa (f.) profesional, 50	professional expectations	attente professionelle	berufliche Aussicht	aspettativa professionale
experiencia (f.) contrastada, 52	proven experience	expérience éprouvée	gegenteilige Erfahrung	esperienza comprovata
formación (f.) a cargo de la empresa, 52	company training	formation à charge de l'entreprise	Weiterbildung zu Lasten der Firma	formazione a carico dell'azienda

ESPAÑOL	INGLÉS	FRANCÉS	ALEMÁN	ITALIANO
fracaso (m.), 49	failure	échec	Misserfolg	fracasso
hacer algo por tu cuenta, 50	to do something on your own	faire quelque chose à ton compte	etwas auf deine eigenen Kosten machen	fare (qualcosa) per conto proprio
hora (f.) extra, 58	overtime	heure extra	Überstunde	ora extra
incorporación (f.) inmediata, 52	immediate start	incorporation immédiate	sofortige Arbeitsaufnahme	incorporazione immediata
institución (f.) educativa, 51	educational institution	institution éducative	Erziehungseinrichtung	istituzione educativa
formativa, 51	formational	formative	Ausbildungs-	formativa
jornada (f.) completa, 53	full time schedule	temps complet	Ganztagsarbeit	giornata completa
intensiva, 58	intensive schedule	journée continue	durchgehender Arbeitstag	intensiva
labor (f.) de voluntariado, 51	volunteer work	travail de volontaire	Freiwillingenarbeit	lavoro di volontariato
media jornada (f.), 53	part time schedule	mi-temps	Halbtagsarbeit	mezza giornata
(No) Está en mi mano, 49	It`s (not) in my hands	C'est en mon pouvoir/Ce n'est pas en mon pouvoir	(keinen)Einfluss haben	(Non) E nelle mie mani
permiso (m.) de lactancia, 58	feeding leave	congés pour allaitement	Beurlaubung zum Stillen	congedo per allattamento
por maternidad, 58	maternal	maternité	Mutterschaftsurlaub	per maternità
por paternidad, 58	parental	paternité	Vaterschaftsurlaub	per paternità
perseverancia, 49	persistance	persévérance	Ausdauer	perseveranza
persona (f.) anárquica, 50	anarchic person	personne anarchique	anarchistische Person	persona anarchica
desordenada, 50	unorganized	désordonnée	unordentliche	disordinata
espontánea, 50	spontaneous	spontanée	spontane	spontanea
imaginativa, 50	imaginative	imaginative	fantasievolle	immaginativa
Por (lo) tanto,..., 55	Therefore...	Par conséquent...	Deshalb...	Pertanto...
Por consiguiente,..., 55	Therefore...	Par conséquent...	Foglich...	Di conseguenza...
Por ejemplo,..., 55	For example...	Par exemple...	zum Beispiel...	Per esempio...
Por ello,..., 55	That is why...	Pour autant...	Deshalb...	Perciò...
Por esta razón..., 55	For this reason...	Pour cette raison...	aus diesem Grund...	Per questa ragione...
posibilidad (f.) de desarrollo profesional, 52	possibility of professional development	possibilité de développement professionnel	Möglichkeit für das berufliche	possibilità di crescita professionale
de promoción, 52	promotion	de promotion	Fortkommen	di promozione
presupuesto (m.), 51	budget	budget/devis	Haushalt	bilancio/preventivo
proyecto (m.), 51	project	projet	Projekt	progetto
puesto (m.) de trabajo, 51	work position/post	poste de travail	Arbeitsplatz	posto di lavoro
reducción (f.) de jornada, 58	shift reduction	réduction de la journée/du temps de travail	Arbeitszeitverkürzung	riduzione della giornata lavorativa
remuneración (f.), 52	salary/payment	rémunération	Bezahlung	rimunerazione
requisito (m.), 53	requirement	condition requise	Voraussetzung	requisito
retribución (f.) por objetivos, 53	payment upon completion of objectives	fixe plus objectifs	Vergütung nach Leistung	retribuzione per obbiettivi
salario (m.), 52	salary	salaire	Lohn	salario
Se me acumula el trabajo, 49	My work is piling up	J'ai du travail qui s'accumule	mir wächst die Arbeit über den Kopf	Mi si accumula il lavoro
ser entretenido/a (un trabajo), 49	to be entertaining	etre distrayant	unterhaltsam sein	essere divergente
gratificante (un trabajo), 49	gratifying	gratifiant	erfreulich sein	gratificante
responsable de algo, 49	responsible for something	responsable de quelque chose	für etwas verantwortlich sein	responsabile di qualcosa
sistemático (una persona), 53	systematic	systématique	systematisch sein	sistematico/a
subvención (f.), 56	subsidy	subvention	Subvention	sovvenzione
sueldo (m.), 50	salary	salaire	Gehalt plus zusätzliche	salario/stipendio
más comisiones, 52	plus comission	plus commissions	Kommisionen	più commissioni
tener un conflicto con alguien, 50	to have a conflict with someone	être en conflit avec quelqu'un	mit jemd. Streit haben	avere un conflitto con qualcuno
trabajo (m.) en equipo, 49 en grupo, 49	teamwork group work	travailler en équipe en groupeen	Gruppen-/Teamarbeit	lavoro in squadra in gruppo

MÓDULO B Unidad 5

ESPAÑOL	INGLÉS	FRANCÉS	ALEMÁN	ITALIANO
acta (f.) de la reunión, 69	minutes of a meeting	procès-verbal de la reunión	Protokoll einer Besprechung	verbale della riunione
animal (m.) de compañía, 68	pet	animal de compagnie	Haustier	animale di compagnia
aprobar un documento, 66	to approve a document	approuver/adopter un document	einem Dokument zustimmen	approvare un documento
arreglar un aparato, 67	to fix a machine	réparer un appareil	Ein Gerät reparieren	riparare un apparato
azotea (f.), 68	roof	terrasse	Dachterrasse	terrazza
chapuza (f.), 68	botch job	bricole	Pfuscharbeit	bagattella
contratar un servicio (m.), 73	to hire a service	passer un contrat pour un service	einen Dienst in Auftrag nehmen	contrattare un servizio
cotilla (una persona), 69	gossip	commère	neugierig	pettegola
cubrir un desperfecto, 73	to cover a flaw	cacher un défaut	einen Fehler	coprire un difetto/imperfezione/guasto
una avería, 74	damage	une panne	eine Panne decken	un'avaria
darse de alta/de baja, 73	to sign up/cancel	s'inscrire/résilier	eine Dienstleistung in Auftrag geben/kündigen	aderire/recedere
defecto (m.) de fabricación, 72	manufacturing flaw	défaut de fabrication	Herstellungsfehler	difetto di fabbricazione
descodificar los canales, 73	to decode the channels	décoder les chaînes	Kanäle decodieren	decodificare (decodificarsi) i canali

ESPAÑOL	INGLÉS	FRANCÉS	ALEMÁN	ITALIANO
discutir un documento, 66	to discuss a document	discuter autour d'un document	Ein Dokument besprechen	discutere un documento
dispararse la alarma, 73	to go off the alarm	se déclencher l'alarme	Alarm auslösen	impazzire l'allarme
domiciliar un pago, 75	to pay by standing order	payer par virement bancaire	per Bankeinzug bezahlen	domiciliare un pagamento
estropearse un aparato, 73	to break a machine	tomber en panne un appareil	Ein Aparat kaputtgehen	rompersi un apparato
exigir, 70	to demand	exiger	fordern	esigere
impago (m.), 74	non-payment	non-paiement	Nichtbezahlung	omissione di pagamento
irse el sonido, 73	to go out the sound	s'éteindre le son	Ton und Bild ausgehen	andarsene l'audio
la imagen, 73	the image	l'image		l'immagine
Le rogaría/pediría que me explicara..., 75	I beg/ask you to explain...	Je vous prierais de m'expliquer...	Ich bitte Sie/Ich fordere Sie auf...	La pregherei/Le chiederei che mi spiegasse...
Me parece (que es) inadmisible, 72	I think (that it is) inadmissable	Cela me paraît inadmissible	Ich finde es ist unzulässig	Mi sembra (che sia) inammissibile
lamentable, 72	pitiful	lamentable	beklagenswert	deplorevole
un escándalo, 75	a scandal	scandaleux	skandalös	uno scandalo
una vergüenza, 72	a shame	honteux	unverschämt	una vergogna
No se puede admitir, 75	It is not acceptable	On ne peut admettre	Das kann man nicht zu lassen	Non si può ammettere
consentir, 72	consentable	permettre	dulden	consentire
permitir, 75	permitted	permettre	erlauben	permettere
tolerar, 72	tolerated	tolérer	tolerieren	tollerare
obras (f. pl.), 68	construction	travaux	Baustellen	lavori/opere
patio (m.), 68	patio	jardin	Innenhof	patio/cortile
portal (m.), 68	entrance	portail/entrée	Eingang	portale
quejarse de, 70	to complain about	Se plaindre de,	Sich beklagen...	lamentarsi di
Quería hacer una consulta en relación al funcionamiento de..., 75	I'd like to ask about the operation of...	Je voulais faire une consultation concernant le fonctionnement de...	Ich wollte zur Bedienung von... nachfragen,	Volevo fare una consultazione in relazione al funzionamento di
pedir/solicitar información sobre..., 75	ask for information about...	demander une information sur...	Information bitten über...	chiedere/sollecitare informazioni su...
poner una reclamación..., 75	make a claim/complaint...	faire une réclamation...	Reklamation aufgeben	fare una reclamazione
saltar los plomos, 73	to go out the fuse	sauter les plombs	Die Sicherungen rausspringen	saltare i fusibili
servicio (m.) de atención al cliente, 73	customer service	service client	Kundendienst	servizio di attenzione al cliente
visita (f.) gratuita, 72	free visit	visite gratuite	freier Eintritt	visita gratuita
zonas (f. pl.) comunes, 68	common areas	zones communes	Fläche für gemeinsame Nutzung	zone comuni

Unidad 6

ESPAÑOL	INGLÉS	FRANCÉS	ALEMÁN	ITALIANO
A continuación, 87	Next	Ensuite	Im folgendem	Di seguito/Immediatamente
A pesar de (que)..., 84	Despite (the fact that)...	Malgré...	trotz...	Malgrado...
abogado (m./f.) defensor, 81	defense attorney	avocat défenseur	Rechtsanwlat/Verteidiger	avvocato difensore
¡Anda ya!, 80	Come on! Give me a break!	Allez!	Vorwärts!	Su! Avanti!
apresar a un (presunto) ladrón, 83	to arrest an alleged thief	capturer un voleur (présumé)	einen (vermeintlichen) Dieb fangen	arrestare un (presunto) ladro
Así que..., 84	So...	Alors...	So...	Sicché...
aumentar una condena, 81	to raise a sentence	alourdir une condamnation	eine Strafe erhöhen	aumentare una condanna
una pena, 81	a penalty/sentence	une peine	eine Strafe	una pena
celebrarse un juicio, 83	to hold a trial	avoir lieu (un procès)	stattfinden	celebrarsi un giudizio
cometer un atraco, 83	to commit robbery	commettre un vol à main armée	einen Raub	commettere una rapina
un crimen, 83	a crime	un crime	ein Verbrechen begehen	un crimine
dar crédito a una información, 79	to believe information	donner du crédit à une information	einer Information Glauben schenken	dare credito a un'informazione
darse a la fuga, 83	to escape	prendre la fuite	fliehen	darsi alla fuga
Debido a, 87	Due to	Dû à	wegen etw/jdm	Dovuto a
Del mismo modo, 84	The same way	De la même façon	auf die selbe Weise	Allo stesso modo
delito (m.), 81	offence	délit	Vergehen	reato
denunciar, 81	to report	dénoncer/arrêter	anklagen	denunciare/detenere
En cambio..., 84	On the other hand...	En revanche.../Par contre...	jedoch	In cambio/Al contrario...
En el fondo..., 84	Deep down...	Dans le fond.../En réalité	im Innersten...	In fondo/In realtà...
En primer/segundo lugar..., 85	On the first/second hand	En premier/deuxième lieu	an erster/zweiter Stelle	In primo/in secondo luogo...
En definitiva..., 84	All in all...	En définitif.../En résumé...	Definitiv...	In definitiva/riassumendo...
Es decir,..., 87	Meaning...	C'est-à-dire...	das heißt...	Cioè...
fiscal (m./f.), 81	district attorney	procureur	Staatsanwalt	procuratore/procuratrice
homicidio (m.), 89	homicide	meurtre	Mord	omicidio
Igual..., 80	Anyway...	De la même façon...	gleich...	Uguale...
juez (m./f.), 81	judge	juge	Richter	giudice
Lo dudo (mucho)., 80	I (quite) doubt it...	Je doute (beaucoup)...	Ich zweifle (sehr)	Non credo (proprio)
Me extraña..., 80	I can't imagine...	Cela m'étonne...	Das erstaunt mich (nicht), (dass)...	Mi sorprende
(No) es verdad/cierto/exacto que..., 87	It's (not) true/correct/exact that...	Ce n'est pas vrai/exact que.../c'est vrai/exact que...	Das ist (nicht) wahr/exakt, dass...	(Non) È vero/certo/esatto che...
(No) veo bien que..., 85	I (don't) think (it's) good (to/that)...	Je (ne) vois (pas) bien que...	Ich sehe (nicht), dass...	(Non) Vedo bene che...
¿Opinas lo mismo que... en lo que se refiere a...?, 84	Do you think the same as... regarding...?	Tu penses la même chose que... en ce qui concerne...?	Denkst du dasselbe in Bezug auf...?	La pensi allo stesso modo di... per ciò che si riferisce a...?

ESPAÑOL	INGLÉS	FRANCÉS	ALEMÁN	ITALIANO
orden (f.) de detención, 83	arrest warrant	ordre d'arrestation	Haftbefehl	ordine di detenzione
Para concluir…, 87	In conclusion…	Pour conclure…	um zum Ende zu kommen...	Per concludere...
petición (f.) de rescate, 81	ransom demand	demande de rançon	Rettungsgesuch	richiesta di riscatto
Por ello…, 84	Therefore…	Par conséquent…	daher	Perció/Quinde
Por una parte…, 87	On the one hand…	D'une part…	einerseits...	Da una parte…
(Pues) yo no veo tan mal que…, 85	(Well) I don't think it's such a bad thing that…	(Et bien) je ne vois pas où est le mal que…	(Nun) ich sehe nicht, was daran so schlimm ist...	(Dunque) Non vedo tanto male
¿Qué habrá pasado?, 82	What would have happened?	Qu'est-ce qui peut bien être arrivé?	Was kann passiert sein?	Che sarà successo?
¡Qué va!, 80	No way!	Tu parles!	Was du nicht sagst!	Che dici!
¿Quién será?, 82	Who could that be?	Qui cela peut bien être?	Wer kann das sein?	Chi sarà?
secuestro (m.), 81	kidnapping	enlèvement	Entführung	Sequestro
Según algunos expertos…, 79	According to some experts…	Selon certains experts…	Einigen Experten zufolge...	Secondo alcuni esperti…
Sin embargo, 84	However	Cependant	trotzdem	Senza dubbio
Supuestamente, 81	Supposedly	En supposant	vermutlich	Suppostamente
tiroteo (m.), 89	shooting	fusillade	Schießerei	Sparatoria
tribunal (m.), 81	court	tribunal	Gericht	Tribunale
¿Tú crees?, 80	Do you think so?	Tu crois?	Glaubst du?	Tu credi?
víctima (f.), 81	victim	victime	Opfer	Vittima

Unidad 7

ESPAÑOL	INGLÉS	FRANCÉS	ALEMÁN	ITALIANO
¡Admirable!, 95	Impressive!	Admirable!	Bewundernswert !	Ammirevole!
antología (f.) de cine (m.), 94	cinema anthology	anthologie du cinéma	Kinoanthologie	antologia del cinema
colores (m. pl.) cálidos/fríos, 93	warm colors/cold colors	couleurs chaudes/froides	warme Farben/kalte	colori caldi/freddi
chillones/pastel, 93	bright/pastel	criardes/pastel	schreiende/Pastel-	violenti/pastello
intensos/suaves, 93	intense/soft	intenses/douces	intensive/weiche	intensi/suavi
neutros, 93	neutral	neutres	neutrale	neutri
Es (de color) azul celeste/marino, 93	It is sky blue/navy blue	C'est bleu ciel/marine	Es ist himmelblau/meerblau	È (di colore) blu azzurro/blu celeste/blu marino
azul claro/oscuro, 93	light blue/dark blue	bleu clair/foncé	hellblau/dunkelblau	blu chiaro/blu scuro
marfil, 93	ivory	ivoire	elfenbein	avorio
ocre, 93	ocre colored	ocre	oker	ocra
rosa fucsia, 93	fuchsia pink	rose fuchsia	pinkrosa	fucsia
Es de acero (m.), 92	It's made of steel	C'est en acier	Das ist aus Stahl	È di acciaio
aluminio (m.), 93	aluminium	aluminium	Alluminium	alluminio
barro (m.), 93	clay	argile	Ton	argilla
bronce (m.), 93	bronze	bronze	Bronze	bronzo
cemento (m.), 93	cement	ciment	Zement	cemento
cerámica (f.), 92	ceramic	céramique	Keramik	ceramica
cristal (m.), 93	glass/crystal	cristal	Glas	cristallo
hierro (m.), 92	iron	fer	Eisen	ferro
latón (m.), 93	brass	laiton	Blech	latta
madera (f.), 93	wood	bois	Holz	legno
materiales (m.) reciclados, 93	recycled materials	matériaux recyclés	Recyclingmaterial	materiali riciclati
metacrilato (m.), 93	methacrylate	méthacrylate	Methacrylat	metacrilato
oro (m.), 93	gold	or	Gold	oro
piedra (f.), 92	stone	pierre	Stein	pietra
plata (f.), 93	silver	argent	Silber	argento
vidrio (m.), 93	glass	verre	Glas	vetro
formas (f. pl.) cilíndricas, 92	cylindrical shapes	formes cylindriques	zylindrische Formen	forme cilindriche
circulares, 92	circular	circulaires	kreisfötmige	circolari
cuadradas, 93	square	carrées	quadratische	quadrate
esféricas, 93	spherical	sphériques	spherische	sferiche
geométricas, 93	geometrical	géométriques	geometriche	geometriche
rectangulares, 93	rectangular	rectangulaires	rechteckige	rettangolari
redondeadas, 93	round	rondes	runde	rotonda
triangulares, 93	triangular	triangulaires	dreieckige	triangolari
gama (f.) de color, 93	range of color	gamme de couleur	Farbspektrum	gamma di colori
líneas (f. pl.) curvas, 92	curved lines	lignes courbes	gebogene Linien	linee curve
de trazos fuertes, 93	strong strokes	traits épais	dicker Strich	a forti tratti
diagonales, 93	diagonal	diagonales	diagonale	diagonali
gruesas, 93	thick	épaisses	breite	grosse
inclinadas, 92	sloping	inclinées	geneigte	inclinate
paralelas, 93	parellel	parallèles	parallele	parallele
perpendiculares, 93	perpendicular	perpendiculaires	senkrechte	perpendicolari
rectas, 93	straight	droites	gerade	rette
redondeadas, 93	rounded	arrondies	gerundete	arrotondate
¡Magnífico/a!, 95	Magnificent!	Magnifique!	Großartig!	Magnifico/a!

ESPAÑOL	INGLÉS	FRANCÉS	ALEMÁN	ITALIANO
Me evoca…, 95	It brings to mind…	Cela m'évoque…	Das ruft bei mir hervor…	Mi evoca…
Me ha puesto los pelos (m.) de punta, 93	It made my hairs stand on end	J'en ai la chair de poule	Ich habe Gänsehaut	M ha fatto drizzare i capelli
Me hace pensar en…, 92	It makes me think of…	Cela me fait penser à…	Das lässt mich denken an…	Mi fa pensare a…
Me inspira…, 95	It inspires… in me…	Cela m'inspire…	Das inspiriert mich…	M'ispira…
Me produce…, 92	It makes me (feel)…	Cela me provoque…	Das provoziert mich…	Mi produce…
Me resulta…, 92	To me it suggests…	Cela me paraît…	Das erscheint mir…	Mi risulta…
Me sugiere…, 93	It transmits… to me…	Cela me suggère…	Das suggeriert mir…	Mi suggerisce…
Me transmite…, 92	It takes me to…	Cela me transmet…	Das vermittelt mir…	Mi trasmette…
Me transporta a…, 92	There's nothing like it	Cela me transporte vers…	Das führt mich zu…	Mi trasporta a…
No hay otro igual, 95	Words can't describe it	Il n'y a pas d'autre semblable	Es gibt nichts Vergleichbares	Non ce ne è un altro uguale
No hay palabras para describirlo, 95	Magnificent!	Il n'y a pas de mot pour le décrire	Es gibt kein Wort dafür	Non ci sono parole per descriverlo
sensación (f.) de angustia (f.), 92	feeling of anguish	sensation d'angoisse	Gefühl von Angst	sensazione/senso di angoscia
crueldad/ternura, 92	cruelty/tenderness	cruauté/tendresse	Grausamkeit/Zärtlichkeit	crudeltà/dolcezza, tenerezza
debilidad/fortaleza, 92	weakness/strength	faiblesse/force	Schwäche/Stärke	debolezza/forza
entusiasmo/frialdad, 92	enthusiasm/coldness	enthousiasme/froideur	Begeisterung/Kälte	entusiasmo/freddezza
grandeza/insignificancia, 92	nobility/insignificance	grandeur/insignifiance	Größe/Unbedeutsamkeit	grandezza/insignificatezza
horror/valentía, 92	horror/courage	horreur/courage	Schrecken/Mut	orrore/valore
(in)tranquilidad, 92	calmness	tranquilité	(Un)Ruhe	tranquillità/irrequietezza, inquietudine
séptimo arte (m.), 94	seventh art	septième art	Siebte Kunst	settima arte
tonalidad (f.), 93	tone	tonalité	Tonart	tonalità
trayectoria (f.) artística, 93	artistic career	parcours artistique	künstlerischer Werdegang	traiettoria artistica

Unidad 8

ESPAÑOL	INGLÉS	FRANCÉS	ALEMÁN	ITALIANO
alfabetización (f.), 103	literacy	alphabétisation	Alfabetisierung	alfabetizzazione
ayuda (f.) humanitaria, 103	humanitarian aid	aide humanitaire	Humanitäre Hilfe	aiuto umanitario
cambio (m.) climático, 109	climatic change	changement climatique	Klimawandel	cambio climatico
choque (m.) cultural, 112	culture shock	choc culturel	Kulturschock	scontro culturale
conciencia (f.) ecológica, 104	environmental conscience	conscience écologique	ökologisches Bewußtsein	coscenza ecologica
derechos (m. pl.) humanos, 103	human rights	droits de l'homme	Menschenrechte	diritti umani
derroche (m.) de energía, 106	waste of energy	explosion d'énergie	Energieverschwendung	sperpero d'energia
desarrollo (m.) sostenible, 103	sustainable development	développement durable	nachhaltige Entwicklung	sviluppo sostenibile
discapacitados (m. pl.), 103	disabled	handicapés	Behinderte	disabili
discriminación (f.) racial, 104	racial discrimination	discrimination raciale	rassistische Diskriminierung	discriminazione raziale
drogodependientes (m./f. pl.), 103	drug addicts	toxicodépendants	Drogenabhängige	tossicodipendenti
energías (f. pl.) no renovables, 109	non renewable energy	énergies non renouvelables	erneuerbare Energien	energie non rinnovabili
alternativas, 104	alternatives	alternatives	Alternativenergie	alternative
esperanza (f.) de vida, 108	life expectancy	espérance de vie	Lebenserwartung	speranza di vita
explotación (f.) infantil, 106	child labor (exploitation)	exploitation infantile	Kinderausbeutung	sfruttamento infantile
falta (f.) de atención, 103	lack of attention	manque d'attention	Mangelnde/r Aufmerksamkeit	mancanza di attenzione
de ayudas, 103	aid	d'aides	Hilfe	di aiuti
de protección, 103	protection	de protection	Schutz	di protezione
flora (f.) y fauna (f.), 103	flora and fauna	flore et faune	Flora und Fauna	flora e fauna
fuente (f.) de energía (f.), 108	energy source	source d'énergie	Energiequelle	fonte d'energia
de ingresos, 106	source of income	de revenus	Einkommensquelle	di entrate
hacerse mayor, 109	to become older (to age)	devenir majeur	erwachsen werden	farsi grande
millonario, 109	a millionaire	millionaire	Millionär	millonario
monje, 109	a monk/nun	moine	Mönch	monaco
periodista, 109	a journalist	journaliste	Journalist	giornalista
vegetariano, 109	a vegetarian	végétarien	Vegetarier	vegetariano/a
impacto (m.) medioambiental, 105	environmental impact	impact environnemental	Umwelteinfluss	impatto ambientale
inmigrantes (m./f. pl.), 103	immigrants	immigrants	Immigranten	immigranti
maltrato (m.), 107	abuse	mauvais traitement	Misshandlung	maltrattamento
marginación (f.), 107	marginalization	marginalisation	Randgruppe	emarginazione
Ojalá la gente se dé cuenta de…, 105	I hope people realize that…	Espérons que les gens se rendent compte de…	Hoffentlich werden sich die Leute bewusst, dass...	Magari la gente si rendesse conto di…
prejuicio (m.), 112	prejudice	préjugé	Vorurteil	pregiudizio
recursos (m. pl.) naturales, 104	natural resources	ressources naturelles	natürliche Ressourcen	risorse naturali
tomar conciencia de…, 106	to become aware of…	prendre conscience de…	sich bewußt werden	prendere coscienza di…
trámites (m. pl.) de adopción, 108	adoption pocedures	démarches d'adoption	Adoptionsverfahren	tramite d'adozione
violencia (f.) doméstica, 103	domestic violence	violence domestique	häusliche Gewalt	violenza domestica
voluntariado (m.), 106	volunteer	volontariat	Freiwilligenarbeit	volontariato
volverse (más) abierto/a, 112	to become (more) open-minded	devenir plus ouvert	offener	diventare (più) aperto/a
(más) tolerante, 112	(more) tolerant	plus tolérant	toleranter	(più) tollerante
muy maduro/a, 109	more/very mature	très mûr(e)	sehr reif	più/molto maturo/a
responsable, 109	responsible	plus/très mûr(e)/responsable	verantwortlich	responsabile
hipócrita, 109	a hypocrite	hypocrite	heuchlerisch	ipocrita

ESPAÑOL	INGLÉS	FRANCÉS	ALEMÁN	ITALIANO
almorranas (f. pl.)/hemorroides (f.pl.), 125	piles/hemorrhoids	hémorroïdes	Hämorroiden	emorroidi
arterias (f. pl.), 130	arteries	artères	Arterien	arterie
artritis (f.), 124	arthritis	arthrite	Artritis	artriti
asma (m.), 126	asma	asthme	Asma	asma
calambre (m.) muscular, 124	muscle cramp	crampe musculaire	Muskelkrampf	crampo muscolare
cápsula (f.), 126	capsule	capsule	Kapsel	capsula
cirugía (f.), 126	surgery	chirurgie	Chirurgie	chirurgia
clonación (f.) humana, 130	human cloning	clonage humain	Klonen von Menschen	clonazione umana
coger una enfermedad, 123	to catch an illness	attraper une maladie	eine Krankheit bekommen	prendere una malattia
combatir una enfermedad, 123	to fight an illness	combattre une maladie	gegen eine Krankheit ankämpfen	combattere una malattia
coser una herida, 123	to stitch/sew a wound	recoudre une blessure	eine Wunde nähen	ricucire una ferita
curandero/a, 133	faith healer	guérisseur/se	Wundheiler	guaritore/trice
curarse, 123	to heal/get better	se soigner	gesund werden/heilen	curarsi
derrame (m.) cerebral/ictus (m.), 125	brain hemmorhage/ictus	hémorragie cérébrale/ictus	Gehirnschlag	emorragia celebrale/ictus
diagnosticar una enfermedad, 124	to diagnose an illness	diagnostiquer une maladie	eine Krankheit diagnostizieren	diagnosticare una malattia
diarrea (f.)/gastroenteritis (f.), 125	diarrhea/gastroenteritis	diarrhée/gastroentérite	Durchfall	diarrea/gastroenterite
dolencia (f.), 133	pain	doleur	Schmerz	indisposizione
dolor (m.) de cabeza)/cefalea (f.), 125	headache/migrane	mal de tête	Kopfschmerz	mal di testa/cefalea
donación (f.) de órganos, 128	organ donation	donation d'organes	Organspende	donazione di organi
enfermedad (f.) psicosomática, 126	psychosomatic illness	maladie psychosomatique	psychosomatische Erkrankung	malattia psicosomatica
estar (alguien) que no levanta cabeza, 124 que no se tiene, 124 que se cae, 124	to be extremely depressed can't stand up to be falling down	ne pas s'en sortir/travailler d'arrache-pied ne pas tenir debout	keine Besserung erfahren hält sich nicht auf den Beinen fällt hin	non avere la forza di alzarsi non si regge in piedi non si regge in piedi
estar con/tener el ánimo por los suelos, 124 mejor/peor que nunca, 124 como una rosa, 124 hecho/a polvo, 124	to feel/be down/blue to be better/worse than ever to feel great to be extremely tired	avoir le moral à zéro aller mieux que jamais/être au plus mal être frais comme une rose être crevé	völlig niedergeschlagen sein besser/schlechter gehen als je zuvor sich wie ein Neugeborenes fühlen völlig fertig	essere con/avere il morale a terra non essere mai stato meglio/peggio essere/sentirsi come una rosa essere/sentirsi a terra
hacerse un análisis (médico/clínico), 125	to get medical or clinical testing	passer des analyses (médicales)	sich einer Untersuchung unterziehen (ärztlich/klinisch)	farsi un'analisi (medico/clinico)
hierbas (f. pl.) medicinales, 133	medicinal herbs	herbes médicinales	Heilkräuter	erbe medicinali
inyección (f.), 126	injection/shot	injection	Spritze	iniezione
mareos, 123	nausea	vertiges	Schwindelanfälle	vertigini
medicina (f.) alternativa, 133	alternative medicine	médecine alternative	Alternativmedizin	medicina alternativa
náuseas (f.), 123	nausea	nausées	Übelkeit/schlecht werden	nausea
neurología (f.), 126	neurology	neurologie	Nervenheilkunde	neurologia
no pegar ojo, 124	to not be able to sleep	ne pas fermer l'oeuil	nicht einschlafen können	non chiudere occhi
pediatría (f.), 126	pediatrics	pédiatrie	Kinderheilkunde	pediatria
piedras (f. pl.) en el riñón/nefrolitiasis (f.), 125	kidney stones	pierres dans le rein/néphrolitiasis	Nierensteine/Nephrolitiasis	calcoli renali/nefrolitiasi
poner de manifiesto la relación entre... y..., 127	to show the relationship between... and...	mettre en avant la relation entre... et...	eine Beziehung herstellen zwischen... und...	correlazionare tra... e...
prescribir/recetar un medicamento, 125	to prescribe medicine	prescrire un médicament	ein Medikament verschreiben	prescrivere una medicina
prevenir una enfermedad, 123	to prevent an illness	prévenir une maladie	einer Krankheit vorbeugen	prevenire una malattia
remedio (m.), 124	remedy	remède	Mittel	rimedio
sangrar, 123	to bleed	saigner	bluten	sanguinare
síntoma (m.), 124	symptom	symptôme	Symptom	sintomo
sistema (m.) nervioso, 129 inmunológico, 126	nervous system immune system	système nerveux immunologique	Nervensystem Immun-	sistema nervoso immunologico
sordera (f.)/hipoacusia (f.), 125	deafness	surdité/hypoacusie	Taubheit/Schwerhörigkeit	sordità/deficenza acustista/uditiva
supositorio (m.), 126	supository	suppositoire	Zäpfchen	suppositorio
tabaquismo (m.), 126	nicotine poisoning	tabagisme	Nikotinvergiftung	tabagismo
tensión (f.) ocular/glaucoma (m.), 125	ocular tension/glaucoma	tension oculaire/glaucome	Augendruck	pressione oculare/glaucoma
trasplante (m.) de órganos, 128	organ transplant	greffe d'organes	Organtransplantation	trapianto di organi
tratamiento (m.), 124	treatment	traitement	Behandlung	trattamento
ventrículo (m.), 130	ventricle	ventricule	Ventrikel	ventricolo
vía (f.) intramuscular, 126 intravenosa, 126 oral, 126 rectal, 126 tópica, 126	via intramuscular intravenous oral rectal tract external	voie intramusculaire intravéneuse orale rectale topique	Intramuskular intravenös oral rektal äusserlich	via intramuscolare endovenosa rettale orale topica

Unidad 10

ESPAÑOL	INGLÉS	FRANCÉS	ALEMÁN	ITALIANO
acceso (m.) gratuito, 138	free entrance	accès gratuit	kostenloser Zugang	ingresso libero
acondicionar un lugar, 137	to equip a place	aménager/équiper un lieu	einen Ort herrichten	riordinare un luogo
adecentar un lugar, 138	to straigten up a place	mettre en ordre un lieu	einen Ort angenehm gestalten	rendere accogliente un luogo
adelantar, 140	to work ahead/to pass (in a car)	avancer/dépasser	vorankommen	avanzare/anticipare/sbrigare
agente (m./f.) de tráfico, 140	traffic agent	agent de la circulation	Verkehrspolizist	vigile urbano
aguas residuales, 136	residual waters	eaux usées	Abwässer	acque residue
asistencia (f.) para mayores, 136	elderly assistance	assistance pour personnes âgées	Altenversorgung	assitenza per anziani
atención (f.) social, 136	social attention	attention sociale	soziale Integration	attenzione sociale
autopista (f.), 143	freeway (AmE)/motorway (BrE)	autoroute	Autobahn	autostrada
autovía (f.), 143	highway	route (à quatre voies)	Autobahn	scorrimento veloce
carné (m.)/permiso (m.) de conducir, 143	driver's license/permit	permis de conduire	Führerschein	patente di guida
carril-bici (m.), 136	bike lane	voie cyclable	Fahrradweg	pista ciclabile
casco (m.) histórico, 136	historic part of town	centre historique	Altstadt	centro storico
circular en sentido contrario, 140	to circulate in the opposite direction	circuler à contresens	in der entgegengesetzten Richtung fahren	circolare controsenso
conducir bajo los efectos de estupefacientes, 140	to circulate under the influence of narcotics	conduire sous les effets de stupéfiants	unter Drogeneinfluss fahren	guidare sotto gli effetti di sostanze stupefacenti
densidad (f.) de población, 136	population density	densité de population	Bevölkehrungdichte	densità di popolazione
dispositivo (m.) de seguridad, 137	security measures	dispositif de sécurité	Sicherheitskräfte	dispositivo di sicurezza
distrito (m.), 138	district	district	Bezirk	distretto
edificar, 138	to build/develop	édifier	Bebauen	edificare
eludir la vigilancia, 140	to evade the security officers	éviter/contourner la surveillance	den Wachdienst meiden	eludere la vigilanza
ensanche (m.), 136	urban expansion area	élargissement	Erweiterung	allargamento
estacionamiento (m.) subterráneo, 138	underground parking	parking sous-terrain	Tiefgarage	parcheggio sotterraneo
excrementos (m. pl.) de perro, 138	dog excrement	excréments de chien	Hundekot	escrementi di cane
fomentar el uso del transporte público, 136	to promote the use of public transportation	encourager l'utilisation du transport public	die Benutzung der öffentlichen Verkehrmittel fördern	incoraggiare l'utilizzo dei mezzi di trasporto pubblico
infracción (m.) de las normas de tráfico, 140	traffic violation	infraction des normes de la circulation routière	Überschreitung der Verkehrsregeln	infrazione delle norme del codice stradale
infraestructuras (f. pl.), 136	infrastructures	infrastructures	Infrastruktur	infrastrutture
límite (m.) de velocidad máxima autorizada, 140	speed limit	limite de la vitesse maximum autorisée	Geschwindigkeitsbegrenzung	limite massimo di velocità autorizzato
multa (f.), 143	ticket	amende	Verkehrstrafe	multa
panel (m.) de información y orientación, 142	information and orientation panel	panneau/tableau d'information et d'orientation	Hinweisschild	segnaletica stradale
parquímetro (m.), 138	parking meter	parcmètre	Parkuhr	parchimetro
pasajero/a, 141	passenger	passager	Passagier	passeggero/a
paso (m.) de peatones, 143	crosswalk	passage piétons	Fussgängerübergang	strisce pedonali
plaza (f.) de aparcamiento, 138	parking lot	place de parking	Parkplatz	posto auto
polideportivo (m.), 138	sports center	omnisports	Sportzentrum	palasport
ponerse el casco, 140	to wear a helmet	mettre un casque	Schutzhelm tragen	mettersi il casco
el cinturón de seguridad, 140	safety belt	la ceinture de sécurité	Sicherheitsgurt	la cintura di sicurezza
prestación (f.), 142	benefits/assistance	prestation	Leistung	prestazione
puerta (f.) de embarque, 143	boarding gate	porte d'embarquement	Flugsteig	uscita d'imbarco
recogida (f.) de basuras, 136	garbage collection	rammassage d'ordures	Müllabfuhr	raccolta di rifiuti
de equipajes, 143	luggage collection	de bagages	Gepäckausgabe	ritiro bagagli
red (f.) de transporte urbano, 142	urban transportation	réseau de transport urbain	Städtisches Verkehrsnetzt	rete di trasporto urbano
remodelación (f.), 138	remodeling/redesign	rénovation	Erneuerung	rimodellazione
saltarse un semáforo (en rojo), 140	to run a (red) light	griller un feu (rouge)	Ampel überfahren	passare col rosso
sanción (f.), 140	sanction/fine	sanction	Strafe	sanzione
Se prohíbe fijar carteles, 135	No posters allowed	Interdiction d'afficher	Plakatieren verboten	Vietata l'affissione
Se ruega guardar silencio, 135	Silence, please	Prière de garder le silence	Bitte Lärm vermeiden	Silenzio per favore
seguridad (f.) ciudadana, 136	citizen safety	sécurité en ville	Bürgersicherheit	vigilanza urbana
servicios (m. pl.) de limpieza, 138	cleaning services	services de nettoyage	Reinigungsdienste	servizi di pulizia
de sanidad, 136	health services	sanitaires	Gesundheitsdienste	sanitari
para mayores, 136	senior citizen services	pour personnes âgées	für ältere Menschen	per la terza età
terminal (f.), 143	terminal	terminal	Endstation	terminal, terminale
tocar el claxon, 141	to honk the horn	claxonner	Hupen	suonare il clacson
torno (m.), 142	turnstile	tour	an der Reihe sein	volume
urbanismo (m.), 138	town planning	urbanisme	Urbanismus/Städtebau	urbanismo
visibilidad (f.) reducida, 140	limited visibility	visibilité réduite	beschränkte Sicht	visibilità ridotta
zona (f.) peatonal, 136	pedestrian area	zone piétonne	Fußgängerzone	zona pedonale
zonas (f.) verdes, 136	green areas	zones vertes	Grünflächen	aree verdi

Unidad 11

ESPAÑOL	INGLÉS	FRANCÉS	ALEMÁN	ITALIANO
admirar (algo/a alguien), 147	to admire	admirer	Bewundern	ammirare
aspecto (m.) bohemio, 148	bohemian appearance	aspect/apparence/allure bohème	unkonventionelles Aussehen	aspetto bohème
grunge, 148	grunge	grunge	Grunge	grunge
hippie, 148	hippy	hippie	Hippie	hippy/hippie
punki, 148	punk	punk	Punk	punk
rapero, 148	rapper	rappeur	Rapper	rap
cambiar de rumbo, 154	to change of pace	changer de route	Richtung ändern	cambiare rotta
dar (a alguien) por muerto, 152	to be given up for dead	croire que quelqu'un est mort	Für tot erklären	dare qualcuno per morto
dedicar atención (a algo/a alguien), 150	to pay attention	consacrer son attention	Aufmerksamkeit schenken	dedicare attenzione
dejar de hacer algo, 150	to stop doing something	arrêter de faire quelque chose	etwas aufgeben	smettere di fare qualcosa
desafío (m.), 152	challenge	défi	Herausforderung	sfida
estética (f.), 148	looks	esthétique	Schönheit	estetica
flexibilidad (f.), 149	flexibility	flexibilité	Flexibilität	flessibilità
hacer algo de forma intuitiva, 150	to do something intuitively	faire quelque chose de manière intuitive	etwas intuitiv machen	fare qualcosa in modo intuitivo
hacerse un tatuaje, 148	to get a tattoo	se faire un tatouage/se tatouer	sich tätouieren lassen	farsi un tatuaggio/tatuarsi
ídolo (m.), 148	idol	idole	Idol	idolo
(justo) antes/después de (que)..., 148	(just) before/after	(juste) avant/après que...	(genau) bevor/danach	(giusto) prima/dopo (che)
llevar coleta (f.)/trenzas (f.), 148	to wear a ponytail/braids	porter une queue de cheval/des tresses	einen Pferdeschwanz/Zöpfe tragen	portare la coda/il codino/le trecce
el pelo (m.) de punta, 148	spiked hair	avoir les cheveux dressés	die Haare zu Berge stehend	i capelli ben pettinati
el pelo (m.) despeinado, 148	messy hair	avoir les cheveux décoiffés	unfrisierte Haare haben	i capelli spettinati
el pelo (m.) rapado, 148	shaved hair	avoir les cheveux rasés	die Kopsfhaare rasiert	i capelli rasati
gorra (f.), 148	a hat	casquette	Mütze	berretto
melena (f.), 148	long hair	longue chevelure	Haarsträhne	capelli lunghi
pantalones (m. pl.) ajustados, 148	tight pants/trousers	pantalons moulants	engsitzende Hosen	pantaloni aderenti
pantalones (m. pl.) anchos, 148	wide pants/trousers	pantalons amples	weite Hosen	larghi
pantalones (m. pl.) de campana, 148	bellbottom pants	pantalons pattes d'éléphant	Schlaghosen	a zampa di elefante
pantalones (m. pl.) de pana, 148	corderouy pants	pantalons en velours/côtelé	Kordhosen	di velluto
perilla (f.), 148	goatee		Kinnbart	pizzetto
ropa (f.) extravagante, 151	extravagant clothes	des vêtements extravagants	extravagante Kleidung	indumenti stravaganti
ropa (f.) superpuesta, 148	layered clothes	des vêtements superposés	kombinierte Kleidung	indumenti sovrapposti/a strati
un anillo (m), 148	a ring	une bague	ein Ring	un anello
un pendiente (m.), 148	an earring	des boucles d'oreille	ein Ohrring	un orecchino
una cadena (f.), 148	a chain (neclace)	une chaîne	eine Kette	una catena
una camiseta (f.) sin mangas, 148	a sleeveless shirt	un tee-shirt sans manches	ein ärmeloses Hemt	una t-shirt senza maniche
una cazadora (f.) de segunda mano, 148	a second hand denim jacket	un blouson d'occasion	eine Second Hand Jacke	un giubbino di seconda mano
una pulsera (f.), 151	a bracelet	un bracelet	ein Armband	un braccialetto
zapatillas (f. pl.) de deporte, 148	tennis shoes/trainers	des chaussures de sport	Sportschuhe	scarpe sportive
mandar, 149	to order	commander	verlangen	comandare
mostrar interés (m.), 150	to show interest	montrer de l'intérêt	sich interessieren	mostrare interesse
saberse (algo) de memoria, 147	to know by heart	savoir par coeur	etwas auswendig wissen	sapere a memoria
ser comprensivo/a, 150	to be understanding	être compréhensif	verständnissvoll sein	essere comprensivo/a
cruel, 150	cruel	cruel	grausam	crudele
dinámico/a, 150	dynamic	dynamique	dynamisch	dinamico/a
estricto/a, 149	strict	strict	streng	severo/a
gamberro/a, 150	a hooligan	un voyou	Flegel	grossolano/a
maduro/a, 150	mature	mûr	reif	maturo/a
permisivo/a, 149	permissive	permissif/ive	nachgiebig/moralisch freizügig	permissivo/a
sensato/a, 150	sensible/intelligent	sensé/e	besonnen	sensato/a
víctima de la moda, 148	fashion victim	victime de la mode/fashion-victime	von der Mode abhängig	vittima della moda
suspender una búsqueda/un rescate, 152	to end a search/rescue	arrêter une recherche/un sauvetage	eine Suche/Rettungsaktion abbrechen	sospendere una ricerca/un salvataggio
tragedia (f.), 152	tragedy	tragédie	Tragödie	tragedia
tratar de hacer algo, 152	to try to do something	essayer de faire quelque chose	etwas machen	tentare di fare qualcosa

Unidad 12

ESPAÑOL	INGLÉS	FRANCÉS	ALEMÁN	ITALIANO
acceder a la información, 162	to access the information	accéder à l'information	Zugang zu der Information haben	accedere all'informazione
aceptar un regalo, 165	to accept a gift	accepter un cadeau	ein Geschenk annehmen	accettare un regalo/dono
afrontar la realidad, 162	to face reality	affronter la réalité	sich der Wahrheit stellen	affrontare la realtà
base (f.) de datos, 163	database	base de données	Datenbank	base di dati, database
cámara (f.) web, 161	webcam	caméra web	Webkammera	web cam
carta (f.) de agradecimiento, 165 de despedida, 164	thank you letter goodbye letter	lettre de remerciement d'adieu	Dankschreiben	lettera di ringraziamento d'addio
celebrar el día de la quinceañera, 168	to celebrate the quinceañera (15-year old) day	fêter le jour des quinze ans	den fünfzehnten Geburtstag feiern	celebrare il giorno del quindicesimo compleanno
un aniversario, 168	an anniversary	un anniversaire	einen Geburtstag	un anniversario
un bautizo, 168	a baptism	un baptême	eine Taufe	un battesimo
un nacimiento, 168	a birth	une naissance	eine Geburt	una nascita
una comunión, 168	a first communion	une communion	eine Erstkommunion	una comunione
una graduación, 168	a graduation	un diplôme	eine Abschlussprüfung	un diploma
chatear, 161	to chat	chatter	Chaten	chattare
cibercafé (m.), 161	cybercafe	cybercafé	Cybercafé	internet point
colgar algo en la red, 163	to put something on the Internet	accrocher quelque chose au mur	etwas ins Internet setzen	mettere qualcosa in rete
compartir con alguien buenos/malos momentos, 164	to share good/bad moments with someone	partager avec quelqu'un de bons/mauvais moments	mit jemandem gute und schlechte Zeiten teilen	compartire con qualcuno buoni/cattivi momenti
conexión (f.) a Internet, 161	Internet connection	connexion à internet	Internetzugang	connessione a internet
cumplir las normas, 162	to follow the rules	respecter les normes	die Richtlinien einhalten	rispettare le norme
defender una opinión, 162	to defend an opinion	défendre une opinion	eine Meinung verteidigen	difendere un'opinione
descargar música, 163	to download music	décharger de la musique	Musik herunterladen	scaricare musica
desinhibirse, 162	to loose your inhibitions	se désinhiber	enthemmen	disinibirsi
engañar, 162	to trick/fool	tromper	täuschen	ingannare
entrar a formar parte de la vida de alguien, 164	to become a part of someone's life	entrer à former partie de la vie de quelqu'un	anfangen ein Teil des Lebens von jemanden zu werden	entrare a far parte della vita di qualcuno
equipamientos (m. pl.) del ordenador, 160	computer equipment	équipements de l'ordinateur	PC Anlage	accessori del computer
formación (f.) a distancia, 161	distance learning	formation à distance	Fernstudium	formazione a distanza
grabadora (f.) de cedés/DVD, 161	CD/DVD burner	graveur de CD/DVD	CD/DVD Recorder	masterizzatore di CD/DVD
guardar buenos/malos recuerdos de una experiencia, 164	to have good/bad memories	garder de bons/mauvais souvenirs	gute/schlechte Erinnerungen behalten	serbare buoni/cattivi ricordi
internauta (m./f.), 159	Internet user	internaute	Internaut	internauta
lista (f.) de distribución, 161	distribution list	liste de distribution	Verteilerliste	liste di distribuzione
No hay nada de malo en..., 163	There's nothing wrong with...	Il n'y a rien de mal à...	Es gibt nichts Schlechtes in...	Non c'è nulla di male a...
normas (f. pl.) de participación, 162	rules of participation	normes de participation	Teilnahmebedingungen	norme di partecipazione
ordenador (m.) personal, 159	personal computer	ordinateur personnel	Rechner	personal computer
pecé (m.), 159	PC	PC	PC	pc
poner un mote, 163	to nickname	donner un surnom	Einen Spitzname geben	mettere un nomignolo
pornografía (f.), 162	pornography	pornographie	Pornographie	pornografia
procesador (m.) de textos, 161	word processor	processeur de textes	Textverarbeitung	processatore di testi
Quería/Quisiera darte/le las gracias por todo, 167	I wanted/would like to thank you for everything	Je voudrais te/vous remercier	Ich würde dir gerne für alles danken	Volevo/Vorrei ringraziarti/La per tutto
Quiero agradecerte/le..., 167	I want to thank you for...	Je veux te/vous remercier...	Ich will dir danken...	Voglio ringraziarti/La
reproductor (m.) de cedés/DVD, 161	CD/DVD player	lecteur de CD/DVD	CD/DVD Player	lettore CD/DVD
Se me ha quedado grabado lo de..., 165	It got stuck in my head	Ça m'est resté à l'esprit...	Ich hab´s mir mit... gemerkt	mi è rimasto registrato quello di...
seguir un debate, 162	to follow a debate	suivre un débat	eine Diskussion verfolgen	seguire un dibattito
ser aparatoso/a, 159	to be exaggerated/dramatic	être tape-à-l'oeuil	ungeschickt sein	essere vistoso/a, appariscente
conciso/a, 162	to be concise	concis	knapp,genau	conciso/a
cortés (m./f.), 162	to be curteous	courtois	höfflich	cortese
respetuoso/a, 162	to be respectful	respecteux	respektvoll	rispettoso/a
una potencia en..., 159	to be a... power	une puissance dans...	eine Macht in...	una potenza in...
servicio (m.) de voz, 159	voicemail	service vocal	Stimmservice	servizio vocale
Siempre recordaré lo que..., 165	I'll always remember what...	Je me souviendrai toujours de...	immer werde ich mich daran erinnern, dass...	Sempre ricorderò quello che
Te/Le agradezco..., 167	I am thankful for...	Je te/vous remercie	ich danke dir/Ihnen	Ti/La ringrazio
Te/Le doy las gracias por..., 167	Thank you for...	Je te/vous remercie	ich danke dir/Ihnen	Ti/La ringrazio per...
teléfono (m.) móvil de primera generación, 149	state of the art mobile phone	téléphone portable de première génération	Handy der ersten Generation	telefonino di prima generazione
timo (m.), 162	trick/swindle	arnaque	Betrug	truffa
videojuego (m.), 159	video game	jeu vidéo	Videospiel	videogioco